Universale Economica Feltrinelli

NAGIB MAHFUZ
VICOLO DEL MORTAIO

Traduzione di Paolo Branca

Feltrinelli

Titolo dell'opera originale
ZOQAQ AL MIDAQ

Traduzione dall'arabo di
PAOLO BRANCA

© Nagib Mahfuz 1947
Prima edizione in lingua araba 1947, col titolo *Zoqaq al Midaq*
La presente edizione è pubblicata secondo accordi
con l'American University Press, Cairo.

© Giangiacomo Feltrinelli Editore Milano
Prima edizione ne "I Narratori" aprile 1989
Prima edizione nell' "Universale Economica" aprile 1990

ISBN 88-07-81119-7

Il Vicolo del Mortaio, come si vede ancora da molti segni, è stato una delle meraviglie dei secoli passati e un tempo ha brillato come un astro fulgente nella storia del Cairo.

Quando? All'epoca fatimita, oppure in quella dei Mamelucchi o dei Sultani?

Lo sanno solo Dio e gli archeologi... si tratta in ogni caso di una preziosa antichità.

Né potrebbe essere altrimenti, dal momento che il suo selciato scende direttamente fino alla grande e storica Sanadiqiyya e che lì c'è un caffè, il caffè Kirsha, con le pareti coperte di arabeschi variopinti. Ma questo, si sa, appartiene al passato.

Ora tutto è diroccato, in rovina.

I forti aromi delle erbe medicinali di un tempo hanno lasciato il posto ai profumi di oggi e a quelli che verranno, ma il Vicolo continua a vivere quasi isolato dal mondo che gli scorre attorno, a risuonare di un'esistenza propria, profondamente legata alle radici della vita, e a conservare i segreti del passato.

1.

Il tramonto si annunciava e il Vicolo del Mortaio andava coprendosi di un velo bruno, reso ancora più cupo dalle ombre dei muri che lo cingevano da tre lati. Si apriva sulla Sanadiqiyya e poi saliva, in modo irregolare: una bottega, un caffè, un forno.

Di fronte ancora una bottega, un bazar e subito la sua breve gloria terminava contro due case a ridosso, entrambe di tre piani.

Il rumore del giorno si era attutito, facendosi ovattato nella sera. Qui un bisbiglio, là un borbottio: "Ya Rabb! Ya Mu'in! Ya Razzaq! Ya Karim!" "Conceda Iddio una buona fine, ya Rabb". "Tutto è nelle Sue mani".

"Buona serata a tutti". "Venite, è l'ora della veglia!"

"Da bravo, Kamil, chiudi la bottega". "Songor, portaci altra acqua per il narghilè". "E tu, Gaada, spegni il tuo forno".

Il mio cuore era pesante. Da cinque anni pativamo l'oscuramento e le incursioni aeree, a causa della nostra malvagità.

Ma due negozi, quello di Kamil, il venditore di basbusa, sulla destra del vicolo, e quello del barbiere al-Helwu, sulla sinistra, restavano aperti ancora un po' dopo il tramonto.

Il buon Kamil aveva l'abitudine di mettere una sedia sulla soglia del negozio e di sprofondarci addormentato, con lo scacciamosche in grembo.

Non si svegliava a meno che non lo chiamasse un cliente o Abbas al-Helwu, il barbiere, non venisse a stuzzicarlo.

Era una montagna d'uomo, sotto la galabiyya c'erano due gambe grosse come otri e il suo didietro sporgeva come una cupola, traboccando dalla sedia.

Il ventre sembrava una botte e sopra vi si spandevano due grossi seni sporgenti.

Non gli si vedeva il collo e dalle spalle spuntava un viso tondo, rubicondo, gonfio dove i lineamenti annegavano, senza un segno né una ruga, pareva addirittura che non ci fossero né naso né occhi. Il tutto sormontato da una piccola testa pelata, bianca e rossa come tutto il resto. Kamil ansimava e sbuffava di continuo, come se avesse appena fatto una corsa, e non aveva finito di vendere un pezzetto di basbusa che veniva vinto di nuovo dal sonno. Glielo avevano detto tante volte: "Ti verrà un colpo. Il grasso che ti pesa sul cuore finirà per ucciderti" ed egli stesso se lo ripeteva. Ma che male era in fondo la morte, per uno che non faceva altro che dormire?

La bottega di al-Helwu era piccola ma elegante per un posto come quello. C'erano uno specchio, una poltrona e tutti gli attrezzi del mestiere.

Il padrone era un uomo giovane, di media statura, tendente al grasso, pallido in volto ma dagli occhi vivaci, con capelli lisci color stoppa, benché fosse di carnagione scura. Vestiva all'europea, né mancava di mettersi un camice, alla maniera dei grandi parrucchieri.

Quei due restavano nelle loro botteghe fino a quando il grande bazar vicino al barbiere chiudeva e gli impiegati se ne andavano. L'ultimo ad uscire era il padrone, Selim Alwan. Sontuosamente vestito con giubba e caffettano, si dirigeva verso la carrozza che lo attendeva all'imbocco del Vicolo. Vi saliva con sussiego e il sedile spariva sotto la sua massiccia persona, dominata da due baffi da Circasso.

Il cocchiere tirava allora un calcio al campanello che tintinnava con forza e la vettura, tirata da un solo cavallo, scendeva verso la Ghuriyya, in direzione della Hilmiyya.

Allora, in fondo al Vicolo, due case chiudevano le finestre contro il fresco della sera, ma attraverso le tende si poteva intravedere la luce delle lampade.

Il Vicolo del Mortaio sarebbe sprofondato nel silenzio assoluto, se non fosse stato per il caffè Kirsha che con le sue lampade elettriche piene di mosche diventava la meta dei nottambuli.

Era una sala quadrata, piuttosto fatiscente, ma i muri ormai in rovina erano ancora coperti di arabeschi.

L'unico cimelio della sua gloria passata, erano alcuni sofà disposti lungo le pareti.

All'entrata un operaio stava fissando al muro un apparecchio radio usato.

Uno sparuto gruppo di clienti, sparsi nel locale, fumava il narghilè e beveva tè.

Vicino all'ingresso, su una panca, se ne stava accoccolato un uomo sulla cinquantina. Dal colletto della galabiyya scendeva una cravatta da signori e sugli occhi vacillanti portava un paio di preziosi occhiali d'oro. Si era levato i sandali e stava seduto, immobile come una statua, muto come un morto, senza guardarsi attorno, come se fosse solo al mondo.

Si avvicinò al caffè un vecchio malandato a cui gli anni non avevano lasciato neppure un osso sano: con la mano sinistra si appoggiava a un ragazzo che lo guidava e stringeva sotto il braccio destro una rababa e un libro.

Salutò i presenti e si diresse subito al sofà posto nel mezzo della sala. Vi salì con l'aiuto del giovane, il quale gli si sedette accanto appoggiando rababa e libro tra sé e il vecchio.

Questi cominciò i suoi preparativi e intanto scrutava gli astanti, come per assicurarsi dell'effetto della sua presenza.

I suoi occhi spenti e infiammati si fissarono su Songor, il ragazzo del caffè, con un'espressione di ansiosa attesa.

E siccome l'attesa si prolungava e il ragazzo fingeva d'ignorarlo, il vecchio ruppe gli indugi e disse con voce rude:

"Songor, il caffè!"

Il ragazzo accennò a girarsi verso di lui ma, dopo un istante di incertezza, gli voltò le spalle senza dire una parola, lasciando cadere nel vuoto l'ordinazione.

Il vecchio comprese che non gli badava, come del resto si aspettava, ma il cielo venne in suo aiuto poiché in quell'istante entrò un uomo che aveva udito la sua richiesta e notato la negligenza del ragazzo, a cui disse subito in tono perentorio:

"Porta il caffè al poeta!"

Il vecchio gli rivolse uno sguardo riconoscente e soggiunse amaramente:

"Sia ringraziato Iddio, dottor Bushi!"

Il dottore lo salutò e gli sedette accanto. Portava una galabiyya, uno zucchetto e un paio di sandali. Era dentista, ma aveva imparato il mestiere con la pratica, senza bisogno di frequentare corsi di medicina o d'altro.

All'inizio della sua carriera, aveva lavorato come inserviente presso un dentista di al-Gamaliyya dove, con le sue doti, era presto diventato abile ed esperto. Era noto per i preziosi consigli, benché per lo più preferisse strappare il dente che curarlo. Cavarsi un dente nel suo "ambulatorio" era probabilmente molto

11

doloroso, ma in compenso costava poco: ai poveri una piastra e ai ricchi due (intendo i ricchi del Vicolo del Mortaio, naturalmente).

Se capitava un'emorragia, cosa abbastanza frequente, si era soliti attribuirla al volere divino e si pregava Dio perché cessasse. A padron Kirsha, il proprietario del caffè, aveva messo una dentiera d'oro per sole due ghinee. Nel Vicolo e nei quartieri vicini lo chiamavano dottore ed egli era forse il primo medico che dovesse il proprio titolo unicamente ai pazienti.

Songor portò il caffè, come ordinato dal dottore. Il poeta prese la tazza e l'avvicinò alle labbra soffiando, poi si mise a berlo a piccoli sorsi finché non l'ebbe finito. Solo allora si rammentò del comportamento del ragazzo, lo guardò di traverso e mormorò furente:

"Razza di maleducato!"

Afferrò quindi la rababa e si accinse ad accordarla, ignorando gli sguardi d'odio che gli lanciava Songor.

Attaccò infine un preludio che al caffè Kirsha si ascoltava ogni sera da più di vent'anni, e il suo corpo emaciato prese a vibrare insieme alla rababa. Tossì, sputò, invocò Dio e gridò con la sua voce roca:

"Per cominciare, oggi pregheremo per il Profeta. Arabo, fior fiore della stirpe di Adnan. Abu Saada al-Zannati afferma..."

La voce brusca di un uomo che stava entrando lo interruppe:

"Silenzio! Non dire altro".

Il vecchio sollevò dalla rababa gli occhi spenti e vide padron Kirsha, una figura alta e magra, quasi nera di pelle, gli occhi scuri e assonnati, e lo squadrò accigliato.

Esitò un istante, come se non credesse ai propri orecchi, quindi decise di far finta di nulla e riprese:

"Abu Saada al-Zannati afferma..."

Ma il padrone furente e indispettito gli urlò:

"Allora insisti! Smettila ti ho detto. Non ti ho già avvertito la settimana scorsa?"

Il poeta assunse un'aria seccata e disse risentito:

"Vedo che hai esagerato con l'hashish e ora hai voglia di sfogarti con me".

Quello riprese furibondo:

"La mia testa è a posto, vecchio scimunito! So quel che voglio. Pensi di potermi offendere con quella tua linguaccia e continuare a declamare nel mio caffè?"

Il vecchio cambiò tono, cercando di calmarlo:

"Questo caffè è anche un po' mio. Non son vent'anni che recito esclusivamente qui?"

Ma padron Kirsha, riprendendo il suo solito posto alla cassa, continuava:

"Le tue storie le sappiamo a memoria e non c'è bisogno che ce le racconti un'altra volta. Oggigiorno la gente non vuole cantastorie. Continuano a chiedermi la radio... ed eccola montata! Lasciaci dunque in pace e che Dio provveda a te".

Il volto del poeta si rabbuiò. In preda allo scoraggiamento, pensò che quel caffè era l'ultimo che gli restava e non aveva un altro posto per guadagnarsi il pane, lui che un tempo era stato famoso. Allo stesso modo, poco tempo prima, era stato congedato dal caffè della Cittadella.

La vita è lunga e non si trova sempre di che campare. Che avrebbe fatto? A che pro insegnare al suo povero figliolo quest'arte invendibile che più nessuno voleva? Si sentì doppiamente scoraggiato nel vedere il cipiglio impaziente e risoluto del padrone.

"Calma, padron Kirsha – riprese – le gesta dei Banu Hilal sono una storia di inesauribile ricchezza. La radio non potrà mai sostituirla!"

Ma quello tagliò corto:

"Lo dici tu, però i clienti la pensano diversamente, non vorrai mica mandarmi in rovina! Le cose sono cambiate".

Il poeta disse, in preda allo sconforto:

"Generazioni intere hanno ascoltato queste storie senza annoiarsi, dai tempi del Profeta".

Ma il padrone batté il pugno sulla cassa gridando:

"Ho detto che le cose sono cambiate!"

Allora l'uomo che era rimasto per tutto il tempo immobile ed assorto – quello con la galabiyya, la cravatta e gli occhiali d'oro – si mosse, alzò gli occhi al soffitto e trasse un sospiro che sembrava venire dalle viscere:

"Ahimè, tutto è cambiato. Sissignore, tutto è cambiato salvo il mio cuore che è ancora affezionato alla famiglia del Profeta..."

Scosse lentamente la testa, muovendola da destra a sinistra con un'oscillazione che si fece pian piano sempre più breve, finché tornò alla posizione immobile di prima, sprofondando di nuovo in uno stato di assenza.

Quanti lo conoscevano non gli badarono neppure, ma il poeta gli si rivolse speranzoso come a un soccorritore:

"Shaykh Darwish, siete contento di questo?"

Ma l'altro non uscì dal suo letargo e non aprì bocca.

Fu allora che giunse un nuovo personaggio che tutti guardarono con reverenza e affetto, rispondendo calorosamente al suo saluto.

Sayyid Ridwan al-Husseini era conosciuto e venerato da tutti, il suo corpo enorme era avvolto in un ampio mantello nero, al di sopra del quale spiccava un grande viso florido, ornato da una barba fulva. La sua fronte era raggiante di luce e il suo volto esprimeva bellezza, fede e benevolenza; si muoveva con eleganza, a testa china, le labbra atteggiate a un sorriso che rivelava il suo amore per l'umanità e per il mondo. Prese posto vicino al poeta che si affrettò a dargli il benvenuto e a confidargli le sue pene.

Il Sayyid gli prestò ascolto di buon grado, perché sapeva ciò che lo angustiava e aveva egli stesso ripetutamente cercato invano di dissuadere padron Kirsha dal suo proposito.

Quando il poeta ebbe terminato le sue lamentele, si mostrò comprensivo e gli promise di cercare per il figlio un lavoro col quale potersi mantenere.

Poi, sottolineando le parole con un gesto della mano aperta gli sussurrò all'orecchio:

"Siamo tutti figli di Adamo. Se sei nella necessità, rivolgiti a tuo fratello. È Dio che dà a ciascuno ciò di cui ha bisogno e da Lui viene ogni beneficio".

Il suo bel viso si fece ancor più luminoso, come accade a chi è retto e generoso e a quanti praticano il bene, trovando in esso sempre maggior compiacimento. Si sforzava di compiere ogni giorno una buona azione, e se non vi riusciva tornava a casa triste e insoddisfatto.

La sua generosità poteva far pensare che disponesse di denaro e di mezzi, mentre in realtà possedeva soltanto la casa sulla destra del Vicolo e un po' di terra in campagna.

I suoi inquilini – padron Kirsha al terzo piano, il buon Kamil e al-Helwu al primo – trovavano in lui un padrone di buon cuore e accomodante, che aveva rinunciato perfino all'aumento degli affitti, previsto dal Decreto militare, per compassione verso di loro.

La carità era di casa da Sayyid Ridwan, eppure la sua esistenza – soprattutto agli inizi – era stata ricca di insuccessi e di dolori.

Il periodo di studi all'università di al-Azhar – dove aveva trascorso lunghi anni della sua vita – si era concluso con un fallimento, inoltre non gli era rimasto in vita neppure un figlio. Aveva provato dolore e disperazione, aveva bevuto il calice fino alla feccia e aveva rischiato di cadere in preda all'angoscia e allo sconforto.

A lungo si chiuse in se stesso, in un'oscurità totale. Ma poi venne la fede a condurlo dalle tenebre della tristezza alla luce dell'amore. Il suo cuore dimenticò l'afflizione e la paura e lui, ormai insensibile alle brutture del mondo, volava col cuore verso il cielo, riversando il suo amore su tutti. E di fronte a ogni nuova difficoltà la sua pazienza e la sua carità raddoppiavano.

Lo videro un giorno accompagnare uno dei suoi figli all'ultima dimora: recitava il Corano, col viso raggiante. La gente lo circondava per consolarlo, ma egli sorrideva e indicando il cielo diceva:

"Il Signore ha dato, il Signore ha tolto. Ogni cosa avviene per ordine suo e tutto gli appartiene. La tristezza è mancanza di fede" ed era lui a consolare gli altri.

Anche il dottor Bushi diceva:

"Se sei malato, tocca Sayyid al-Husseini e guarirai. Se sei disperato, guarda la luce del suo viso e ti consolerai. Se sei triste, ascoltalo e ritroverai la gioia".

Il suo volto, di straordinaria bellezza, era lo specchio della sua anima.

Anche il poeta, che si era calmato e rasserenato, si alzò per andarsene seguito dal ragazzo che portava la rababa e il libro. Strinse la mano di Sayyid Ridwan al-Husseini e salutò gli astanti, fingendo di ignorare padron Kirsha, poi con un'occhiata di sdegno alla radio che l'operaio finiva di sistemare, prese la mano del figlio, si lasciò guidare fuori e scomparve.

Lo Shaykh Darwish diede di nuovo segni di vita: si voltò verso il posto lasciato vuoto dai due e disse sospirando:

"Il poeta se n'è andato ed è stato sostituito dalla radio. Così Dio tratta le sue creature, fin dai tempi antichi. Lo dice la storia, che in inglese si dice history e si scrive h.i.s.t.o.r.y.".

Mentre terminava di pronunciare queste parole arrivarono Kamil e Abbas al-Helwu, che avevano appena chiuso bottega. Al-Helwu apparve per primo. Si era lavato il viso e pettinato quei suoi capelli giallastri. Kamil lo seguiva camminando con sussiego, barcollante. Entrambi salutarono i presenti, si sedettero uno accanto all'altro e ordinarono del tè. Quei due non riuscivano a fermarsi in un posto senza mettersi a chiacchierare.

Al-Helwu attaccò:

"Gente, ascoltate! L'amico Kamil ha appena finito di lamentarsi con me. Dice che può morire da un momento all'altro e nessuno si preoccuperà della sua sepoltura..."

Uno dei clienti intervenne sarcastico:

"Ci penserà la Comunità..."

E un altro:

"La basbusa che lascerà, basterebbe per i funerali di tutti".

Il dottor Bushi scoppiò a ridere e disse, rivolto a Kamil:

"Non fai che parlare di morire, ma sarai tu, per Dio, a seppellirci tutti".

Kamil si schermì con una voce acuta di bambino:

"Da bravi! Son solo un pover'uomo".

Abbas al-Helwu riprese:

"Bisogna starlo a sentire, la sua basbusa gliene dà diritto. Comunque, per precauzione gli ho comperato un sudario e lo conservo per la sua ultima ora".

Poi, rivolto a Kamil:

"Era un segreto. Non te l'avevo detto, ma lo dichiaro qui pubblicamente di modo che ci siano testimoni".

Tutti erano in preda all'ilarità, ma si sforzavano di rimanere seri per restare in argomento e prendersi gioco di quel credulone di Kamil. Magnificarono la cortesia e la generosità di al-Helwu:

"È proprio un'attenzione degna di lui, così affezionato all'uomo con cui divide la casa, come se fosse del suo stesso sangue"

Perfino Sayyid Ridwan al-Husseini sorrise compiaciuto, tanto che Kamil stesso rivolse all'amico uno sguardo ingenuo e meravigliato e chiese:

"Ma è proprio vero quello che hai detto, Abbas?"

Intervenne il dottor Bushi:

"Senza alcun dubbio. Anch'io ne ero al corrente e ho visto il sudario coi miei stessi occhi. È roba bella. Vorrei averne uno uguale".

Per la terza volta lo Shaykh Darwish si mosse e disse:

"Il sudario è la vela per l'altro mondo, goditi il tuo sudario Kamil, prima che sia lui a godere te. Sarai un bel bocconcino per i vermi, la tua carne tenera li sazierà come basbusa, e finiranno per diventare grassi come rane, che in inglese si dice frog e si scrive f.r.o.g.".

Kamil, credulone, si mise a far domande circa il sudario, di che tipo fosse, di che colore, di quanti veli...

Quindi colmò l'amico di benedizioni e lodò Dio, tutto soddisfatto.

In quel momento giunse dalla strada la voce di un giovane che salutava:

"Buonasera".

Si dirigeva verso la casa di Sayyid Ridwan al-Husseini ed era Hussein Kirsha, il figlio del padrone del caffè. Era un ragazzo di circa vent'anni, scuro come il padre, quasi nero, ma snello e dai lineamenti fini che denotavano acume, estro ed energia. Indossava una camicia di lana blu e pantaloni kaki, un berretto e scarpe pesanti. Aveva l'aria ben nutrita di chi presta servizio nell'esercito inglese e appunto a quell'ora faceva ritorno da al-Arnas, guardato da molti con ammirazione e non senza una punta di invidia.

Al-Helwu, ch'era suo amico, lo invitò a prendere una tazza di caffè, ma lui ringraziò e continuò per la sua strada.

L'oscurità regnava nel Vicolo, salvo per il quadrato di luce disegnato sul terreno e sulla parete del bazar dalle lampade del caffè. Dietro le tendine delle case, le deboli luci andavano spegnendosi ad una ad una, mentre nel caffè i nottambuli erano intenti al domino ed al kumi.

Lo Shaykh Darwish era ancora sprofondato nel torpore mentre Kamil, chinato il capo in avanti, si era rimesso a dormire, e Songor continuava indaffarato a portare le ordinazioni e a fare la spola tra i clienti e la cassa, sotto lo sguardo pesante di Kirsha che stava languidamente succhiando qualcosa, preso da una deliziosa beatitudine.

Era tardi e Sayyid Ridwan al-Husseini lasciò il caffè diretto verso casa. Poco dopo lo seguì il dottor Bushi che fece ritorno al proprio appartamento, al primo piano del secondo edificio.

Poi fu la volta di al-Helwu e di Kamil.

I sedili si vuotavano uno dopo l'altro e a mezzanotte non restavano al caffè che il padrone, il ragazzo e lo Shaykh Darwish.

Arrivò allora un gruppo di amici di padron Kirsha e tutti salirono in una baracca di legno, sul terrazzo della casa di Sayyid Ridwan e si raccolsero in cerchio attorno al braciere, dando inizio alla seconda parte della veglia che sarebbe terminata solo all'alba, quando si può finalmente distinguere un filo bianco da un filo nero.

Songor si rivolse all'ultimo cliente, dicendogli delicatamente:

"È mezzanotte, Shaykh Darwish".

Quegli si destò alla voce del ragazzo, si tolse flemmatico gli occhiali e li pulì con l'orlo della galabiyya, quindi se li infilò di nuovo, si aggiustò la cravatta, si alzò mettendosi i sandali e uscì dal caffè senza una parola.

Il rumore dei suoi passi sul selciato del Vicolo ruppe il silenzio che regnava assoluto nelle tenebre dense delle strade deserte ed egli, lasciando che le gambe lo conducessero senza meta, si perse nell'oscurità.

Lo Shaykh Darwish in gioventù era stato insegnante nelle scuole delle Opere pie: professore di inglese, era noto a tutti per la sua alacrità e la sua energia. Il destino gli era stato propizio ed egli era a capo di una bella famiglia. Quando però le scuole delle Opere pie furono assorbite dal Ministero, la sua sorte cambiò, come quella di molti altri colleghi che non avevano un titolo di studio adeguato. Passò impiegato alle Opere pie o, più esattamente, fu declassato dal sesto all'ottavo livello e anche lo stipendio gli fu ridotto in proporzione.

Com'è naturale, egli ne fu profondamente contristato e se a volte insorgeva apertamente contro la sorte, in altre occasioni celava invece la sua ribellione, rassegnato. Tentò ogni strada: presentò istanze, ricorse ai superiori, fece presente la propria situazione familiare, inutilmente.

Così, col tempo i suoi nervi cedettero ed egli si lasciò andare alla disperazione.

Al Ministero s'era fatto la fama di impiegato querulo e importuno, cocciuto e caparbio, suscettibile e incapace di vivere un sol giorno senza attaccar briga o scontrarsi con qualcuno, tanto era presuntuoso e provocatore. Quando si inalberava apostrofava l'avversario in inglese e se gli rimproveravano di esprimersi in una lingua straniera senza ragione, gridava con disprezzo:

"Studiate, prima di farmi la predica!"

La notizia di quelle liti e dell'ostinazione di Darwish giunsero a poco a poco all'orecchio dei superiori i quali però si mostravano indulgenti con lui, vuoi per simpatia, vuoi per evitar fastidi.

Così per un certo periodo ebbe solo qualche richiamo e sospensioni di uno o due giorni, ma col tempo divenne ancor più presuntuoso ed arrivò a pensare di redigere lettere di servizio in inglese, cosa che effettivamente fece.

Diceva, per giustificarsi, ch'egli non era uno scrivano come gli altri, ma uno specialista, e si mise a lavorare così male che il direttore fu costretto a trattarlo con durezza. Il destino fece il resto.

Un giorno chiese di essere ricevuto dal Segretario generale del Ministero. Darwish Effendi, come si chiamava allora, entrò nell'ufficio del Segretario, lo salutò da pari a pari e gli disse con sicurezza:

"Signor Segretario. Dio ha scelto il suo uomo".

L'altro gli chiese di spiegarsi meglio ed egli continuò solennemente:

"È Dio stesso che mi manda a chiedervi una promozione".

Così finì la sua carriera alle Opere pie e ruppe ogni legame con l'ambiente al quale apparteneva: lasciò la famiglia, i fratelli e i conoscenti, per vivere, come diceva, nel mondo di Dio. Del passato, conservava soltanto quegli occhiali d'oro e nel suo nuovo mondo si ritrovò senza un amico, né un soldo né un rifugio.

La sua esistenza stava a dimostrare come alcuni, amareggiati e inaspriti dalla lotta, possano continuare a vivere anche senza una casa, senza denaro e senza appoggi, e non per questo conoscere l'ansia, il bisogno o la miseria.

Non patì neppure per un giorno fame, nudità o abbandono, anzi scoprì una tranquillità e una pace prima sconosciute.

Non aveva più casa, ma il mondo intero era la sua dimora, non riceveva uno stipendio, ma non aveva più alcun rapporto col denaro, aveva perduto la famiglia e gli amici, ma tutta la gente che incontrava era per lui una nuova famiglia.

Se la galabiyya si logorava o la cravatta si sdruciva, ecco che ne arrivava una nuova, quando andava in un posto, subito gli veniva dato il benvenuto e perfino padron Kirsha, assente com'era, notava se un giorno mancava dal caffè.

Eppure non faceva nulla di quanto la gente reputa miracoloso e non prediceva il futuro. Se ne stava assorto e silenzioso, oppure diceva quel che gli passava per la testa, senza curarsi delle reazioni altrui. Era amato e colmato di benedizioni, la sua presenza era accolta con gioia e si diceva che fosse un santo, ispirato da Dio in due diverse lingue: arabo e inglese.

2

Si guardava allo specchio senza alcun senso critico, cercandovi piuttosto motivi di compiacimento.

Nel volto riflesso, magro e allungato, il trucco aveva fatto meraviglie su gote, sopracciglia, occhi e labbra. Si voltava a destra e a sinistra, sistemandosi con le dita lo chignon e mormorando con voce quasi impercettibile:

"Non male. Anzi, Dio mio, è proprio bello".

Il fatto è che quel viso aveva quasi cinquant'anni e il tempo non lascia intatto un volto per tanto tempo.

Aveva un corpo magro, addirittura rinsecchito stando a quel che dicevano le donne del Vicolo e il petto era piatto, ma coperto da un bell'abito.

Era la signora Saniyyah Afifi, proprietaria della seconda casa del Vicolo dove, al primo piano, abitava il dottor Bushi.

Si preparava a far visita a Umm Hamida, inquilina dell'ammezzato, benché non fosse sua abitudine recarsi a trovare qualcuno e varcasse la soglia di una di quelle abitazioni soltanto il primo di ogni mese, per riscuotere l'affitto.

C'era però qualcosa di nuovo che rendeva questa visita tanto importante. Lasciato il proprio appartamento, scese le scale augurandosi che il Cielo gliela mandasse buona.

Bussò alla porta con la mano ossuta e venne ad aprirle Hamida, che l'accolse con un sorriso di circostanza e la condusse in salotto per poi andare a chiamare la madre.

La stanza era piccola, con due sofà vecchio tipo, messi uno di fronte all'altro. Nel centro, un tavolo scolorito con un posacenere e per terra una stuoia.

Non attese a lungo, perché quasi subito arrivò, un po' affannata, la madre della ragazza che si era tolta in fretta il vestito da casa.

Si salutarono calorosamente scambiandosi un bacio, poi sedettero una di fianco all'altra e Umm Hamida si rivolse all'ospite:

"Siate la benvenuta... è il Profeta che viene a visitarci". Umm Hamida era una donna piena, robusta, sulla sessantina, aveva una voce aspra e forte da far impressione: in caso di liti con le vicine essa costituiva la sua arma migliore. Quella visita non le faceva particolarmente piacere: se si muove una padrona di casa, c'è sotto qualcosa, probabilmente qualche guaio in vista, ma ella sapeva adattarsi ad ogni situazione, buona o cattiva che fosse, riuscendo sempre a trarsi d'impaccio. Mezzana e inserviente nei bagni pubblici, era anche una grande osservatrice e chiacchierona.

La sua lingua era sempre in movimento e nel quartiere nessuno poteva entrare o uscire di casa senza che lei se ne avvedesse. Era sempre al corrente di tutto, specialmente di notizie brutte o scabrose.

Com'era sua abitudine quindi, si diede alle chiacchiere, fece buon viso all'ospite e la colmò di complimenti. Poi prese a raccontare anche i più minuti avvenimenti del Vicolo e del vicinato: sapeva dell'ultima avventura di padron Kirsha? Come le altre volte, la moglie lo aveva scoperto, erano venuti alle mani e lei gli aveva strappato il vestito. E di Husniyya, la fornaia, che il giorno prima aveva picchiato il marito Gaada fino a fargli sanguinare la fronte? e il buon Sayyid Ridwan al-Husseini, che aveva fatto una scenata alla moglie? Di certo lui, tanto mite, non l'avrebbe trattata così se quella non se lo fosse meritato. E il dottor Bushi si era strofinato con una ragazzina, nel rifugio, durante un'incursione aerea, ma un signore perbene gliele aveva suonate.

Karima al-Mawardi poi, che vendeva legna, era scappata col servo e suo padre aveva avvertito la polizia, il forno al-Kufrawi faceva di nascosto pane vero, nonostante la guerra, e così via...

Saniyya Afifi ascoltava distrattamente, tutta presa dall'affare per cui era venuta.

Era ben decisa ad affrontare l'argomento ad ogni costo, ma attendeva l'occasione propizia che le si presentò allorché Umm Hamida le chiese:

"E voi, come state?"

Ella si rabbuiò e rispose:

"In verità, mi sento stanca".

L'altra alzò le sopracciglia, perplessa, e disse:

"Stanca? Dio vi conservi..."

Saniyya tacque mentre Hamida entrava a portare il caffè. Quando la ragazza se ne fu andata riprese risentita:

"Certo, stanca. Non è forse faticoso andare a riscuotere gli affitti dei negozi? Immaginatevi una donna come me che chiede l'affitto a un estraneo".

Al sentir parlare di affitti il cuore dell'inquilina fece un balzo ed ella disse in tono dispiaciuto:

"Avete proprio ragione. Che Dio vi aiuti" ma intanto un pensiero la tormentava: perché l'altra insisteva tanto? Ne aveva già parlato in diverse occasioni, ed erano anzi due o tre volte che veniva a trovarla senza che fosse il primo del mese. Sentiva che qualcosa non andava e in casi simili aveva un intuito insuperabile.

Decise quindi di sondare il cuore della sua ospite e, prendendola alla larga, disse con malizia:

"Sono i guai della solitudine. Siete una donna sola, Saniyya: sola a casa, sola fuori, sola 'a letto'... Dovreste metter fine a tanta solitudine".

Saniyya, tutta contenta perché il discorso calzava alla perfezione coi suoi pensieri, rispose, celando la soddisfazione:

"Che posso fare? Tutti i miei parenti hanno famiglia, ma io sto bene solo a casa mia. Grazie a Dio, non devo dipendere da nessuno".

Umm Hamida la osservava con aria furba e disse apertamente:

"Il cielo sia lodato, ma in nome di Dio perché mai siete rimasta nubile per tutto questo tempo?"

Il cuore di Saniyya ebbe un sussulto: era proprio quello che si chiedeva.

Sospirò e disse fingendo un'aria disgustata:

"Le conosco, le dolcezze del matrimonio!"

Era stata infatti sposata in gioventù a un commerciante di profumi, ma non era stato un matrimonio felice. Il marito la trattava male, le rendeva la vita impossibile e le prendeva i soldi. Poi, ed erano ormai passati dieci anni, era rimasta vedova. Non si era risposata in tutto quel tempo poiché – come diceva – aveva preso in odio la vita coniugale.

Non si trattava solo di una bugia con la quale ripagava gli uomini che non mostravano interesse per lei. Detestava veramente il matrimonio ed era contenta di aver ritrovato la libertà e la tranquillità. Per un po' le cose erano andate avanti così con sua soddisfazione.

Col tempo però aveva scordato quell'avversione e non avrebbe esitato ora a ritentare la sorte, se qualcuno avesse chiesto la sua mano.

Mentre sperava, vedeva passare il tempo e si sentiva prendere da un senso di avvilimento dal quale tentò di liberarsi cercando di accontentarsi di quello che aveva. Siccome gli esseri umani hanno bisogno di attaccarsi a qualcosa che, per quanto futile, dia un senso alla vita, per non lasciarsi andare si dette al caffè, alle sigarette e alla raccolta di biglietti di banca nuovi.

In realtà, aveva una certa tendenza all'avarizia ed era una vecchia cliente della cassa di risparmio; con quella sua nuova mania confermava dunque l'antica inclinazione e coltivandola, la rafforzava ancor più.

Conservava le banconote nuove in un cofanetto d'avorio nascosto in fondo all'armadio della biancheria.

Ne faceva mazzette da cinque e da dieci e si divertiva a contemplarle, a contarle, ricontarle e metterle in ordine. I biglietti, al contrario delle monete, non fanno rumore e questo la rassicurava: nessuno nel Vicolo, per quanto di orecchio fino, poteva venirlo a sapere.

Si consolava coi soldi e trovava in essi perfino un motivo per non sposarsi, dicendosi che un marito avrebbe potuto sottrarle il denaro, come aveva fatto il primo, e disperdere in un baleno il frutto del risparmio di tanti anni.

Ciò nonostante, appena le tornava in mente l'idea del matrimonio scordava tutte le scuse e le paure.

Questo straordinario cambiamento era dovuto a Umm Hamida che, forse senza intenzione, le aveva raccontato un giorno la storia di una vedova alla quale aveva trovato un marito.

Cominciò così a pensare che la cosa era realizzabile finché questo pensiero si impadronì della sua volontà e lei vi si abbandonò senza badare più a nulla.

Aveva creduto di essersi rassegnata, e ora invece il matrimonio era diventato la sua unica speranza e né il caffè, né le sigarette, né le banconote nuove potevano sostituirlo.

Cominciò a chiedersi perché avesse perso tutto quel tempo: "Come ho potuto lasciar passare dieci anni e ritrovarmi sola, ora che ne ho quasi cinquanta? È stata una follia" diceva tra sé e ne attribuiva la colpa al marito defunto. Decise quindi di riparare a quell'errore e di farlo al più presto possibile.

L'altra ascoltò le sue lamentele fatte ad arte, senza prenderla sul serio e pensando tra sé: "Non me la fai", quindi le disse con aria furba:

"Via, non esagerate! Anche se siete stata sfortunata la prima volta, il mondo è pieno di matrimoni felici".

Saniyya posò la tazza del caffè sul vassoio, ringranziando, e disse: "Chi è saggio non deve intestardirsi se il destino gli è avverso".

Ma Umm Hamida la interruppe:

"Ma che dite: siete stata sola abbastanza!"

L'altra si batté il petto con la mano e disse con falsa riluttanza:

"Volete che la gente mi prenda per pazza?"

"A chi vi riferite? Ogni giorno c'è gente più anziana di voi che si sposa".

Quell'anziana le spiacque e disse abbassando la voce: "Non sono poi tanto anziana come pensate".

"Non volevo dir questo, Saniyya. Penso che siate ancor giovane, ma vi fate dei falsi problemi".

L'altra si sentì un po' rinfrancata ma era ben decisa a recitare la parte di quella che viene indotta a sposarsi contro i suoi desideri e le sue intenzioni. Così disse, dopo qualche esitazione:

"Non sarebbe sconveniente se mi sposassi ora, dopo esser stata sola tanto tempo?"

"Che sei venuta a fare, allora?" pensò tra sé Umm Hamida e disse:

"Come potrebbe essere sconveniente una cosa giusta e lecita? Siete saggia e onesta, tutti possono testimoniarlo, e il matrimonio è 'metà della religione', mia cara. Dio lo ha istituito nella sua saggezza e il Profeta lo ha raccomandato".

"Dio lo benedica".

"Perché no? Il Profeta era della nostra stessa razza e amava i suoi fedeli".

Il volto della signora Saniyya si era velato di rosso e il cuore le batteva ebbro di gioia. Estrasse due sigarette dal pacchetto chiedendo:

"Ma chi vorrà sposarmi?"

Umm Hamida piegò l'indice della mano sinistra e lo portò alla fronte e disse con aria di rimprovero:

"Mille e anche più".

L'altra rise di cuore:

"Ne basterebbe uno".

Umm Hamida riprese con sicurezza:

"Tutti gli uomini in fondo amano il matrimonio. Solo quelli già sposati ne parlano male. Un sacco di scapoli dicono di detestarlo ma appena annuncio 'ne ho una che fa per te' i loro occhi brillano, finiscono col sorridere e mi chiedono smaniosi 'Davvero? E chi è? Chi?' Foss'anche paralitico, l'uomo vuole una donna. È per la saggezza del Signore che le cose stanno così".

Saniyya sorrideva compiaciuta:

"Saggezza davvero infinita".

"Certo. È per questo che Dio ha creato il mondo. Avrebbe potuto popolarlo solo di uomini o solo di donne, invece creò maschio e femmina e ci ha dato l'intelligenza perché sapessimo comprendere i suoi disegni. Non è possibile sottrarsi al matrimonio".

Saniyya Afifi sorrise e disse amabilmente:

"Le vostre parole sono dolci come il miele, Umm Hamida!"

"Dio vi accompagni e possiate avere un matrimonio perfetto".

L'altra si fece ardita e disse:

"S'Egli vorrà... e col vostro favore".

"Grazie al Cielo la fortuna mi assiste: i matrimoni che combino sono solidi. Ne ho messe in piedi di famiglie, e quanti bambini ho fatto nascere e quanti cuori ho reso felici! Abbiate fede in Dio e fidatevi di me".

"Il denaro non basterebbe a compensarvi".

"Sarà bene che basti – pensò Umm Hamida – e che ti sbrighi a tirarlo fuori facendola finita con la tua taccagneria", poi, col tono grave di un uomo d'affari che, esauriti i preliminari, arriva al dunque:

"Suppongo che preferiate un uomo di una certa età".

L'altra non seppe che rispondere. Non aspirava a sposare un giovane e non era quello il marito che le ci voleva, ma l'espressione "di una certa età" non le piaceva.

Così, visto che il discorso si era fatto più confidenziale e si sentiva più a suo agio, riuscì a ridere, dissimulando un certo imbarazzo:

"Sono a digiuno da anni e volete farmi mangiar cipolle!"

Anche Umm Hamida rise sguaiatamente e si sentì più sicura dell'affare che stava per concludere. Disse quindi con malizia:

"Avete ragione, l'esperienza mi ha insegnato che i matrimoni migliori sono quelli in cui la moglie è maggiore del marito e a voi andrà bene uno di trent'anni o poco più".

L'altra si domandò ansiosa:

"Ma... accetterà?"

"Certo che accetterà. Siete bella e ricca".

"Che Dio vi benedica..."

Il volto butterato di Umm Hamida assunse un'aria grave:

"Gli dirò: si tratta di una signora di mezza età. Niente figli e niente suocera. Educata e perbene. Possiede due negozi al Hamzawi e una casa di due piani nel Vicolo del Mortaio".

L'altra sorrise e disse, per correggere quello che pensava un errore:

"Di tre piani".

L'altra si oppose:

"Di due. Del terzo, questo, non riscuoterete più l'affitto, finché sarò al mondo".

Saniyya replicò allegramente:

"Sta bene, Umm Hamida".

"Dio vi conservi..."

L'altra scosse il capo incredula:

"Che cosa sorprendente! Ero venuta semplicemente a trovarvi e guardate dove ci ha portato il discorso: vi lascio che sono già maritata!"

Anche Umm Hamida fece l'aria divertita e sorpresa ma in cuor suo pensava: "Vergognati! Credi di esser più furba di me?"

"È la volontà del Signore. Non è forse tutto nelle sue mani?"

Saniyya Afifi tornò a casa piena di gioia, ma pensava tra sé: "L'affitto di un appartamento per tutta la vita. Che donna avida!"

3

Appena Saniyya se ne fu andata, Hamida entrò nella stanza, pettinandosi la chioma nera che odorava di kerosene.

Sua madre guardò quei capelli lucenti e neri come il carbone che scendevano fin sotto le ginocchia e le disse con tono di rimprovero:

"Ahimè, come puoi lasciare che i pidocchi infestino dei così bei capelli?"

I suoi occhi neri e tinti lampeggiarono tra le lunghe ciglia e fissò la figlia con uno sguardo tagliente.

Quella sbottò con stizza:

"Pidocchi? ma se ne ho trovati solo due sul pettine!"

"Ti dimentichi che due settimane fa, quanto ti ho pettinata, ne ho ammazzati venti?"

Quella replicò con noncuranza:

"È perché non li lavavo da due mesi". E si mise a pettinarsi con maggior forza, seduta di fianco alla madre. Aveva circa vent'anni, né alta né bassa, snella, con la pelle dorata; il viso piuttosto allungato, puro e fresco, si faceva notare soprattutto per due begli occhi di un nero straordinario e intenso, ma quando stringeva le labbra sottili e aguzzava lo sguardo, essi acquistavano una forza e una durezza insolite per una donna.

I suoi scatti di collera non erano cosa da prendere sottogamba, nemmeno nel Vicolo, e sua madre stessa, benché fosse nota come una donna di polso, faceva di tutto per evitarli.

Le aveva detto un giorno, durante un litigio:

"Con il tuo carattere non ti vorrà nessuno. Quale uomo potrebbe desiderare di stringersi al seno una serpe?"

Più di una volta aveva sostenuto che la figlia, quando si arrabbiava, veniva presa da una vera e propria forma di pazzia e l'aveva pertanto soprannominata "khamsin", come il vento del deserto.

Con tutto ciò le voleva molto bene, benché fosse solo la madre adottiva. La madre vera era stata sua socia nel commercio, poi, in un momento di difficoltà, aveva spartito con lei l'appartamento situato nel Vicolo e aveva finito per morire lì, lasciandole la figlia ancora da svezzare.

Così Umm Hamida l'aveva adottata e l'aveva affidata alla moglie di padron Kirsha che l'allattò insieme al figlio Hussein, diventato così suo fratello di latte.

Si pettinava dunque i capelli neri, attendendo che come al solito la madre facesse qualche commento sulla visita ricevuta.

Poiché il silenzio si prolungava, la ragazza chiese:

"È stata qui un pezzo. Di che avete parlato?"

La madre si mise a ridere e cantilenò:

"Indovina".

La giovane disse, vivamente preoccupata:

"Voleva aumentarci l'affitto".

"Se l'avesse fatto, se ne sarebbe andata portata a braccia dagli infermieri... Anzi, ce lo ha diminuito".

"È impazzita?" gridò la giovane.

"In un certo senso. Prova a indovinare"

Quella sbuffò: "Ora mi stanchi".

La donna alzò le sopracciglia e strizzò un occhio:

"Vuole sposarsi".

La ragazza restò sbalordita: "Sposarsi!"

"Certo, e con uno giovane. Io mi preoccupo già per te che hai poche occasioni e non trovi chi ti voglia".

La giovane la guardò di traverso e disse, intrecciandosi i capelli:

"Ne trovo eccome. Ma tu non ci sai fare, anche se cerchi di nasconderlo. Cosa ho che non va? Sei tu che non sai combinare nulla. Dice bene il proverbio: Il calzolaio ha le scarpe rotte".

Umm Hamida sorrise:

"Se si sposa Saniyya Afifi, c'è speranza per tutte".

La ragazza le lanciò uno sguardo incollerito e duro:

"Non corro dietro al matrimonio, è lui che corre dietro a me e vedrai che saprò cavarne qualcosa".

"E già. Visto che sei una principessa, figlia di principi..."

Ella non badò alla presa in giro della madre e continuò sullo stesso tono:

"C'è forse qualcuno nel Vicolo che meriti attenzione?"

In realtà la madre non temeva davvero che non trovasse marito: non dubitava della sua bellezza, ma spesso la sua vanità e la sua presunzione la indispettivano.

Disse risentita: "Non parlar male della gente del Vicolo, son dei veri signori".

"Veri signori un corno... Non valgono niente! Ce n'è solo uno che ha qualcosa di buono e siete riusciti e farlo diventare mio fratello!"

Si riferiva a Hussein Kirsha, suo fratello di latte.

La madre si allarmò e disse con aria di rimprovero:

"Come fai a dire questo? Non siamo noi che ne abbiam fatto tuo fratello, non abbiamo di questi poteri. È tuo fratello di latte perché così Dio ha voluto".

E quella, impertinente:

"Ma non è possibile che lui abbia succhiato a un seno e io all'altro?"

La madre la colpì sulla schiena gridando: "Maledetta!"

La ragazza sbottò con aria di scherno:

"Vicolo del Nulla!"

"Ti ci vorrebbe un funzionario importante".

E quella con aria di sfida:

"I funzionari sono dèi?"

La madre sospirò:

"Se avessi meno pretese".

E lei, imitandone il tono:

"Se tu fossi giusta, una volta nella vita!"

"Mangi, bevi e non dici neppure grazie. Ti rammenti cos'è uscito dalla tua bocca per la storia di quel vestito?"

La figlia si stupì:

"I vestiti non contano niente? Che sarebbe il mondo senza abiti nuovi? Non ti pare che una ragazza che non può vestirsi bene, sarebbe meglio sotterrarla viva?"

La sua voce si riempì di rammarico, quando aggiunse:

"Se vedessi le ragazze del laboratorio. Se tu vedessi le operaie ebree! Si pavoneggiano in abiti magnifici! Che cos'è il mondo se non possiamo vestirci come ci piace?"

La madre disse amareggiata:

"A furia di guardare le ragazze del laboratorio e le ebree hai perso ogni buon senso. Non c'è speranza che ti calmi".

La ragazza aveva terminato di farsi le trecce e non le badava. Tirò fuori di tasca un piccolo specchio, lo mise sulla sponda del divano e si curvò un poco per potersi guardare, mormorando compiaciuta:

"Che peccato, Hamida, che tu viva in questo Vicolo e che tu abbia una madre che non distingue l'oro dalla paglia!"

Quindi si avvicinò all'unica finestra della stanza, che dava sul Vicolo, ne afferrò i battenti e li accostò fino a lasciare uno spiraglio di due dita. Vi si appoggiò e percorse la strada con lo sguardo da un capo all'altro, dicendo sarcastica: "Salve, Vicolo del benessere e della felicità. Lunga vita a te e ai tuoi nobili abitanti. Che vista! Che gente! Ecco Husniyya la fornaia, seduta sulla soglia del negozio come un sacco: un occhio alle pagnotte e uno a suo marito. E lui a lavorare per paura dei pugni e dei calci della moglie.

Ed ecco Kirsha, il padrone del caffè, che finge di dormire con la testa china e il buon Kamil che dorme davvero e russa e lascia ballare le mosche sul vassoio della basbusa. Ah, ecco Abbas al-Helwù che sbircia verso la finestra, tutto in tiro e civettuolo, forse crede che i suoi sguardi mi getteranno ai suoi piedi, prigioniera del suo amore... meglio morire.

Quello invece è il signor Selim Alwan, padrone del bazar. Guarda in su, poi in giù, poi ancora in su. La prima volta sarà stato un caso. Ma la seconda? Ecco che ora alza gli occhi per la terza volta! Che vuoi dunque, vecchio spudorato? Che combinazione... tutti i giorni alla stessa ora.

Se tu non fossi sposato e padre di famiglia, ti risponderei con lo stesso sguardo e ti darei il benservito.

Ecco: è tutto. Questo è il Vicolo. Come potrebbe dunque Hamida non trascurare i suoi capelli tanto da lasciare che si riempiano di pidocchi? Toh, ecco lo Shaykh Darwish che arriva strascicando i sandali..."

La madre la interruppe con tono di scherno:

"Sarebbe un bel marito per te!"

Ma quella si voltò e disse ancheggiando:

"Non gli mancano i mezzi. Dice di aver speso centomila ghinee per amore di Sayyida Zeynab, ne rifiuterebbe diecimila a me?"

D'improvviso si staccò dalla finestra, stufa di starsene lì, e tornò a scrutarsi nello specchio sospirando:

"Povera Hamida!"

4

Nelle prime ore della giornata l'aria nel vicolo ombroso era umida e fredda. Il sole vi penetrava solo quando giungeva allo zenit, superando lo sbarramento delle case. Eppure fin dal primo mattino ogni angolo si animava. Cominciava Songor, il ragazzo del caffè, a sistemare le sedie e ad accendere il fuoco. Poi arrivavano gli impiegati del bazar, a due a due o alla spicciolata, quindi appariva Gaada che portava l'asse con la pasta di pane.

Persino il buon Kamil si muoveva a quest'ora: apriva il negozio e faceva la sua prima colazione. La consumavano insieme, lui e Abbas al-Helwu. Posavano tra di loro un vassoio con un piatto di fave bollite, cipolle verdi e cetrioli sottaceto.

Erano diversi nel mangiare, al-Helwu tranguagiava svelto il pane e lo finiva in pochi minuti, mentre Kamil masticava ogni boccone lentamente, con costanza, tanto che quasi gli si scioglieva in bocca. Diceva spesso:

"La prima digestione avviene in bocca".

Così l'altro aveva già finito e sorseggiava il tè fumando il narghilè, mentre lui ancora sgranocchiava le cipolle. Allora, per assicurarsi che al-Helwu non prendesse anche la sua parte, separava due porzioni di fave con un pezzo di pane e non gli permetteva di superare la barriera. Il buon Kamil, nonostante la sua mole, non aveva fama di gran mangiatore, anche se era ghiotto di dolci. Era un abile pasticciere, ma giungeva all'apice della propria arte solo in occasione di speciali ordinazioni che gli facevano Sayyid Selim Alwan, Ridwan al-Husseini o padron Kirsha.

La sua fama si era diffusa ben oltre il Vicolo, fino alla Sanadiqiyya, alla Ghuriyya e alla via degli Orafi.

Guadagnava appena quel che bastava alla sua semplice vita e non mentiva quando si lamentava con al-Helwu dicendo che alla sua morte non ci sarebbero stati abbastanza soldi per seppellirlo.

Quel mattino, terminata la colazione, gli disse: "Hai detto di avermi comprato un sudario e meriti tutti i miei ringraziamenti e le mie benedizioni. Che ne diresti di darmelo ora?"

Abbas, che si era scordato della cosa, come solitamente succede con le bugie, restò sorpreso e chiese: "Che ne vuoi fare?"

E l'altro, con la sua voce infantile: "Venderlo... Non hai sentito quanto sono rincarati i tessuti?"

Al-Helwu si mise a ridere: "Sei furbo, anche se sembri ingenuo. Ti lamentavi di non avere un sudario per la tua sepoltura e ora che te l'ho procurato lo vuoi vendere! Non pensarci nemmeno, l'ho comprato per onorare le tue spoglie, se Dio vorrà, dopo una lunga vita".

Kamil sorrise imbarazzato:

"Supponi che io viva fino a quando la situazione tornerà come era prima della guerra. Non finiremmo per perderci?"

"E tu supponi di morir domani".

Kamil si fece serio e disse: "Dio non voglia!"

L'altro rideva di gusto:

"È inutile che cerchi di convincermi. Il sudario resterà al sicuro fino al giorno che Dio vorrà..." e riprese a ridere contagiando anche l'altro, poi concluse:

"Non c'è niente da fare con te. Mi hai fatto mai guadagnare un centesimo? Neanche a morire. Non hai nemmeno un po' di barba e di baffi. Hai la testa pelata e in tutta la massa di quel tuo enorme corpo non c'è un solo pelo che io possa radere ricavandone qualcosa. Dio ti perdoni!"

Kamil sorrise: "È un corpo pulito e puro, non dovranno neanche darsi la pena di lavarlo..."

Una voce che urlava lo interruppe. Guardarono verso l'interno del Vicolo e videro Husniyya, la fornaia, che tempestava il marito a colpi di ciabatta. L'uomo indietreggiava davanti a lei senza difendersi e le sue grida salivano al cielo. I due scoppiarono a ridere e Abbas gridò alla donna: "Un po' di pietà, signora!"

Ma quella continuò finché il marito le si gettò ai piedi in lacrime, chiedendole perdono.

Abbas seguitava a ridere e diceva a Kamil:

"Quei colpi ci vorrebbero per te, ti farebbero smaltire un po' di grasso".

In quel momento apparve Hussein Kirsha. Usciva di casa in

pantaloni, camicia e berretto. Guardava l'orologio che avèva al polso ostentandolo con fierezza mentre i suoi piccoli occhi furbi luccicavano di vanità. Salutò il suo amico barbiere e si sistemò sulla poltrona del negozio per farsi tagliare i capelli. Era il suo giorno libero. Erano nati entrambi nel Vicolo, anzi nella stessa casa, quella di Sayyid Ridwan al-Husseini, ma Abbas aveva tre anni di più. Aveva vissuto con i genitori fin quando conobbe il buon Kamil, col quale abitava ormai da quindici anni.

Abbas e Hussein avevano trascorso assieme l'infanzia e l'adolescenza ed erano legati da una fraterna amicizia che era continuata anche quando il lavoro li aveva separati: il primo era apprendista presso un barbiere di al-Sikka al-Gadida mentre il secondo faceva il garzone per un ciclista di al-Gamaliyya.

Erano sempre stati diversi, ma fu forse questo a far durare la loro amicizia.

Abbas al-Helwu, allora come ora, era un uomo docile e mansueto, di bùon cuore, conciliante, accomodante, indulgente.

Amava i divertimenti, i passatempi tranquilli, andava al caffè a fumare il narghilè e a giocare al kumi.

Provava avversione per le discussioni e le liti e sapeva prevenirle dicendo sorridente: "Dio ti perdoni".

Aveva sempre pregato e osservato il digiuno e andava ogni venerdì alla moschea di Sayyidna al-Hussein.

Se ora trascurava qualche precetto non era perché lo tenesse in poco conto, ma per pigrizia. La preghiera del venerdì e il digiuno nel mese di Ramadan però li praticava ancora.

Più di una volta Hussein aveva cercato di attaccar briga, ma come questi si infiammava, Abbas lasciava correre e aveva così sempre evitato i suoi pugni brutali.

Sapeva contentarsi, tanto che aveva fatto per dieci anni il garzone e da soli cinque aveva aperto il suo negozietto. Da allora pensava di aver ottenuto quanto si poteva desiderare. Gli occhi lucenti e quieti, il corpo pingue e la giovialità che mai lo abbandonava, manifestavano l'appagamento del suo cuore.

Hussein Kirsha era invece uno dei furbi del Vicolo, noto per la forza, l'astuzia e l'audacia, che all'occorrenza gli avrebbero potuto far combinare qualcosa di brutto.

All'inizio aveva lavorato nel caffè di suo padre, ma non andavano d'accordo, così era andato in un negozio di biciclette dove era rimasto finché, con lo scoppio della guerra, aveva preso servizio nelle guarnigioni dell'esercito britannico, dove riceveva trenta piastre al giorno contro le tre del suo primo impiego, senza contare i guadagni ai quali alludeva quando diceva: "per mangiare bisogna avere la mano svelta". Così le sue condizioni erano migliorate e le sue tasche si erano riempite: si dava alla bella vita con sfrenato entusiasmo.

Gli piacevano i vestiti nuovi, andava al ristorante dove mangiava soprattutto carne che riteneva il cibo dei fortunati, frequentava i cinema e i luoghi di divertimento e si dava al vino e alle donne.

Una specie di ebbrezza di generosità si era impadronita di lui: invitava gli amici sulla terrazza e offriva cibo, vino e hashish. Nel corso di uno di questi intrattenimenti, come li chiamava, ebbe occasione di dire:

"Quelli che si godono la vita come me, in Inghilterra li chiamano 'large'"; e siccome uno così trova sempre chi lo invidia, cominciarono a chiamarlo "Hussein large" che poi finì per diventare "Hussein garage".

Abbas al-Helwu prese la macchinetta e si mise a tagliare i capelli sui lati senza toccare invece quelli del ciuffo, che stavano quasi ritti, tanto erano folti e ribelli.

Provava sempre un senso di tristezza ogniqualvolta si incontrava col suo vecchio amico. Certo erano rimasti amici, ma le loro vite erano ormai diverse. Hussein Kirsha, nelle giornate libere, non trascorreva più le serate nel caffè del padre, così i due si vedevano poco. Il barbiere provava anche un po' di invidia quando pensava all'abisso che li divideva. Ma anche in questo, come in tutto il resto, si manteneva sereno e ragionevole, senza esporsi e senza commettere errori. Non gli rivolse mai una parola che non fosse garbata e, piuttosto che provocarlo, lo osannava. Diceva, probabilmente per consolarsi: "Un giorno la guerra finirà e Hussein tornerà nel Vicolo, povero come se n'era andato".

Hussein Kirsha, chiacchierone come al solito, parlava all'amico della vita di al-Arnas, di quelli che ci lavoravano, dei salari, dei furti che si verificavano, degli scherzi e delle facezie che scambiavano con gli Inglesi. Si vantava dell'amicizia e dell'ammirazione che i soldati gli dimostravano:

"Il sergente Julian mi ha detto un giorno che l'unica cosa a rendermi diverso da un Inglese è la carnagione. Mi ha consigliato spesso di fare economia, ma due braccia che sanno procurarsi denaro durante la guerra – commentava gonfiando i bicipiti con fierezza – sapranno procurarsi il doppio in tempo di pace. E poi, quando pensi che finirà la guerra? Non farti ingannare dalla sconfitta degli Italiani, quelli non contano, Hitler combatterà ancora per vent'anni! Il sergente Julian ammira il mio coraggio, ha una fiducia cieca in me e mi fa partecipare ai suoi traffici: tabacco e sigarette, forchette e coltelli, lenzuola, calze, scarpe... un sacco di roba!"

Abbas ripeteva pensieroso: "Un sacco di roba".

Hussein si scrutava nello specchio:

"Sai dove vado ora? Allo zoo. E sai con chi? Con una ragazza panna e miele" e buttò significativamente un bacio in aria.

"La porterò a vedere le scimmie".

Rise forte e continuò:

"Scommetto che ti chiederai perché mai le scimmie? È naturale per uno come te che ha visto solo quelle ammaestrate. Ebbene, asinaccio, sappi che le scimmie allo zoo stanno insieme nelle gabbie e assomigliano moltissimo agli uomini per l'aspetto e la maleducazione. Le vedi amoreggiare e azzuffarsi davanti a tutti. Se riesco a portarla là, la cosa è fatta".

Abbas borbottava, chino sul suo lavoro: "Un sacco di roba".

"Le donne la sanno lunga e non riuscirai ad abbindolarle solo con un bel taglio di capelli".

Il barbiere si mise a ridere e si guardò i capelli, riflessi nello specchio, dicendo con voce rotta:

"Povero me".

Hussein lo fissò con occhi penetranti e chiese sarcastico:

"E Hamida?"

Il cuore di al-Helwu si mise a battere con violenza, perché non si aspettava di sentir nominare quel dolce nome. L'immagine di lei gli si parò davanti, egli arrossì e mormorò senza accorgersene: "Hamida..."

"Sì, Hamida, la figlia di Umm Hamida".

Il barbiere si trincerò nel silenzio, mentre il suo viso prendeva un'espressione imbarazzata. Allora l'altro gli disse aspro:

"Che uomo fiacco e smidollato sei! Hai gli occhi assonnati, la tua bottega è un mortorio e la tua vita è fatta di sonno e indolenza. Sono stufo di darti la sveglia, morto! Credi che una vita del genere potrà farti realizzare quel che speri? Scordatelo! Per quanto ti sforzi, non otterrai niente di più di quello che hai".

Gli occhi tranquilli di al-Helwu si fecero seri ed egli disse un po' turbato:

"Il bene è ciò che Iddio ha scelto per noi".

Ma l'altro lo scherniva:

"Il buon Kamil, il caffè Kirsha, il narghilè, il kumi..."

Disorientato al-Helwu chiese:

"Perché disprezzi questa vita?"

"Ma è davvero vita? In questo vicolo ci sono solo morti, se ci resterai non avrai neppure bisogno di esser seppellito e che Dio abbia pietà di te".

Al-Helwu esitò un poco, poi chiese, sapendo del resto quale sarebbe stata la risposta:

"Cosa dovrei fare?"

L'altro gli disse, alzando la voce:

"Te lo dico da un pezzo, e te lo ripeto: getta il mantello di questa vita lurida e meschina. Chiudi bottega e lascia il Vicolo. Liberati dalla vista di quel cadavere di Kamil e vieni nell'esercito inglese. È un pozzo senza fondo, il tesoro del gran santo! Questa guerra non è una sventura, come dicono gli ignoranti. È una benedizione del Signore per toglierci da un abisso di miseria e di indigenza. Ben vengano le incursioni aeree, visto che ci bombardano d'oro. Non ti ho già detto di entrare nell'esercito? Ti ripeto che è il momento buono. Se l'Italia è stata sconfitta, la Germania resiste ancora, e poi c'è il Giappone... la guerra durerà vent'anni. Ti dico per l'ultima volta che ci sono posti liberi a Tell el-Kebir. Muoviti!"

L'immaginazione di al-Helwu si accese e lui, in preda all'emozione, non riusciva a dominarsi e a concentrarsi sul suo lavoro. Non si trattava solo dei discorsi che Hussein faceva quel giorno, ma della sua continua insistenza. Per natura, al-Helwu era portato ad accontentarsi ed era restio a muoversi e a cambiare. Detestava viaggiare e se fosse stato per lui non avrebbe lasciato il Vicolo per nessun altro posto al mondo. Anche se ci fosse rimasto per tutta la vita non si sarebbe annoiato, né il suo amore per quel posto sarebbe diminuito.

Ma la sua ambizione si era destata da un sonno profondo e ogni volta che la vita riprendeva a scorrergli nelle vene, si accompagnava all'immagine di Hamida, oppure era stata probabilmente l'idea di lei a dargli una scossa: ambizione e Hamida erano una cosa sola. Eppure temeva che il suo segreto venisse scoperto, e come se avesse voluto prender tempo per riflettere, disse, mostrando ritrosia e riluttanza:

"Andarmene? Sciagurato..."

Hussein gridò pestando i piedi: "Sciagurato tu, mille volte! È meglio andarsene, che restare nel Vicolo insieme a Kamil. Vattene e Dio ti aiuterà. La tua vita non è ancora cominciata. Cosa hai mangiato finora? Con cosa ti sei vestito? Cosa hai visto? Credimi, la tua vita non è ancora cominciata". Abbas commentò dispiaciuto:

"Il guaio è che non sono nato ricco".

"Il guaio è che non sei nato femmina! Se fossi stato una ragazza del Vicolo, di quelle di una volta, saresti vissuto in casa e per la casa. Niente cinema, né zoo. Non vai nemmeno al Muski [1], dove Hamida passa i pomeriggi".

A sentir nominare Hamida la sua confusione raddoppiò; gli dispiaceva che l'amico ne parlasse con sufficienza e sarcasmo e pronunciasse quel nome come una parola insignificante. Intervenne in sua difesa:

"Tua sorella è una brava ragazza e non c'è niente di male se passeggia al Muski".

"Certo, ma è altrettanto sicuro che è ambiziosa e non la conquisterai, se non cambi".

Il cuore di Abbas tornò a battere con violenza e il suo volto avvampò mentre egli si struggeva, turbato ed eccitato. Aveva finito di tagliare i capelli e si era messo a pettinare l'amico senza proferir parola, mentre la sua agitazione non accennava a diminuire. Infine Hussein Kirsha si alzò e pagò.

Uscendo, si accorse di aver scordato il fazzoletto e si affrettò a tornare a casa per prenderlo.

Abbas lo seguì con lo sguardo, lo vide ilare, pieno di vita e felice, come non lo aveva mai visto.

"Non la conquisterai se non cambi".

Hussein aveva detto la verità. La sua era una vita di pura sussistenza, il suo lavoro gli permetteva appena di campare giorno per giorno. Se avesse voluto farsi un nido in quei momenti difficili, erano indispensabili nuove entrate. Fino a quando avrebbe continuato ad accontentarsi di sogni e di speranze, rannicchiato nel suo guscio, immobile e inerte? Perché non avrebbe dovuto tentare la sorte e fare la sua strada come gli altri?

"Una ragazza ambiziosa...": forse Hussein ne capiva più di lui, che invece la vedeva attraverso i sogni e le fantasie dell'amore.

Se la ragazza che amava era ambiziosa, doveva esserlo anche lui. Probabilmente Hussein un giorno avrebbe pensato di essere riuscito a svegliarlo dal suo letargo e di averne fatto un uomo nuovo, ma Abbas sorrideva sapendo bene che se non fosse stato per Hamida, nulla avrebbe potuto strapparlo alla sua quieta e pacifica mediocrità. In quel momento decisivo della sua esistenza Abbas capì tutta la forza dell'amore, il suo sconfinato potere e la sua straordinaria magia. Sentiva oscuramente la capacità di crea-

[1] Quartiere commerciale, animato e popolare.

re e di rinnovare che l'amore fa crescere dentro di noi. Per questo Dio aveva dato all'uomo la capacità di amare e aveva affidato all'amore il compito di popolare la terra.

Eccitato e scosso si chiedeva: Perché non partire?

Non aveva già vissuto circa un quarto di secolo in quel vicolo? E cosa ci aveva guadagnato? Quel posto era ingiusto con i suoi abitanti e non ricambiava il loro affetto. Forse sorrideva a chi lo guardava storto e viceversa. A lui dava con il contagocce quello che riversava copiosamente su Selim. A due passi da lui si ammassavano biglietti di banca di cui sentiva il magico profumo, mentre egli non aveva di che comprarsi una pagnotta. Bisognava partire e cambiar volto alla vita!

La sua mente volava lontano, mentre egli rimaneva fermo sulla soglia del negozio guardando il buon Kamil che ronfava con lo scacciamosche in grembo. Poi udì dei passi leggeri avvicinarsi dal fondo del Vicolo, si voltò e vide Hussein Kirsha che tornava indietro in fretta. Abbas era sempre molto eccitato e guardò l'amico come un giocatore scruta la pallina della roulette mentre gira. Quello giunse alla sua altezza e fece per superarlo, ma lui lo fermò mettendogli la mano sulla spalla e dicendogli risoluto: "Hussein, ho qualcosa di importante da dirti".

5.

Nel pomeriggio, il Vicolo sprofondava progressivamente nel mondo delle ombre. Hamida si era avvolta nel suo velo ed ora, uscendo, ascoltava i suoi passi risuonare per le scale. Attraversò la strada studiando l'andatura e il portamento: sapeva infatti che il padrone del bazar e Abbas l'avrebbero seguita con occhi inquisitori e penetranti. I suoi abiti erano miseri: un vestito di tela, un vecchio velo sbiadito e sandali con le suole consunte, ma si era avvolta nel velo in modo da far risaltare la figura slanciata, il sedere sporgente, il petto formoso, le gambe ben fatte e aveva lasciato scoperta la riga dei capelli neri e il volto abbronzato e grazioso. Si propose di non voltarsi per alcun motivo, mentre scendeva lungo la Sanadiqiyya verso la Ghuriyya, per Sikka al-Gadida e il Muski, ma appena si fu sottratta a quegli sguardi, le sue labbra si aprirono in un sorriso e lei si mise a divorare con lo sguardo la strada affollata.

Non aveva famiglia, né mezzi, ma non perdeva mai la fiducia in se stessa. Tanta sicurezza era probabilmente dovuta alla sua grande bellezza, ma non era questo l'unico motivo. Era forte per natura e quella forza non l'abbandonava un solo istante. I suoi splendidi occhi tradivano a volte questo sentimento rendendola meno attraente per alcuni e molto più per altri. Era continuamente tormentata da un imperioso bisogno di dominio che si manifestava ora nel desiderio di sedurre, ora nel tentativo di spuntarla sulla madre, e che appariva nel suo aspetto peggiore quando litigava e si azzuffava con le comari del Vicolo, tanto che tutte la detestavano e la calunniavano.

Una delle cose più strane che dicevano di lei, era che odiasse i bambini e che fosse quindi una selvaggia senza femminilità. La moglie di padron Kirsha, che era stata sua balia, si augurava di vederla allattare figli soggiogata da un marito tirannico che la riempisse di botte giorno e notte.

Lei intanto andava per la sua strada, godendosi la passeggiata quotidiana, guardando e riguardando le vetrine delle botteghe che le sfilavano davanti. Le piacevano quelle di vestiti e di mobili di lusso e la struggente ansia di potenza destava in lei fantastici sogni. Il suo culto del potere si incentrava sul denaro che considerava la chiave magica di ogni cosa, e una forza a cui nessuno poteva resistere. Tutto ciò che sapeva di se stessa si riassumeva in questo: sognava il denaro che procura bei vestiti e tutto quello che si vuole. A volte si chiedeva: "Potrò mai avere quello che desidero?" Conosceva la realtà ma non riusciva nello stesso tempo a dimenticare la storia di una ragazza della Sanadiqiyya, povera come lei, a cui il destino aveva concesso un marito ricco, un imprenditore, che l'aveva tirata fuori da quell'abisso e aveva trasformato la sua vita. Cosa impediva che la storia si ripetesse e la sorte tornasse a sorridere una seconda volta in quel quartiere? Non era meno bella di quella ragazza. La fortuna che era capitata a quella poteva capitare ancora molte volte senza difficoltà. Tutta questa ambizione era costretta in un mondo che finiva a piazza Regina Farida, e lei ignorava cosa ci fosse al di là, non conosceva la gente né il suo destino: non sapeva quanti avevano ottenuto la felicità né quanti altri si dibattevano, sperduti come lei, senza sapere dove gettare l'ancora.

Intanto aveva visto avvicinarsi le amiche che lavoravano al laboratorio e si affrettò verso di loro. Dimenticò i suoi pensieri e si abbandonò a un sorriso. Quelle ricambiarono i saluti e presero a chiacchierare. Hamida le osservava, esaminava i loro vestiti, invidiava la libertà e la fortuna che avevano.

Erano ragazzine della Darrasa che la miseria e le circostanze della guerra avevano allontanato dalle tradizioni e costretto a lavorare nei negozi, come le ragazze ebree. Patite, magre e povere, in breve tempo si erano profondamente trasformate: erano ben nutrite e ben vestite, dopo tante ristrettezze.

Come le ebree, avevano cominciato a badare al loro aspetto e a curarne l'eleganza; alcune parlavano un linguaggio ricercato, e non si facevano scrupoli ad andarsene a braccetto nelle strade malfamate. Avevano imparato qualcosa e ora si lanciavano nella vita, mentre Hamida, per l'età e per l'ignoranza, non aveva avuto simili occasioni.

Così eccola intrufolarsi tra loro, piena di rimpianti, invidiosa di quella vita raffinata, dei vestiti ricamati, delle tasche piene.

Rideva con loro con falsa innocenza, ma si rodeva di gelosia e non si lasciava sfuggire la minima occasione per punzecchiarle con facezie allegre e ironiche. Una aveva un vestito tanto corto da essere indecente, una aveva cattivo gusto, un'altra guardava troppo gli uomini, un'altra ancora sembrava aver scordato i giorni in cui i pidocchi le camminavano sul collo come formiche.

Questo genere di incontri alimentavano la sua continua ribellione ma erano anche l'unica distrazione nelle sue lunghe giornate piene di noia e di litigi.

Per questo aveva detto un giorno alla madre sospirando:

"Ah, la vita delle ebree, sì che è vita!"

Quella ne era rimasta tanto disgustata che aveva replicato:

"Sei della razza del demonio, non voglio avere niente a che fare con te".

Ma la ragazza aveva deciso di provocarla:

"Non potrei essere la figlia naturale di un pascià?"

Scuotendo il capo la donna aveva ribattuto sarcastica:

"Dio abbia misericordia di tuo padre che vendeva datteri a Margush".

Ora camminava fra le sue compagne, fiera della propria bellezza, armata di una lunga lingua, compiaciuta degli sguardi che le divoravano e che si posavano specialmente su di lei. Quando fu circa a metà del Muski si girò e vide Abbas al-Helwu che le seguiva a distanza e la guardava col suo solito sguardo. Si domandò cosa lo avesse indotto a lasciare la bottega a quell'ora, che la stesse seguendo? Non si accontentava più di lanciarle messaggi con gli occhi? Per quanto fosse povero, come tutti quelli che facevano il suo mestiere, aveva un aspetto dignitoso e lei fu contenta di vederlo.

Si disse che nessuna delle sue compagne avrebbe potuto aspirare a un partito migliore e provava per lui un sentimento strano e complesso. Da un lato, egli era l'unico giovane del Vicolo che avrebbe potuto sposare, dall'altro sognava per marito un ricco imprenditore come quello che era toccato in sorte alla sua amica della Sanadiqiyya. Non amava Abbas, né lo desiderava, ma nello stesso tempo non lo scoraggiava e i suoi sguardi pieni di desiderio probabilmente le facevano piacere. Era solita accompagnare le amiche fino alla fine della Darrasa, e poi tornarsene da sola al Vicolo. Camminava fra le ragazze, ma con la coda dell'occhio seguiva Abbas. Ormai non dubitava più che le seguisse di proposito e che intendesse infine rompere gli indugi.

Non si sbagliava. Infatti, come ebbe salutato l'ultima amica e presa la via del ritorno, eccolo avvicinarsi lungo il marciapiede, con una certa ansia e il volto segnato dall'emozione. Quando l'ebbe raggiunta, le disse con un tremito nella voce:

"Buonasera, Hamida".

Lei si voltò verso di lui infastidita, fingendosi sorpresa del suo improvviso arrivo, quindi corrugò la fronte e affrettò il passo senza dire una parola.

Egli arrossì, ma tornò a dire con tono di rimprovero:

"Buonasera Hamida".

Poi tacque e poiché camminavano in fretta, lei temette di arrivare alla piazza affollata prima che fosse riuscito a dirle ciò che lei desiderava sentire.

Così l'apostrofò con fare risentito:

"Che vergogna, un vicino che si comporta come un estraneo!"

Abbas parve dispiaciuto:

"Non mi comporto affatto come un estraneo, ma come un autentico vicino. A un vicino non è lecito parlare?"

E lei, imbronciata:

"La propria vicina si protegge, non si assale!"

Il giovane disse con ardore:

"Conosco i miei doveri di vicino e non ho mai pensato di assalirti. Dio me ne guardi. Vorrei semplicemente parlarti e non ci vedo niente di male..."

"Come puoi dirlo! Non è male abbordarmi in questo modo per la strada ed esporsi allo scandalo?"

Lui si allarmò per quel rimprovero e si affrettò a dirle, costernato:

"Lo scandalo? Dio me ne guardi, Hamida! Le mie intenzioni sono oneste, per la vita di al-Hussein, e verso di te non ho che sentimenti puri. Vedrai che tutto andrà secondo la volontà di Dio e non ci saranno scandali, ma ascoltami un momento, devo parlarti di una cosa importante. Deviamo verso la via di al-Azhar, lontano da sguardi indiscreti".

Fingendosi offesa Hamida rispose:

"Lontano dagli sguardi? Sarebbe questa la volontà di Dio? Sei proprio un buon vicino!"

Vedendo che gli teneva testa, egli si fece ardito e disse accalorandosi:

"Cosa ho fatto di male? Un buon vicino deve morire prima di poter dire quello che ha nel cuore?"

Lei replicò, ironica:

"Che purezza d'intenzioni!"

Al-Helwu, in preda all'ansia e all'apprensione, perché si avvicinavano alla piazza affollata, disse:

"Per Sayyidna al-Hussein, le mie intenzioni sono veramente oneste! Non correre così, Hamida. Deviamo verso la via di al-Azhar. Devo dirti una cosa importante, devi ascoltarmi. Di certo sai già cosa voglio dirti. Lo sai vero? Non lo senti? Quando uno ha fede è il cuore che lo guida..."

Lei adirata ribatté:

"Ora hai passato il segno. No, no, lasciami!"

"Hamida... vorrei... ti voglio..."

"Vergognati! Lasciami o finirai per disonorarmi!"

Avevano ormai raggiunto la piazza al-Hussein e lei lo lasciò, guizzando sull'altro marciapiede, poi affrettò il passo per svoltare nella Ghuriyya, con un leggero sorriso sulle labbra.

Sapeva bene quello che voleva dirle e non dimenticava che era l'unico partito possibile per lei in tutto il Vicolo.

Nei suoi occhi aveva visto luccicare i segni dell'amore, gli stessi che più volte aveva notato quando si affacciava alla finestra.

Ma tutto questo poteva smuovere il suo cuore gelido e ingrato? La sua situazione finanziaria, ch'ella ben conosceva, non era entusiasmante, ma forse il carattere docile del giovane, contento del suo stato e remissivo, poteva compiacere l'istinto di dominio della ragazza. Eppure provava nei suoi riguardi un'avversione di cui non sapeva spiegarsi il motivo. Cosa desiderava dunque? Chi le sarebbe piaciuto, se non le andava bene questo ragazzo dolce e buono?

Naturalmente non sapeva darsi una risposta e attribuiva quell'avversione al fatto ch'egli fosse tanto povero.

A quanto pareva, la sete di dominio non era forte quanto il suo spirito combattivo. La vita pacifica non la solleticava e una vittoria troppo facile non le dava alcuna soddisfazione. Ma non vedeva chiaro in se stessa, e non capiva ancora cosa voleva: un vago e oscuro sentimento la riempiva di angoscia e di incertezza.

Abbas al-Helwu rinunciò a seguirla per timore della gente e tornò sui suoi passi deluso e addolorato, ma ben lungi dall'essere disperato. Camminava assorto, indifferente a tutto quanto lo circondava, dicendo tra sé:

"Mi ha parlato, e a lungo! Se avesse voluto respingermi, nulla le impediva di farlo. Quindi non mi detesta e forse sta solo facendo la difficile come fanno tutte le ragazze. Addirittura può aver tagliato corto ed esser fuggita via soltanto per pudore".

Non voleva disperare, anzi si lasciava andare a dolci speranze, mentre pensava al prossimo passo da compiere.

Il suo cuore era ebbro di un nettare che non aveva mai conosciuto prima.

Era proprio innamorato e in preda alla passione, piacevolmente soggiogato da quello sguardo imperioso che amava smisuratamente.

Come tutti i ragazzi si sentiva attratto dalle donne ma, come un colombo che vola nel cielo e fa poi ritorno al nido, rispondendo al richiamo della compagna, così per lui restava Hamida e nessun'altra l'oggetto dei suoi desideri.

Non si trattava più di un rischio senza prospettive, davanti a lui si spalancavano sogni e speranze, e lui tornava a casa ebbro di gioia, di amore e di ardore giovanile.

Risalendo la Sanadiqiyya, si imbatté nello Shaykh Darwish, che veniva dalla moschea di al-Hussein. I due si incontrarono proprio all'imbocco del Vicolo. Abbas fece per salutarlo ma quello, guardandolo coi suoi occhi spenti dietro gli occhiali d'oro, gli puntò contro il dito come per metterlo in guardia:

"Non andartene in giro senza tarbush. Bada di non girare a capo scoperto in un mondo come questo. Il cervello di un giovane fa presto a svaporare: lo si vede bene in ogni tragedia, che in inglese si dice tragedy e si scrive t.r.a.g.e.d.y.".

44

6

Padron Kirsha era tutto preso da una faccenda importante. Raramente trascorreva un anno intero della sua esistenza senza che si cacciasse in un affare del genere, malgrado i fastidi che poteva procurargli.

D'altra parte, dedito com'era all'hashish, la sua volontà era ridotta a zero. Per di più, contrariamente alla maggior parte di quanti trafficavano con la droga era piuttosto povero e non perché quel commercio non gli procurasse denaro, ma per via della sua prodigalità.

Spendeva fuori casa tutto quel che guadagnava, scialacquando i propri averi senza criterio, seguendo i propri istinti e specialmente la sua rovinosa inclinazione.

Quella sera, visto che era ormai quasi il tramonto, lasciò il caffè senza avvertire Songor, avvolto nel suo mantello nero e appoggiandosi al bastone nodoso, con passo lento e pesante.

I suoi occhi assonnati, quasi nascosti dalle palpebre spesse, pareva non distinguessero chiaramente il cammino. Il suo cuore batteva forte in quella circostanza, poiché è sempre così, anche quando un uomo va per i cinquant'anni.

La cosa sorprendente è che, avendo sempre avuto amori particolari nel corso della sua vita ed essendosi abbandonato al vizio, padron Kirsha credeva ormai che quella fosse la normalità.

Smerciava droga e pertanto si era abituato a svolgere i suoi traffici protetto dalle tenebre, ormai lontano da un'esistenza normale e completamente in preda al suo comportamento deviante. Si abbandonava interamente alle proprie passioni e non c'era da aspettarsi da lui il minimo pentimento. Se la prendeva anzi col governo che perseguitava la gente dedita all'hashish e malediceva quanti lo disprezzavano per l'altro suo "vizio". Del governo diceva: "Permettono il vino che Dio ha proibito e proibiscono l'hashish che ha permesso. Autorizzano le bische che diffondono veleno e si accaniscono contro il fumo, che è una medicina per l'anima e per la mente".

Scrollava spesso il capo dispiaciuto: "Cosa c'è di male nell'hashish? Rilassa la mente, rende più bella la vita e oltretutto favorisce la procreazione!" Quanto alla sua seconda passione, affermava con la solita impudenza: "Voi avete la vostra religione io ho la mia!"

Ma per quanto ci avesse fatto il callo, il suo cuore batteva forte all'inizio di ogni nuova avventura.

Percorreva lentamente la Ghuriyya, tutto preso dai suoi pensieri, e si chiedeva pieno di speranza: "Cosa accadrà stasera?" e benché fosse assorto in tali meditazioni avvertiva confusamente la presenza delle botteghe sui due lati della strada e rispondeva di quando in quando ai saluti di quelli che lo conoscevano.

Non pensava nulla di buono di quei saluti e non capiva se fossero autentici o piuttosto ammiccanti e allusivi.

La gente non si dà pace, si butta su ogni occasione per sparlare con quella sua bocca avida e vorace.

Era da un pezzo che dicevano male di lui, senza peraltro trarci alcun vantaggio. Sembrava anzi che si divertisse a sfidarli, manifestando apertamente quello che un tempo nascondeva.

Procedette così nel suo cammino fino a che giunse vicino all'ultimo negozio sulla sinistra, ormai in prossimità di al-Azhar. Il suo cuore si mise a battere più forte ed egli si scordò dei saluti che avevano suscitato in lui foschi pensieri.

Nei suoi occhi spenti passò un debole guizzo maligno.

Si avvicinò al negozio con la bocca aperta e le labbra pendenti, finché giunse sulla soglia.

Era una bottega di modeste dimensioni, in mezzo alla quale un vecchio sedeva dietro a un piccolo banco, mentre un giovane commesso stava appoggiato a uno scaffale colmo di mercanzie. Come lo vide entrare questi si raddrizzò e lo accolse con l'affabilità propria di chi fa quel mestiere.

Le pesanti palpebre di padron Kirsha si sollevarono e i suoi occhi si fissarono sul giovane che egli salutò amabilmente, ricevendo da lui una risposta altrettanto cortese.

Il commesso notò che era la terza volta in tre giorni che quell'uomo veniva al negozio e si chiedeva perché mai non facesse gli acquisti tutti insieme.

"Vorrei vedere delle calze... Mostratemi quelle che avete".

Il giovane gliene mostrò vari tipi, posandole sul banco del negozio ed egli prese a esaminarle mentre lanciava sguardi furtivi al commesso il quale, ormai conscio delle sue intenzioni, tratteneva a stento un sorriso.

Padron Kirsha tirò per le lunghe la sua scelta, poi disse al giovane sottovoce:

"Abbiate pazienza figliolo, ma non ci vedo bene. Vorreste sceglierle voi di un colore adatto per me, col vostro buon gusto... – e si interruppe un istante guardandolo fisso in volto, come se volesse divorarlo, sorridendo con le sue grosse labbra pendenti – ... che si addice senz'altro a un viso tanto bello".

Il giovane gli propose un paio di calze, fingendo di ignorare il complimento.

"Incartatemene sei paia".

Attese che gliele impacchettasse, poi disse:

"Facciamo dodici... il denaro non mi manca, grazie a Dio".

Quello, senza dire una parola, rifece il pacchetto secondo la nuova richiesta e mormorò porgendoglielo:

"Grazie signore".

Padron Kirsha sorrise o, per meglio dire, aprì meccanicamente la bocca e muovendo insieme leggermente le sopracciglia disse in tono malizioso:

"Grazie a voi, mio giovane amico – poi, con voce più smorzata – e grazie a Dio".

Pagò e uscì dalla bottega in preda alla stessa agitazione di quando vi era entrato, si diresse verso la via di al-Azhar e l'attraversò raggiungendo il lato opposto. Qui, si fermò vicino a un albero di fronte alla bottega, il bastone in una mano e nell'altra il pacchetto, nascosto nell'ombra della sera che avanzava, senza perdere di vista il negozio.

Il giovane aveva ripreso il suo posto e ora teneva le braccia conserte. Kirsha guardava verso di lui e riusciva a vederlo solo confusamente, ma la memoria e l'immaginazione lo assistevano meglio della vista.

Si diceva: "Otterrò quel che voglio senza dubbio". Rammentando quanto quel giovane fosse stato gentile, affabile e ben educato e ricordando la sua voce che sussurrava: "Grazie", si rallegrò in cuor suo e sospirò profondamente.

Restò in quella posizione per un'oretta, in preda all'ansia e alla tensione, finché il negozio chiuse i battenti ed egli vide il vecchio allontanarsi verso la via degli Orafi e il giovane dirigersi verso la via di al-Azhar.

Si staccò dall'albero lentamente e si incamminò verso di lui. Questi lo vide a due terzi del cammino, ma non gli badò e gli sarebbe passato accanto come se niente fosse, se padron Kirsha non gli avesse rivolto amabilmente la parola:

"Buonasera, mio giovane amico".

L'altro lo guardò con un leggero sorriso negli occhi e rispose incerto:

"Buonasera, signore".

Giusto per continuare la conversazione gli chiese:

"Avete chiuso il negozio?"

Il giovane notò che Kirsha rallentava come per indurlo a fermarsi, ma mantenne l'andatura e rispose:

"Certo, signore".

Padron Kirsha fu costretto ad allungare il passo e continuò a camminare così sul marciapiede al suo fianco, mentre non cessava di guardarlo.

"La giornata di lavoro è lunga. Che Dio vi aiuti".

L'altro sospirò:

"Che volete farci, per mangiare bisogna faticare..."

Kirsha fu lieto che l'altro continuasse la conversazione e considerò un buon segno la sua affabilità.

"Dio vi compensi per quanto fate".

"Grazie, signore".

Kirsha riprese infervorato:

"La vita è davvero dura e raramente si riceve la giusta ricompensa per tanta fatica. Quanti lavoratori sono oppressi in questo mondo!"

Aveva toccato il tasto giusto e il giovane rispose preoccupato:

"Dite bene. Quanti lavoratori sono oppressi in questo mondo!"

"Ma con la pazienza si ottiene tutto. Se gli oppressi sono molti significa che sono tanti quelli che li opprimono. Grazie a Dio però, non mancano persone comprensive..."

"E dove sono?"

Stava per rispondergli: "Eccomi qua", ma si trattenne e disse con aria di rimprovero:

"Non siate pessimista, mio giovane amico, non siamo ridotti poi così male" e, cambiando tono, soggiunse: "Ma perché tanta fretta? Andate a casa?"

"Devo andare a cambiarmi".

"E poi?" chiese con interesse.

"Andrò al caffè".

"Quale caffè?"

"Il caffè Ramadan".

Padron Kirsha sorrise meccanicamente e i denti d'oro lucci-
carono nell'ombra, quindi gli chiese con aria lusinghiera:

"Perché non fate onore al nostro caffè?"

"Quale caffè, signore?"

"Il caffè Kirsha al Vicolo del Mortaio, di padron Kirsha, che
è qui per servirvi".

Il giovane rispose riconoscente:

"Ne sarò onorato. È un caffè conosciuto".

A quella risposta l'uomo si rallegrò e domandò speranzoso:

"Verrete?"

"Se Dio vorrà..."

Kirsha spazientito riprese:

"Tutto avviene per volontà di Dio! Ma voi parlate seriamente
o solo per liberarvi di me?"

Il giovane rise discreto:

"Intendo davvero venire".

"Allora, a stasera..."

E siccome il giovane non diceva nulla, l'uomo confermò con
ardore:

"Non mancherete..."

"Se piace a Dio" mormorò il giovane.

L'uomo sospirò enfaticamente:

"Dove abitate?"

"Nel Vicolo del Bazar".

"Siamo vicini. Siete sposato?"

"No, vivo coi miei".

"A quanto sembra, siete di buona famiglia. Buon sangue non
mente. Dovete prendervi cura del vostro avvenire, non potete restare un semplice commesso tutta la vita".

Il bel viso di quel giovane ambizioso si illuminò d'interesse
ed egli chiese con malizia:

"Uno come me può aspirare a qualcosa di meglio?"

Con un gesto di sufficienza Kirsha rispose:

"Ci sono tante occasioni! Tutti quelli che sono arrivati hanno
cominciato con poco".

"Certo, ma non tutti quelli che hanno cominciato così hanno
poi avuto successo..."

"A meno che – concluse Kirsha – non capiti loro un'occasione... Questo giorno in cui ci siamo conosciuti resterà memorabile. Dunque vi aspetto stasera?"

Il giovane esitò un poco, poi disse sorridendo:

"Sarebbe vile rifiutare tanta generosità!"

Si strinsero la mano davanti a Bab al-Mitwalli e padron Kirsha riprese a scalpicciare nell'ombra.

Si era destato dalla sua solita apatia e sentiva scorrere nelle vene un lieto calore: si svegliava dal torpore in cui sprofondava di solito, solo sotto l'urto violento dei suoi istinti perversi.

Cammin facendo passò davanti al negozio chiuso e gli rivolse un lungo sguardo, colmo di desiderio.

Quando arrivò al Vicolo, le botteghe erano chiuse e tutto sarebbe già piombato nelle tenebre, se non ci fossero state le luci del caffè.

Fuori faceva fresco, ma all'interno del locale l'aria si manteneva tiepida per il fumo dei narghilè, per la presenza degli avventori e il calore del braciere. Seduti comodamente sui divani, i presenti chiacchieravano bevendo tè e caffè, mentre la radio diffondeva un programma che cadeva nell'indifferenza generale, come un noioso oratore che parli a una platea di sordi. Songor girava come una trottola, continuamente, senza trovar pace.

Il padrone raggiunse il suo posto dietro la cassa, con la massima calma, evitando gli sguardi.

Al suo arrivo, Kamil stava chiedendo agli altri di aiutarlo a convincere Abbas perché gli consegnasse il sudario acquistato per lui. Ma quelli non ne volevano sapere e il dottor Bushi disse:

"Non disprezzare l'abito dei morti. Molti sono nudi a questo mondo, ma per quanto poveri, non conviene che varchino così la soglia della tomba".

Il povero ingenuo ripeté più volte la sua richiesta, ma ogni volta incontrò il rifiuto e lo scherno degli altri, finché, disperato, tacque. Allora Abbas annunciò agli amici la sua decisione di andare a lavorare nell'esercito britannico.

Ascoltò pareri e consigli che appoggiavano concordemente il suo progetto e tutti gli augurarono successo e fortuna.

Sayyid Ridwan al-Husseini si era lanciato in uno dei suoi discorsi pieni di pie esortazioni e di precetti morali.

Proteso verso il suo ascoltatore diceva: "... non dire che ti annoi. La noia è mancanza di fede. Cosa significa esser stanchi della vita? La vita è un dono di Dio, come può un credente averne noia e disgusto? Potrai dire che ne hai abbastanza di questo o di quello, ma, ti chiedo, questo e quello non vengono forse da Dio? Comportati bene dunque e non ribellarti a ciò che fa il Signore, ogni cosa nella vita ha il suo sapore e la sua bellezza. L'animo amareggiato è un cattivo consigliere e finisce col rovinare i sapori più gradevoli. Credimi, la sofferenza ha la sua parte di gioia, la rassegnazione la sua soavità e la morte ha qualcosa da insegnare. Ogni cosa è bella e dilettevole. Come potremmo lagnarci se il cielo è così blu, la terra verde, i fiori profumati, se il cuore ha una straordinaria capacità di amare e lo spirito un'infinita forza di credere? Come essere insoddisfatti, se al mondo ci sono quelli che amiamo, che ammiriamo, che ci amano e ci ammirano? Invoca Dio contro il perfido demonio e non dire che ti annoi".

Bevve un sorso del suo tè alla cannella e continuò, come parlando delle proprie ansie:

"Rispondiamo con l'amore alle sventure e le sconfiggeremo. L'amore è il migliore dei rimedi. Tra le pieghe della sventura si cela la felicità, come i diamanti tra le pietre della miniera. Lasciamoci istruire dalla saggezza dell'amore".

Il suo volto bianco e roseo traboccava di gioia e di luce e la barba fulva lo avvolgeva in un alone lunare. In confronto alla sua granitica calma, tutto attorno a lui sembrava inquieto e agitato. La luce dei suoi occhi era limpida e pura mentre parlava di fede, di bene e di amore disinteressato.

Forse egli aveva perduto le proprie ambizioni quando aveva fallito negli studi ad al-Azhar ed aveva disperato del mondo alla morte dei figli, e poi aveva cercato una compensazione a quelle enormi perdite, andando alla conquista dei cuori con l'amore e la bontà. Ma quanti, colpiti da un simile destino, erano invece caduti in preda alla follia e quanti altri ancora avevano riversato la loro ira contro il mondo e la religione.

Qualunque fosse il dramma segreto della sua anima, non si poteva dubitare della sua sincerità. Era davvero credente e amava gli altri con genuina generosità.

Però, stranamente, quest'uomo, di cui tutti conoscevano le virtù, era duro, inflessibile, perfino rozzo e meschino in casa sua.

Si dirà che, avendo rinunciato a qualsiasi potere reale in questo mondo, doveva sfogarsi sulla moglie, l'unica creatura soggetta al suo volere e in grado di saziare il suo istinto di potere, dunque doveva mostrarsi arrogante e autoritario con lei. Bisognava però tener conto anche delle consuetudini di quell'epoca e di quell'ambiente e di come venivano di solito trattate e considerate le donne. Quasi tutti quelli della generazione di Sayyid Ridwan pensavano che le donne andassero trattate come bambini, per la loro felicità, e la moglie stessa, se non fosse stato per la perdita dei figli, che aveva lasciato nel suo cuore una ferita indelebile, si sarebbe considerata una donna fortunata, contenta di suo marito e della propria vita.

Padron Kirsha era distratto e si agitava di continuo sulla sedia: soffriva in un imbronciato silenzio le pene dell'attesa. Non passava un minuto senza che allungasse il collo per controllare l'accesso del Vicolo, quindi tornava a guardare la cassa sforzandosi di pazientare e ripetendosi. "Verrà di certo. Verrà, come sono venuti gli altri prima di lui..."

Rivedeva il suo volto e guardando il posto vuoto accanto allo Shaykh Darwish, se lo raffigurava seduto lì.

Fino ad allora non aveva mai osato invitare quei giovani al caffè, ma ormai il suo vizio era stato scoperto ed era diventato oggetto di scandalo a tal punto che egli stesso aveva gettato la maschera e lo praticava alla luce del sole.

Le scenate tra lui e la moglie erano sulla bocca di tutti e costituivano l'argomento preferito dal dottor Bushi e da Umm Hamida, ma lui non se ne curava e non appena il fuoco della maldicenza accennava a placarsi, gli offriva nuova esca con la sua condotta per farlo divampare nuovamente. Pareva quasi che godesse dello scandalo e che andasse a cercarlo.

Così stava seduto, come sui carboni ardenti, in preda all'ansia, senza trovare modo di calmarsi. Si era quasi fatto venire il torcicollo, tanto che il dottor Bushi aveva notato la sua agitazione e aveva detto ad al-Helwu in tono malizioso:

"Qualcosa mi dice che ci siamo".

Lo Shaykh Darwish in quel momento ruppe all'improvviso il suo silenzio e si mise e declamare:

Raya hai desiderato, ma di visitarla,
quando i tuoi eran con la sua gente,
il tuo spirito t'ha impedito.
È bene che tu rinunci obbediente
e tema nel sentire il richiamo dell'amore.

O Signora, l'amore vale milioni e per Voi ho speso centomila lire, ma son ben poca cosa.

Finalmente il dottor Bushi vide padron Kirsha fissare l'entrata del Vicolo, impettito sulla sedia e illuminato da un sorriso. Allora anche lui guardò verso l'entrata del caffè e vide di lì a poco comparire un giovane che sbirciava esitante gli avventori...

7

A fianco del caffè, attaccato alla casa della signora Saniyya Afifi, c'era il forno, che occupava la parte sinistra di un edificio più o meno quadrato, dai lati irregolari.

Aveva ripiani alle pareti e, tra il forno e l'entrata, un letto dove dormivano i padroni di casa: Husniyya e suo marito Gaada.

Se non fosse stato per la tenue luce del forno, il locale sarebbe rimasto immerso nelle tenebre notte e giorno.

Nella parete di fronte all'entrata, una piccola porta di legno nascondeva un tugurio da cui emanava un puzzo di polvere e sporcizia, munito di un piccolo finestrino aperto sul cortile di un vecchio edificio.

Dal ripiano di uno scaffale, a un passo dal finestrino, una lampada diffondeva la sua debole luce mostrando un pavimento polveroso, coperto da ogni sorta di rifiuti, come un immondezzaio.

Sopra il ripiano, su cui era appoggiata la lampada e che correva lungo tutta la parete, erano disposte bottiglie di ogni dimensione, attrezzi vari e molte funi. Pareva quasi lo scaffale di un farmacista, se non fosse stato per quell'incredibile sporcizia.

Direttamente sotto la minuscola finestra, sul pavimento, stava rannicchiata una massa informe, sporca come il suolo, dello stesso colore e del medesimo odore, ma dotata di membra, carne ed ossa, il che, contro ogni apparenza, le dava il diritto di venir definita un essere umano.

Era Zaita, al quale la fornaia aveva affittato quel buco.

Chi l'aveva visto una volta non poteva più dimenticarlo: un

corpo scarno e nero in una galabiyya nera, nient'altro che nero su nero, a parte due fessure in cui luccicava il bianco inquietante degli occhi.

Zaita non era un negro, ma un egiziano di pelle scura, solo che lo sporco e il sudore avevano formato col tempo uno strato nero su tutto il corpo. Anche il vestito in origine non era nero, ma era destino che qualsiasi cosa entrasse in quel tugurio finisse per assumere quel colore. Aveva pochi rapporti con la gente del Vicolo, non faceva né riceveva visite, non gli importava di nessuno e nessuno si interessava di lui, salvo il dottor Bushi e i padri di famiglia che lo evocavano solo per spaventare i bambini.

Tutti sapevano qual era il suo mestiere. Si trattava di un'attività che gli avrebbe dato il diritto di fregiarsi del titolo di dottore, anche se lui lo rifiutava, per riguardo a Bushi: procurava infermità, non naturali, di un altro tipo. Si rivolgevano a lui quelli che volevano fare i mendicanti di mestiere e lui, con la sua mirabile arte i cui attrezzi stavano allineati sullo scaffale, procurava a ciascuno l'infermità che meglio gli si addiceva.

Arrivavano in buona salute e se ne andavano ciechi, storpi, gobbi, sciancati o amputati di un braccio o di una gamba. Si era perfezionato in quell'arte grazie all'esperienza fatta nel lungo periodo trascorso in un circo e alla dimestichezza che aveva coi mendicanti, la quale risaliva alla sua infanzia, quando viveva coi genitori, anch'essi mendichi.

Aveva pensato di esercitare l'arte del "trucco" appresa al circo, che aveva praticato agli inizi come dilettante, ma che era divenuta una vera professione quando la situazione era peggiorata.

Si trattava di un lavoro disagevole, perché cominciava di notte, anzi, per essere più precisi a mezzanotte, ma lui aveva finito per farci l'abitudine.

Di giorno rimaneva quasi sempre accoccolato nel suo antro, mangiava e fumava o si divertiva a spiare il fornaio e la moglie. Era un vero piacere per lui stare a sentire i loro discorsi o guardare, da un buco della porta, la pioggia di botte che la moglie faceva cadere sul marito mattina e sera. Di notte invece li vedeva rabbonirsi e la moglie scherzare con quella scimmia di marito e fargli buona accoglienza. Zaita detestava Gaada, lo disprezzava e trovava la sua faccia disgustosa. Inoltre gli invidiava una moglie tanto formosa: "una donna bovina", come la definiva. Diceva spesso che era l'equivalente femminile del buon Kamil.

Una delle ragioni per cui gli abitanti del Vicolo lo evitavano era il fetore che emanava: l'acqua non toccava mai il suo viso o il suo corpo. Preferiva starsene isolato e inselvatichito piuttosto che andare al bagno pubblico. Rendeva agli altri male per male con tutto il cuore e ballava letteralmente di gioia quando veniva a sapere della morte di qualcuno. "Ah, è venuto anche per te il momento di assaggiare la polvere che ha il colore e l'odore che trovavi tanto disgustosi sul mio corpo!"

Gli capitava di passare lunghe ore in ozio, immaginandosi ogni sorta di tortura da augurare alla gente, e trovava in questo gioco un divertimento senza pari.

Si figurava ad esempio il fornaio trafitto da decine di scuri, maciullato e ridotto a un ammasso informe. Oppure si immaginava Sayyid Selim Alwan schiacciato da un rullo compressore e il suo sangue che scorreva verso la Sanadiqiyya, o ancora era Sayyid Ridwan al-Husseini ad essere tirato per la barba fulva fino a un forno rovente da cui veniva poi estratto simile a un blocco di carbone, oppure era padron Kirsha che finiva sotto le ruote di un tram che gli spezzava le ossa e poi i suoi resti sanguinolenti venivano raccolti in un sordido canestro per essere venduti come cibo per cani.

Questi erano solo alcuni dei supplizi che pensava si meritassero gli uomini e quando si metteva al lavoro per acciaccare qualcuno, lo faceva con deliberata crudeltà, trincerandosi dietro il segreto professionale, e se a una delle sue vittime sfuggiva un lamento nei suoi occhi terribili passava un lampo di follia. Eppure i mendicanti erano le persone che gli stavano più a cuore ed avrebbe voluto che il mondo fosse popolato solo di gente come loro.

Zaita se ne stava seduto, immerso nelle sue fantasticherie, attendendo l'ora di mettersi al lavoro. A mezzanotte circa si alzò, soffiò sulla lampada e il luogo piombò in una fitta oscurità. Si diresse a tentoni verso la porta e l'aprì silenziosamente, quindi attraversò il forno e raggiunse il Vicolo. Incontrò lo Shaykh Darwish che lasciava il caffè; accadeva spesso che si incontrassero nel cuore della notte senza scambiarsi una parola, per questo allo Shaykh Darwish era riservato un trattamento speciale, nel tribunale delle inquisizioni che Zaita allestiva nella propria immaginazione contro l'intera umanità. A passi brevi e prudenti girò verso la moschea di Sayyidna al-Husseini. Per via dell'oscurità – c'erano ancora infatti restrizioni sull'illuminazione – era costretto a rasentare i muri delle case e chi lo incrociava non si accorgeva di lui se non quando vedeva i suoi occhi luccicare nelle tenebre come le borchie del cinturone di un poliziotto.

Via via che avanzava, si sentiva rivivere e invadere da un senso di fierezza e di allegria che provava soltanto in mezzo ai mendicanti, i quali gli riconoscevano un'autorità assoluta.

Attraversò la piazza da dove, attraverso la porta Verde, raggiunse un vecchio sotterraneo. Lasciò indugiare i suoi occhi strabici sui mendicanti allineati contro le pareti e si sentì esultante e contento, come un capo consapevole della propria potenza o un mercante che ha piazzato bene la merce.

Si avvicinò al primo, che ronfava accoccolato, con il capo tra le ginocchia, si fermò un istante e lo guardò come per capire se dormisse veramente, poi gli sferrò un calcio. Quello si svegliò, per nulla spaventato, come destato da un tocco delicato, ed alzò il capo penosamente, grattandosi le sopracciglia, il dorso e la testa.

Fissò lo sguardo sull'ombra che lo sovrastava, scrutandola per un istante e immediatamente, pur essendo cieco, la riconobbe. Sospirò profondamente e dalla sua gola uscì quasi un raglio, quindi portò una mano al petto e ne estrasse una monetina che mise nel palmo di Zaita.

Costui passò dall'uno all'altro dei mendicanti allineati contro il muro, e continuò il suo giro nelle viuzze intorno alla moschea: non se ne lasciava sfuggire neppure uno.

L'impegno nel riscuotere non gli faceva però dimenticare il dovere di controllare le infermità che aveva procurato e chiedeva a uno: "Come va, cieco?" e a un altro: "E la tua paralisi?" "Tutto bene grazie a Dio" rispondevano quelli. Poi fece il giro della moschea, comprò pane, dolci e tabacco, quindi fece ritorno al Vicolo.

Il silenzio vi regnava totale, interrotto solo di quando in quando da una risata o da un colpo di tosse che giungeva dalla terrazza di Sayyid Ridwan al-Husseini ove si radunavano gli amici di padron Kirsha a fumare hashish. Zaita entrò senza far rumore, per non svegliare la coppia addormentata, aprì la porticina di legno con precauzione e sempre in silenzio, la richiuse.

Il tugurio non era buio e vuoto come lo aveva lasciato. La lampada era accesa e per terra sedevano tre uomini. Egli scivolò tra loro tranquillamente, e, senza mostrarsi sorpreso o disturbato dalla loro presenza, li guardò con quei suoi occhi scintillanti. Riconobbe il dottor Bushi, che, dopo averlo salutato, gli disse: "Ecco due poveri diavoli che mi hanno chiesto di intercedere presso di te".

Zaita finse indifferenza e disse con aria annoiata:

"A quest'ora, dottore?"

Quello gli mise una mano sulla spalla e disse:

"La notte è discreta e Dio vuole discrezione".

L'altro sbuffando rispose:

"Ma ora sono stanco".

Bushi disse con tono implorante:

"Non mi hai mai rifiutato un favore".

E anche gli altri due si misero a implorarlo e a supplicarlo, finché egli fece finta di cedere suo malgrado.

Posò le provviste e il tabacco sul ripiano e si piazzò davanti ai due, guardandoli attentamente, con aria di rassegnata sopportazione.

I suoi occhi si soffermarono sul più alto: era un gigante forzuto, e Zaita stupito, gli chiese:

"Sei un mulo fatto e finito. Perché mai vuoi fare il mendicante?"

Quello rispose con voce rotta:

"Non mi è riuscito mai far nessun mestiere. Ne ho provati un sacco, compreso il mendicante, ma non mi è mai andata bene. Sono sfortunato, ho il cervello guasto, non capisco un'acca e non so fare niente".

Con astio Zaita gli disse:

"Avresti dovuto semplicemente nascere ricco".

L'altro non capì la battuta e continuò a cercare di ingraziarselo, dicendo con voce lamentosa:

"Ho fallito in tutto e neppure chiedendo l'elemosina ho incontrato un'anima caritatevole. Tutti mi dicono: sei grande e grosso, vai a lavorare! Quando non mi coprono di ingiurie e non mi strapazzano. Non so proprio perché!"

"Santo cielo – disse Zaita grattandosi la testa – neanche questo capisci, che Dio ti benedica!"

Egli non smetteva di esaminarlo pensosamente e infine disse con tono deciso, mentre lo palpava.

"Sei davvero forte. E sano. Mi chiedo cosa diavolo mangi".

"Pane, se ce n'è, e basta".

"Hai proprio un corpo da demonio. Che cosa saresti mai se mangiassi almeno come quegli animali, a cui Dio concede i suoi favori?"

"Non so" rispose l'altro candidamente.

"Certo, certo... Non capisci nulla, questo è chiaro. Ed è meglio così, perché se tu fossi intelligente avresti preso il posto di uno di noi. Ascolta, non c'è alcun bisogno di storpiarti".

Un vivo dispiacere si stampò sul volto di quel bisonte che si sarebbe messo a piagnucolare un'altra volta, se Zaita non l'avesse interrotto:

"È difficile spezzarti una gamba o un braccio, e comunque non riusciresti lo stesso a far compassione a nessuno. I testoni come te fanno solo arrabbiare, ovunque vadano. Ma non disperare – il dottor Bushi attendeva questa frase con impazienza – ci sono molte altre strade. Potrei insegnarti a fare il demente, mi sembri molto portato. Sì, demente!... E ti farò imparare a memoria qualche giaculatoria in onore del Profeta".

Il gigante si rasserenò e prese a ringraziare Zaita, che lo interruppe chiedendogli:

"Perché non hai fatto il brigante?"

L'omone rispose lamentoso:

"Sono un brav'uomo, un povero diavolo. Non voglio far male a nessuno. Amo la famiglia del Profeta".

Con disprezzo, Zaita riprese:

"Pensi di abbindolarmi con questa tattica?"

Poi si volse verso l'altro, che era piccolo e stento, e disse compiaciuto:

"Questo promette bene..."

L'altro sorrise e disse pieno di riconoscenza:

"Dio sia lodato".

"Proprio adatto per fare il cieco e il paralitico!"

E l'altro, felice:

"È una grazia del Signore".

Zaita scosse il capo e disse:

"È un'operazione delicata e pericolosa. Lascia che ti chieda: supponiamo che perdessi davvero la vista, per un incidente o per negligenza: che faresti?"

Quello esitò un istante, poi disse indifferente:

"Sarebbe una grazia di Dio: vederci non mi ha mai fatto guadagnare un soldo, perché mi dovrei lamentare se non ci vedessi più?"

Soddisfatto di tale risposta, Zaita commentò:

"Con un coraggio simile potrai affrontare il mondo".

"Col permesso di Dio, sono nelle tue mani, signore. Ti darò la metà di quello che riceverò dai benefattori".

Zaita lo fissò con durezza e disse aspro:

"Non è così che mi si parla. Il mio compenso è di due millim, oltre al costo dell'operazione. E saprò io come riscuotere il dovuto, se ti venisse in mente di tirare in lungo con i pagamenti".

Bushi gli rammentò che non aveva chiesto la sua parte delle offerte in natura.

"Certo, certo... Ora mettiamoci al lavoro. È un'operazione dura e metterà alla prova la tua capacità di sopportazione. Nascondi il dolore più che puoi".

E mentre immaginava i colpi che avrebbe inflitto a quel corpo emaciato e scarno con le sue dure mani, gli si stampò sulle labbra un sorriso diabolico.

8

Il bazar era una fonte di rumore per tutta la durata del giorno. A parte il breve intervallo per il pranzo, era un continuo andirivieni di impiegati e un viavai di merci in partenza e in arrivo.

Gli autocarri cigolavano e rombavano numerosi, riempiendo la Sanadiqiyya, la Ghuriyya e la via di al-Azhar, per non parlare del movimento dei clienti e dei rappresentanti.

La vendita era all'ingrosso e al minuto, e vi si smerciavano cosmetici e profumi.

Le importazioni dall'India erano cessate – a causa della guerra – e questo aveva senza dubbio influito sugli affari, ma il bazar aveva mantenuto, nonostante tutto, la sua fama e la sua importanza e se da una parte la guerra aveva fatto diminuire l'attività e i guadagni, in compenso aveva indotto Sayyid Selim a mettersi a commerciare in generi che prima non trattava, come il tè, e ad avventurarsi nel mercato nero, realizzando forti profitti.

Selim Alwan stava seduto alla sua enorme scrivania, in fondo allo stanzone che dava sul cortile interno, dove erano situati i magazzini. Da questa posizione centrale, poteva osservare chi entrava e chi usciva e controllare facilmente tanto gli operai e i facchini quanto i clienti.

Per questo aveva preferito non chiudersi in un vero e proprio ufficio, come solevano fare i suoi colleghi.

"Un bravo commerciante – diceva – deve tenere sempre gli occhi bene aperti" e in effetti egli era un campione di praticità e di efficienza.

Non era uno che si era arricchito con la guerra ma, come amava dire, "un commerciante figlio di commercianti".

Non poteva certo essere considerato ricco di famiglia, ma i suoi affari avevano superato bene la prima guerra mondiale e la seconda li aveva fatti prosperare, coprendolo di denaro.

Aveva anche lui le sue preoccupazioni, non fosse altro perché doveva lottare da solo, senza nessuno che lo aiutasse o che gli fosse alleato. Certo, la sua ottima salute e la sua esuberante vitalità lo sollevavano da molti pensieri, ma doveva pensare che presto o tardi sarebbe venuto anche per lui il momento di andarsene e il bazar sarebbe rimasto senza un direttore.

Era davvero un peccato che nessuno dei suoi tre figli avesse voluto saperne di aiutare il padre nelle sue attività.

Nessuno di loro aveva voluto sentir parlare di commercio e i tentativi del padre per convincerli erano stati vani, per cui egli era costretto ad occuparsi di tutto da solo, benché fosse ormai sulla cinquantina.

Se le cose stavano così, era anche colpa sua: malgrado la mentalità di commerciante, era molto generoso, almeno con i suoi.

Dopo sposato, aveva lasciato la vecchia casa di al-Gamaliyya per trasferirsi ad al-Hilmiyya in un maestoso palazzo: una bella costruzione, lussuosamente arredata e piena di domestici.

I figli erano dunque cresciuti in un ambiente nuovo, lontano dal mondo del commercio, che essi disprezzavano un po'. Così, senza che il padre se ne accorgesse, si erano scelti altri modelli di vita, e quando era venuto il momento, non avevano seguito i suoi consigli e si erano rifiutati di iscriversi alle scuole commerciali, temendo di cadere in trappola.

Uno era diventato giudice, l'altro era entrato nell'avvocatura di stato, il terzo era medico a Qasr el-Ayni.

Con tutto ciò Selim Alwan viveva una vita felice, lo si capiva dal suo corpo florido e robusto, dal viso pieno e roseo e dalla sua vitalità giovanile ed esuberante.

Una vita felice perché tutto gli andava bene: commercio prospero, salute buona, famiglia felice, figli che avevano trovato la propria strada.

Oltre a quelli, aveva quattro figlie, felicemente sposate e con prole.

Tutto andava per il meglio, a parte la preoccupazione che di quando in quando lo assillava, circa il destino del bazar.

Col tempo, i figli si erano accorti del problema paterno, ma consideravano la cosa da un altro punto di vista; temevano che non fosse più in grado di occuparsi degli affari o che finisse per lasciar loro delle incombenze a cui non avrebbero saputo far fronte.

Così uno di loro, Mohammed Selim, il magistrato, gli consigliò di liquidare i suoi affari e di prendersi il meritato riposo.

Ma il vecchio capì quello che l'altro temeva, e non nascose la propria indignazione dicendogli:

"Vuoi sotterrarmi da vivo?"

La risposta sorprese e addolorò il figlio, poiché egli, come i suoi fratelli, era sinceramente affezionato al padre, così nessuno più osò affrontare l'argomento.

Però i figli presero a dire, certi questa volta di non provocare la sua collera, che acquistare un terreno o costruire un immobile sarebbe stato senz'altro meglio che ammassare denaro in banca.

Egli era troppo pratico di affari per rimanere insensibile a un simile ragionamento; sapeva bene che il commercio può dare grandi profitti, ma può anche, per un improvviso rovescio, riprendersi tutto, e quindi il mercante previdente che abbia acquistato un immobile, specialmente se ha avuto l'accortezza di intestarlo alla moglie o ai figli, può in ogni caso salvare un po' di soldi, anche se non molti, e comunque non restare a mani vuote.

Conosceva fin troppo bene la storia dei grandi commercianti, che avevano guadagnato somme enormi e che si erano visti ridotti dal fallimento alla più umiliante povertà o, ancor peggio, al suicidio o a una triste fine. Sapeva tutto questo e sapeva che i suoi figli avevano ragione, anzi probabilmente ci aveva pensato ancor prima di loro, ma riteneva che il momento non fosse adatto, per via della guerra, e che fosse meglio rimandare un po' e starsene quieti finché si presentasse l'occasione. Non aveva finito di preoccuparsi di questo, che il figlio, sempre il magistrato, gli consigliò di fare i passi necessari per ottenere il titolo di Bey. "Perché non dovresti diventarlo – gli diceva – il paese pullula di Bey e di Pascià che non hanno i tuoi mezzi, né la tua dignità, né la tua posizione sociale!"

Un simile complimento gli faceva piacere, poiché, diversamente dai commercianti accorti, egli era molto sensibile agli onori e al prestigio, ma si domandava ingenuamente come fosse possibile ottenere quel titolo. Ben presto quello divenne l'affare più importante della famiglia e tutti vi si appassionarono benché non mancassero le divergenze su come raggiungere l'obiettivo.

Alcuni gli suggerivano di mettersi in politica e di far sentire la propria voce, ma Sayyid Alwan, al di fuori dei suoi affari, non si intendeva di nulla e le sue opinioni non valevano più di quelle di Abbas al-Helwu: faceva le sue devozioni sulla tomba di al-Husseini e venerava lo Shaykh Darwish di cui invocava le benedizioni. In breve, era solo uno stomaco robusto sotto un vestito rubicante, ma nella maggior parte dei casi la politica non richiede niente di più. Sayyid Alwan cominciava a pensarci seriamente quando intervenne a sconsigliarlo e a metterlo in guardia Arif, il figlio avvocato:

"La politica finirebbe per mandare in rovina la casa e il commercio. Ti troveresti a spendere per il partito molto di più di quello che spendi per te, per la famiglia e per gli affari, e se ti candidassi per il parlamento, le elezioni ti succhierebbero migliaia di lire, per darti solo una poltrona incerta. Lo sai o no che da noi il parlamento assomiglia a un malato di cuore che può crepare da un momento all'altro? E poi che partito sceglieresti? Se ne scegliessi uno diverso dal Wafd finiresti con l'indebolire la tua posizione nel tuo ambiente, ma se scegli il Wafd, chi ti garantisce che un presidente del consiglio come Sidqi Pascià non mandi all'aria il tuo commercio come foglie al vento?"

Selim Alwan rimase impressionato da quelle parole; poiché riponeva una grande fiducia nei figli istruiti si lasciò convincere a rinunciare alla politica, di cui non sapeva nulla e che lo lasciava indifferente, ad eccezione di qualche nome che egli aveva imparato ad amare fin dai tempi di Saad Zaghlul. Un altro figlio gli propose di partecipare a un'opera di beneficenza per raggiungere il suo scopo, ma egli respinse subito quel suggerimento a causa del suo innato istinto di commerciante ostile a ogni elargizione e prodigalità, benché venisse ritenuto generoso, ma solo verso se stesso e la propria famiglia. Desiderando ardentemente il titolo di Bey, non oppose a questa proposta un rifiuto definitivo, pur sapendo che ci avrebbe rimesso non meno di 5000 lire: "Che fare dunque?" Non riusciva a prendere una decisione e anche se davanti ai figli lo negava, quel titolo era andato ad aggiungersi alle altre sue preoccupazioni: la direzione del bazar e l'acquisto di un immobile, per le quali affidava la soluzione al futuro e alle circostanze.

Tutti questi affanni però non potevano turbare la vita di un uomo assorbito di giorno dal lavoro e la notte dagli istinti. In effetti, quando lavorava non pensava ad altro: stava seduto alla sua scrivania tutto intento a parlare con un mediatore ebreo con tutta l'attenzione e l'accortezza di cui era capace. Era stupito per l'amabilità e la cortesia del suo interlocutore, che un ingenuo avrebbe scambiato per un vero amico e che era in realtà una tigre pronta a balzare, che si fa piccola piccola per meglio assalirti di sorpresa. L'esperienza gli aveva insegnato che quel tipo di persone erano nemici che conveniva farsi amici o – come diceva – "demoni utili".

Discuteva con lui un affare relativo al tè, che prometteva buoni guadagni, attorcigliandosi un baffo e arrotolandolo come era solito fare quando era assorbito da una questione importante. Conclusa la prima contrattazione, il mediatore, che era al corrente delle sue intenzioni, gli propose l'acquisto di un buon terreno, ma Sayyid Alwan aveva già deciso di rinviare la cosa a quando fosse finita la guerra e non lo volle neppure ascoltare, così quello dovette accontentarsi di uscire dal bazar con un solo affare andato in porto. Arrivarono altre persone e Selim Alwan continuò a lavorare con l'abilità e la cura che conosciamo. A mezzogiorno, si alzò per il pranzo: mangiava in una stanza elegante dove era stato sistemato anche un letto per la siesta. Di solito mangiava verdura, patate e un piatto di farik.

Dopo il pasto, si stendeva sul letto e si riposava per una o due ore, durante le quali il movimento del bazar cessava e tutto il Vicolo piombava nel silenzio.

Il piatto di farik aveva una storia che nel Vicolo tutti conoscevano: era nello stesso tempo un alimento e un afrodisiaco, glielo preparava uno dei suoi impiegati favoriti e sarebbe dovuto restare un segreto tra i due, se fosse stato possibile mantenere un segreto in quel posto. Il farik era composto di carne di piccione mischiata a polvere di noce moscata ed egli se lo divorava bevendo dopo due o tre tazze di tè, una ogni due ore. Faceva effetto di notte e regalava a Selim Alwan due ore intere di intensa voluttà. La cosa fu per un po' un segreto tra i due uomini e Husniyya, la fornaia. La gente del Vicolo, vedendo passare il piatto e ritenendolo un alimento come gli altri, augurava "buon pro ti faccia" e qualcuno mormorava sottovoce "che ti avveleni, col permesso di Dio". Ma Husniyya un giorno volle provarne l'effetto su suo marito Gaada, così sottrasse al piatto un bel po' del contenuto che sostituì con farik normale. Il risultato che ottenne la incoraggiò a continuare, pensando che Sayyid Alwan non si accorgesse di nulla. Quello però non tardò a sospettare qualcosa a causa del cambiamento subito dalle sue notti. Sulle prime se la prese con l'impiegato che gli preparava la ricetta, ma quando quello si proclamò innocente cominciò a sospettare della fornaia. Non gli fu difficile scoprire il furto, allora fece chiamare la donna e la rimproverò con durezza, quindi non mandò più il piatto a cuocere al suo forno, bensì in quello di al-Ifrangi, a Sikka al-Gadida. Presto la notizia si diffuse: bastò che giungesse alle orecchie di Umm Hamida, perché nel Vicolo tutti venissero a saperlo e, vedendo passare il piatto, ammiccassero malignamente. Furioso, Sayyid Alwan capì che il suo segreto era stato scoperto, ma non se ne preoccupò a lungo. Sebbene avesse trascorso la maggior parte della vita nel Vicolo, non ne aveva mai fatto parte, non teneva in alcun conto nessuno dei suoi abitanti, né si dava la pena di salutare qualcuno, salvo Ridwan al-Husseini e lo Shaykh Darwish. A un certo momento, il piatto diventò quasi una moda per tutto il Vicolo, e se non fosse stato per il prezzo, nessuno vi avrebbe rinunciato. L'avevano provato tanto padron Kirsha quanto il dottor Bushi e l'assaggiò persino Ridwan al-Husseini, ma solo dopo essersi assicurato che non contenesse nulla di contrario alla legge hanafita. Sayyid Selim Alwan continuò a farne uso, salvo rari casi. In effetti la sua vita era completamente assorbita dal lavoro al bazar e di notte non andava in nessuno dei posti dove gli altri vanno a divertirsi, come caffè, club o cabaret. Aveva solo la moglie, e per questo cercava di godersi le serate coniugali con ogni mezzo e senza moderazione.

Si svegliò nel pomeriggio, fece le abluzioni, disse le preghiere, indossò caffettano e giubba e ritornò in ufficio dove l'aspettava la seconda tazza di tè. Lo bevve voluttuosamente con grandi rutti rumorosi che echeggiavano per tutto il cortile, quindi si mise al lavoro con la stessa lena del mattino.

Tuttavia in lui si notava una certa ansietà: continuava a voltarsi verso il Vicolo e a guardare il suo grosso orologio d'oro, strofinandosi meccanicamente la mano. Quando i raggi del sole raggiunsero la parte superiore della facciata a sinistra del Vicolo, egli fece ruotare la sua sedia girevole, in modo da guardare direttamente in strada. Tese le orecchie e i suoi occhi brillarono a un rumore di sandali sulle pietre della strada in discesa. Pochi secondi e Hamida passò davanti all'entrata del bazar. Egli si arrotolò allora i baffi con cura e rigirò la sedia verso lo scrittoio con gli occhi ancora pieni di gioia, ma con un senso di insoddisfazione. Difficilmente si sarebbe potuto accontentare di una fuggevole visione, dopo un'ora intera di attesa piena di ansia e di smania. D'altra parte non poteva vederla che in quell'occasione e con qualche occhiata furtiva lanciata verso la sua finestra, le rare volte che si arrischiava ad uscire, fingendo di far due passi, per distendere i nervi. Era prudente per natura e teneva al proprio rango e alla propria dignità. Lui era Sayyid Selim, lei una ragazza povera e il Vicolo troppo pieno di malelingue e di occhi indiscreti. Smise di lavorare e tamburellò con l'indice sulla scrivania, pensieroso. Certo era povera ma il desiderio, purtroppo, è spietato. Misera e povera, ma quel viso abbronzato, quello sguardo, quelle forme attraenti se ne infischiavano delle differenze di classe. A che serviva fare l'altezzoso? Amava quegli occhi incantevoli, quel bel visino, quel corpo che stillava tentazione e quel culetto che si prendeva gioco della saggezza dei vecchi. Valeva più di tutte le mercanzie indiane. La conosceva da quando era una ragazzina e veniva al bazar per comperare henné e prodotti alimentari di cui sua madre aveva bisogno. Aveva visto i suoi seni quando ancora erano due bocci di ninfea, poi si erano fatti frutti di palma e infine erano maturati come melograni; e quel culetto prima piatto e senza alcuna sporgenza che si era arrotondato delicatamente fino a diventare un simbolo di grazia e di femminilità. L'ammirazione che covava crebbe e si trasformò in una violenta passione; egli ne era ben conscio e non cercava di negarlo. Da tempo si chiedeva: "Magari fosse vedova, come la signora Saniyya Afifi"; se fosse stata vedova avrebbe trovato certo una soluzione, ma dato che era ancora vergine bisognava pensarci bene. E, come sempre, si trovò a chiedersi che cosa volesse davvero. Quasi inconsciamente rivolse il pensiero alla moglie e alla famiglia. Sua moglie era una donna virtuosa, ricca di tutto quello che un uomo può desiderare: affettuosa, materna, devota, espertissima nelle faccende di casa e da giovane era stata bella e feconda. Non poteva trovarle un difetto e oltre a ciò era di buona famiglia, superiore di molto come origine e come mezzi alla sua. Riconosceva volentieri le sue virtù e nutriva per lei un amore sincero. Ma non era più giovane e piena di vita e non poteva più assecondarlo nelle sue prodezze notturne. Con quella straordinaria energia, al suo confronto, lui era un giovanotto bramoso che non trovava di che soddisfarsi. In realtà non sapeva se era questo il motivo che gli faceva desiderare Hamida o se non fosse piuttosto la sua passione per lei a dargli quella sensazione di vuoto. Comunque sia, aveva un desiderio irresistibile di sangue nuovo e diceva a se stesso senza reticenze "Perché privarmi di ciò che Dio ha permesso?" Ma era un uomo rispettabile e voleva continuare ad esserlo. Lo avrebbe molto amareggiato essere sulla bocca di tutti, perché dava molto peso a quello che dice la gente ed era solito ripetere: "Mangia come ti piace ma vestiti come piace alla gente".

Poteva mangiare il farik, ma Hamida... mio Dio, fosse stata di buona famiglia non avrebbe esitato un istante a chiederla in sposa, ma come poteva diventare sua moglie accanto alla signora Afat? E Umm Hamida, la mezzana, poteva diventare sua suocera, come lo era stata un giorno la compianta donna Alifa Hanim? Come infine Hamida sarebbe potuta diventare la madre di Mohammed Selim il magistrato, di Arif Selim l'avvocato e del dottor Hassan Selim? E c'erano anche altre cose non meno importanti da prendere in considerazione. In caso di matrimonio avrebbe dovuto mettere su una casa nuova, affrontare nuove spese, forse il doppio di quelle attuali, e sarebbero arrivati nuovi eredi a spezzare l'unità della famiglia e a rovinare quella pagina immacolata con odi e conflitti. Perché tante noie? Per la passione di un uomo di cinquant'anni, già padre di famiglia, invaghito di una ventenne. Niente gli sfuggiva, perché sapeva valutare quanto tutto ciò gli sarebbe costato in denaro e in cambiamenti di vita. Così restava incerto, titubante, senza saper prendere una decisione. Quel sentimento si trasformò in un assillo, come la futura conduzione del bazar, l'acquisto di beni e immobili, il titolo di Bey, ma che era di tutti il più insistente e il più cocente. Quando restava solo, passava in rassegna questi problemi, se però Hamida gli si presentava alla mente o se la vedeva alla finestra, non poteva più pensare ad altro.

9

Umm Hussein, moglie di padron Kirsha, era in preda a un continuo rovello. Se il marito aveva interrotto un'abitudine a cui era affezionato ci doveva essere un motivo, quando questo era accaduto in passato aveva sempre annunciato l'arrivo di una disgrazia. E adesso lui trascorreva ormai le notti fuori di casa, invece di vegliare fino all'alba sul terrazzo con gli amici dediti all'hashish. Alla donna tornavano in mente amari ricordi e quel dolore che le aveva guastato l'esistenza. Cosa lo spingeva a trascorrere le notti fuori casa? Era di nuovo la stessa storia? Quel vizio orribile? Lo scostumato sosteneva di voler prendere aria, per vincere la noia, o di andare in un posto più adatto per l'inverno, ma lei non si sognava neppure di bersi quelle fandonie e sapeva bene come tutti gli altri di che si trattava. Per questo si arrovellava e smaniava di fare qualcosa di definitivo, quali che fossero le conseguenze. Benché ormai prossima alla cinquantina, era una donna energica e capace di un'audacia che le aveva fatto, in più di un'occasione, superare le convenzioni. Era famosa quanto Husniyya la fornaia e Umm Hamida per il suo ardire, e particolarmente per le scenate che faceva per la condotta aberrante del marito, così come era nota per il suo nasone camuso. Era una donna prolifica: sei figlie e un maschio, Hussein Kirsha. Le figlie, sposate, avevano tutte una vita coniugale un po' agitata, che tirava avanti con molti problemi. La più giovane era stata protagonista di un episodio di cui aveva parlato tutto il Vicolo. Durante il suo primo anno di matrimonio, era scomparsa improvvisamente, in seguito era stata ritrovata in casa di un operaio di Bulaq ed era finita dietro le sbarre. Il dramma della giovane fu per tutta la famiglia un enorme dispiacere che si aggiungeva a quello per l'ostinata condotta del padre.

Umm Hussein sapeva come scoprire ciò che l'uomo le celava: a forza di interrogare e di far domande a Songor, il ragazzo del caffè, venne a sapere del giovane che aveva preso ultimamente a frequentare il locale e che il padrone accoglieva con tutti gli onori, fino a servirgli di persona il tè. Così si mise ad osservare di nascosto gli avventori finché riuscì a individuarlo, seduto di fronte al padrone che gli faceva gli occhi dolci. Allora credette di impazzire, la vecchia ferita si riaprì e lei passò una notte di inferno e si svegliò in uno stato terribile. Nulla di quanto le veniva in mente la convinceva, era fuori di sé, ma non sapeva prendere una decisione. Molte volte si era accapigliata con il marito, e benché non avesse ottenuto alcun risultato non avrebbe esitato a farlo anche questa volta, se non avesse preferito rimandare, per non dare soddisfazione alle malelingue. Sconvolta dall'ira, andò dal figlio Hussein che stava preparandosi per andare al lavoro e gli disse tutta agitata:

"Tuo padre ci sta preparando un nuovo scandalo".

Hussein capì subito ciò che la madre voleva dire, tali parole potevano significare solo una e ben nota cosa. Si infuriò e i suoi piccoli occhi mandarono lampi. Perché non passava giorno senza che la vita portasse nuove preoccupazioni e nuovi scandali, come se non bastassero tutti gli altri motivi di irritazione? Era disgustato da ciò che lo circondava, forse per questo si era deciso ad entrare nell'esercito inglese. Ma la sua nuova vita invece di appagarlo aveva aumentato la sua insofferenza per la casa, la famiglia e lo stesso Vicolo. Le parole di sua madre ebbero un effetto esplosivo ed egli sbottò adirato:

"Cosa vuoi? Io cosa posso farci? Ho già provato ad intromettermi e c'è mancato poco che ci picchiassimo. Vuoi che lo prenda per il collo?"

Non era tanto il vizio del padre a sconvolgerlo, quanto lo scandalo che suscitava e gli insulti, le ingiurie e le liti che provocava in casa. Del vizio in sé, anzi, non gliene importava nulla, e la prima volta che ne aveva avuto notizia aveva alzato le spalle e le aveva detto con indifferenza:

"È un uomo, e un uomo può fare quel che vuole".

Ma quando aveva visto la famiglia esposta ai pettegolezzi e allo scherno, anche lui si era irritato e se l'era presa con il padre. I loro rapporti erano sempre stati tesi, come accade tra due caratteri troppo simili; entrambi erano infatti burberi, scontrosi e collerici, e quella storia aveva peggiorato le cose, ormai erano come due nemici che a volte si scontrano e a volte sospendono le ostilità, ma continuano a detestarsi.

La donna non sapeva cosa dire, ma per evitare un nuovo conflitto tra padre e figlio, lasciò che quest'ultimo abbandonasse l'appartamento imprecando con rabbia, e trascorse il resto della giornata in uno stato pietoso. Nonostante l'umiliazione e la sfortuna non si arrendeva, anzi decise di dare una lezione a quel depravato, a costo di esporsi al pubblico scandalo. Presa dalla disperazione, decise di metterlo in guardia. La notte, quando la compagnia si sciolse e il marito si apprestava a chiudere il locale, lo chiamò dalla finestra. L'uomo levò il capo infastidito e alzò la voce per chiederle:

"Che vuoi?"

Dall'alto gli giunse la voce di lei:

"Sali, ho da dirti una cosa importante".

Egli fece cenno al giovane di attenderlo, salì pesantemente le scale, si fermò sulla soglia ansimante, quindi le chiese brusco:

"Cosa vuoi? Non potevi aspettare domani?"

La donna lo vide inchiodato sulla soglia, come se temesse di entrare in una casa estranea, e la sua rabbia esplose. Lo fissò con gli occhi arrossati per la veglia e per l'ira, ma si dominò e disse con calma:

"Non potresti almeno entrare?"

Padron Kirsha si chiedeva come mai non parlasse, se davvero aveva qualche cosa da dire, e ripeté la domanda con asprezza:

"Cosa vuoi dunque? Parla!"

Che uomo impaziente! Aveva a disposizione tutta la notte e non sapeva fermarsi due minuti a parlare. Però era sempre suo marito di fronte a Dio e alla gente, il padre dei suoi figli, non c'era quindi da stupirsi che, per quanto egli la trattasse male, non le riuscisse di odiarlo o di ignorarlo. Era il suo uomo e il suo signore, e lei voleva riprenderselo, ogni volta che quel vizio glielo rapiva. Si può anzi dire che fosse davvero orgogliosa di lui, del suo prestigio, della sua posizione nel Vicolo e della sua superiorità negli affari. Senza quella sua odiosa perversione, non se ne sarebbe trovato uno uguale. Ma eccolo rispondere al richiamo del demonio e augurarsi che lei smetta di parlare per andare via. Umm Hussein si incollerì ancora di più e gli disse con asprezza:

"Entra, prima. Perché resti sulla soglia come un estraneo?"

Quello sbuffò, varcò la soglia ed entrò in anticamera chiedendo seccato, con voce cavernosa:

"Ma si può sapere cos'hai?"

Lei chiuse la porta dicendo:

"Fermati un attimo, soltanto due parole..."

Lui la guardò sospettoso. Che cosa voleva da lui? Si sarebbe intromessa ancora una volta? Gridò:

"Parla! Perché perdi tempo inutilmente?"

Lei gli chiese irritata:

"Hai fretta?"

"E che, non lo sai?"

"E perché hai tanta fretta?"

Padron Kirsha si fece ancor più diffidente e il suo cuore si riempì di collera. Fino a quando avrebbe potuto sopportare quella donna? Nei suoi confronti provava sentimenti confusi e contraddittori. A volte la detestava e a volte la amava, ma era l'odio a prevalere quando veniva trascinato dalle sue passioni e la detestava ancor più quando si vedeva aggredito. In fondo avrebbe voluto che fosse una donna ragionevole e che lo lasciasse in pace.

Stranamente, egli si riteneva sempre nel giusto e si stupiva che lei lo ostacolasse senza motivo. Non poteva fare quel che voleva? E la moglie non doveva forse obbedirgli e starsene buona, visto che le sue necessità erano soddisfatte e aveva di che vivere? Gli era ormai diventata indispensabile, come il sonno, l'hashish e la casa e, nel bene e nel male, non pensava seriamente di liberarsene. Se avesse voluto, niente glielo avrebbe impedito, ma lei riempiva un vuoto e si prendeva cura di lui: ad ogni modo, voleva che rimanesse sua moglie.

Ciò nonostante nella sua ira si domandava come facesse a sopportarla. Gridò:

"Non far la stupida. Parla e lasciami andare!"

Risentita e sdegnata lei chiese:

"Non trovi niente di meglio da dirmi?"

"Sei tu che non hai niente da dirmi – ringhiò padron Kirsha – sarà meglio che tu vada a dormire come fanno tutte le donne ragionevoli".

"Magari lo facessi anche tu".

Egli si spazientì:

"Come potrei dormire a quest'ora?"

"Perché dunque Dio avrebbe creato la notte?"

"E da quando in qua io dormo di notte? Sono forse malato?"

La donna allora assunse un tono che egli avrebbe sicuramente inteso:

"Ravvediti! Non è mai troppo tardi".

Egli capì a cosa alludeva, ma fece finta di nulla:

"E che male c'è a stare svegli?"

Lei ribatté esasperata:

"Pentiti di ciò che fai la notte!"

E lui, sornione:

"Vuoi che rinunci alla vita?"

"La vita?" gridò lei, sopraffatta dall'ira.

"Certo. L'hashish è la mia vita".

Gli occhi della donna mandarono lampi; disse, portandosi le mani al volto:

"E l'altro hashish?"

Lui sogghignò:

"Ne consumo solo un tipo".

"È me che consumi! Perché non passi più la notte sul terrazzo come al solito?"

"Non posso passarla dove mi va? Sul terrazzo, in prefettura, nel quartiere di al-Gamaliyya? A te cosa importa?"

"Ma perché dunque hai cambiato abitudini?"

Egli levò gli occhi al cielo e gridò:

"Mio Dio, vedo che mi hai tenuto lontano dai tribunali, per istituirne uno in casa".

Poi, abbassando la testa proseguì: "La polizia sospetta qualcosa e sorveglia la casa".

Lei chiese con amara ironia:

"Per caso, quel giovane svergognato è uno degli informatori che ti hanno scacciato dal nido?"

Questa volta l'allusione era stata chiara. Il viso scuro di lui si rabbuiò e chiese alla moglie con tono infastidito:

"Di chi parli?"

"Di quel depravato al quale servi personalmente il tè, come se fossi un cameriere".

"Che c'è di strano? Il padrone può servire i clienti quanto un cameriere".

Sarcastica e tremante di rabbia la donna chiese:

"E perché non servi anche Kamil? Perché solo quello svergognato?"

"È saggio essere gentili coi nuovi clienti".

"Sei bravo a parlare, ma ciò che fai è scandaloso".

Egli alzò un pugno minaccioso, dicendo:

"Bada a quel che dici, pazza!"

"Di solito invecchiando si matura, ma tu..."

Lui digrignò i denti imprecando, ma lei non gli badò e continuò:

"Sì, di solito invecchiando si matura, ma tu più invecchi e più perdi la ragione".

"Vaneggi, donna, per la vita di al-Hussein, che Dio mi aiuti!"

Allora lei si mise a gridare tremando di indignazione:

"Gli uomini come te dovrebbero essere puniti! Non ci hai esposto abbastanza allo scandalo? Non abbiamo patito abbastanza vergogna?"

"Che Dio mi aiuti".

Presa dalla disperazione e dall'ira lei continuò:

"Oggi lo dico qui, ma domani mi sentiranno tutti".

Kirsha alzò le pesanti palpebre e le chiese con forza:

"Mi minacci?"

"Minaccio te e la tua famiglia! Tu mi conosci".

"Penso che ti spaccherò questa testa che vaneggia".

"Ah, per Dio, l'hashish e la depravazione non ti hanno lasciato la forza di alzare un braccio! Sei finito!"

"Per colpa tua. Sono o non sono le donne, la causa della rovina degli uomini?"

"Disgraziata me, sono la più trascurata delle mogli!"

"Come sarebbe a dire? Hai avuto sei figlie e un figlio, senza contare i parti prematuri e un aborto".

"Non ti vergogni a parlare dei tuoi figli? Soltanto nominarli dovrebbe trattenerti dall'abisso in cui stai precipitando".

Egli colpì la parete con un pugno e si mosse verso la porta:

"Ti ha dato di volta il cervello?"

Ma quella gli gridava dietro:

"Sei impaziente? Non vuoi farlo aspettare troppo? Vedrai come andrai a finire, scostumato!"

Lui chiuse la porta con violenza e il colpo risuonò nel silenzio della notte.

La donna strinse i pugni per la stizza e per l'indignazione, decisa a fargliela pagare.

10.

Abbas al-Helwu si guardò allo specchio, esaminandosi con occhio critico, e subito lo sguardo gli si illuminò compiaciuto. Si era pettinato con cura e aveva attentamente spazzolato il vestito, quindi si era avvicinato all'entrata del suo negozio e si era messo ad aspettare. Era il tramonto e il cielo terso era di un blu profondo, l'aria si era fatta di un tepore inatteso dopo una pioggia sottile durata tutto il giorno, che aveva lavato il Vicolo, come succedeva non più di due o tre volte l'anno, e nella Sanadiqiyya restavano ancora alcune pozzanghere fangose. Kamil ciondolava addormentato nella sua bottega e a quella vista il viso di al-Helwu si illuminò di un tenero sorriso. Ben presto il mal d'amore si insinuò nel suo cuore ed egli sussurrò a bassa voce:

Sono invecchiato, ma tu, mio cuore,
col passare del tempo riposo hai mai trovato
e quel che brami avuto?
Le tue ferite alla lunga guariranno
e senza accorgertene troverai rimedio.
Non hai inteso il detto del saggio?
"O tu che soffri, la chiave della gioia è la pazienza."

A questo punto Kamil aprì gli occhi e sbadigliò, guardando il giovane sulla soglia del negozio, questi rise di cuore e attraversò la strada diretto verso di lui, gli diede un pizzicotto e disse allegramente:

"Amiamo, e il mondo ci sorriderà".

Il buon Kamil sospirò e disse con la sua voce acuta:

"Auguri amico, perché non mi hai dato il mio sudario invece di venderlo per farti la dote?"

Al-Helwu fece una risata e lasciò il Vicolo camminando lentamente.

Aveva indossato il suo completo grigio, l'unico che aveva, e benché l'avesse fatto voltare l'anno prima e rammendare qua e là, lo teneva pulito e stirato da parer quasi elegante. Si sentiva pieno di eccitazione e di ardimento e nello stesso tempo provava l'ansia di chi sta per rivelare ciò che cela nel cuore. In quel periodo viveva d'amore e per l'amore come in un'estasi continua. Il suo era un sentimento delicato, un affetto sincero, ma anche una forte passione: amava gli occhi dell'amata e i seni, e cercava in essi il calore del suo corpo, come negli occhi cercava l'incanto che lo stordiva. Si era rallegrato come di un successo il giorno che l'aveva fermata lungo la Darrasa e aveva sperato che lei gli avesse resistito solo perché le donne reagiscono di solito così al richiamo dell'amore. Per giorni era stato al settimo cielo, ma in seguito l'eccitazione si era smorzata, non per un fatto nuovo ma per un dubbio che si era insinuato nel suo cuore. Era giusto pensare che lei si negasse solo per civetteria? Non poteva essere un vero rifiuto? Ma perché allora non l'aveva respinto sgarbatamente? D'altra parte avrebbe forse potuto trattare con meno riguardo un vicino di vecchia data? Lui però non si dava per vinto, ed ogni volta che il dubbio lo assaliva era pronto a difendere la propria felicità. Al mattino si affacciava alla porta della bottega e la vedeva aprire la finestra per far entrare il sole, la sera si sedeva al caffè sotto la sua finestra, fumando il narghilè e gettando sguardi furtivi alle imposte chiuse che lasciavano intravedere la sua ombra. Ma questo non gli bastava e così la fermò una seconda volta per strada, ma per la seconda volta lei lo aveva respinto. Ancora fiducioso e sereno, tornò alla carica. Si ripeteva che presto sarebbe stato felice e si armava di coraggio e di pazienza.

In questo stato d'animo, uscì per strada, baldanzoso e ardito, vide Hamida e le sue compagne che si avvicinavano, si scostò per lasciarle passare, e poi si mise a seguirle lentamente, rallegrato e lusingato dagli sguardi maliziosi delle ragazze. Le seguì fino a quando in fondo alla strada il gruppo si sciolse, allora affrettò il passo e si avvicinò ad Hamida, le sorrise tenero e imbarazzato e la salutò con le parole che si era tante volte ripetuto:

"Buonasera, Hamida".

Lei lo aspettava, ma era incerta sul da farsi: non lo amava e non lo detestava. Essendo lui l'unico giovane del Vicolo adatto a lei, voleva evitare di mostrarsi troppo dura e decisa. Lasciò quindi che la fermasse di nuovo per strada, limitandosi a respingerlo debolmente e a sfuggirgli con grazia, ma se avesse voluto lo avrebbe fulminato. Benché avesse poca esperienza della vita, avvertiva chiaramente la differenza fra quel giovane remissivo e l'uomo che la sua istintiva inclinazione per la forza, la prepotenza e la lotta le faceva sognare. Sì, l'aria di sfida e la sicurezza di uno sguardo la facevano impazzire, come potevano commuoverla gli occhi mansueti e buoni di al-Helwu? Così era in preda a una angosciosa indecisione, tra la consapevolezza che lui era l'unico buon partito per lei e l'avversione che le suscitava, e di cui non capiva bene il motivo. Se non avesse considerato il matrimonio come una meta naturale e inevitabile, non avrebbe esitato a cacciarlo in malo modo. Ma dovendo sposarsi, non le dispiaceva vederselo ronzare attorno, sondarne il cuore, fargli rivelare ciò che nascondeva, e chissà, forse scoprire qualcosa che risolvesse la sua triste indecisione.

Il giovane temeva che il silenzio si prolungasse per tutta la strada e mormorò di nuovo con tono implorante:

"Buonasera..."

Lei prese un'espressione tranquilla, rallentò il passo e sospirò fingendosi infastidita:

"Cosa vuoi?"

Notando lo sguardo più sereno e senza badare al suo tono, al-Helwu le disse speranzoso:

"Andiamo verso la via di al-Azhar, è più sicura, ormai è quasi buio..."

In silenzio lei lasciò la Darrasa per dirigersi verso al-Azhar, e lui la seguì pazzo di gioia, ma alla mente della ragazza risuonavano le parole: "È più sicura, ormai è quasi buio" ed ella capì che stava lasciandosi indurre a fare qualcosa che più di uno avrebbe considerato sconveniente. Sorrise a quel pensiero con aria di sfida. Il suo spirito ribelle si curava ben poco della morale, pur essendo lei cresciuta in un ambiente rigoroso. Caparbia com'era e con una madre che badava poco a quel che le accadeva attorno, si era lasciata andare sempre più alla sua indole, litigando e accapigliandosi con questa e con quella, senza curarsi di nulla e senza dare alcun peso alla virtù.

Abbas al-Helwu, che l'aveva ormai raggiunta e camminava al suo fianco, le disse raggiante:

"Sei proprio una brava ragazza".

Ma lei ripeté quasi indispettita:

"Cosa vuoi da me?"

Il giovane, dominando la sua agitazione, riprese:

"Pazienza, Hamida, sii gentile, non trattarmi così".

Lei girò il capo a guardarlo, coprendosi con un lembo del velo e dicendo aspramente:

"Mi dici cosa vuoi?"

"Aspetta... voglio... non voglio niente di male".

Annoiata lei riprese:

"Tu non vuoi dirmi nulla. Continuiamo a camminare e ad allontanarci, il tempo passa e io non posso fare tardi".

Al-Helwu temette di perdere l'occasione e disse con apprensione:

"Torneremo in tempo, non temere. Non ti preoccupare, troveremo una scusa per tua madre. Tu pensi al Vicolo, ma io alla vita intera, non riesco a pensare ad altro, non mi credi? È questo che mi sta a cuore, per la vita di al-Hussein, patrono del nostro quartiere".

Parlava con semplicità e sincerità, ed ella avvertì l'ardore delle sue parole. Le piaceva ascoltarlo ma il suo gelido cuore non si commuoveva. Dimentica della propria incertezza, lo guardò con interesse, ma non sapeva che dire e si rifugiò nel silenzio. Incoraggiato, egli continuò con emozione:

"Non contare i minuti e non farmi strane domande. Mi chiedi che cosa voglio, davvero non lo sai? Perché ti fermo per la strada? Perché i miei occhi ti seguono continuamente? Puoi pensare quello che vuoi, ma non leggi nulla nel mio sguardo? Dicono che il cuore guida chiunque abbia fede, e il tuo che ti dice? Interroga te stessa, chiedi alla gente del Vicolo, tutti lo sanno".

La ragazza aggrottò la fronte e borbottò senza accorgersene: "Che vergogna!"

Quelle parole spaventarono al-Helwu che esclamò allarmato:

"Non c'è nulla di cui vergognarsi, ho intenzioni serie. Mi è testimone al-Hussein che conosce quel che c'è nel mio cuore. Io ti amo. Ti amo da tanto tempo e più di quanto ti ami tua madre. Lo giuro su Hussein, sul Profeta e su Dio".

Hamida ne fu compiaciuta e un senso di fierezza la invase, lusingando la sua natura incline al dominio. Le ardenti parole d'amore sanno incantare anche quando non toccano il cuore e sono un balsamo per l'anima. La sua immaginazione la portò a pensare al futuro e a quale sarebbe stata la sua vita al fianco di lui, se la sua speranza si fosse realizzata. Era povero e guadagnava quel che bastava per vivere alla giornata: l'avrebbe portata dal secondo piano della casa di Saniyya Afifi, al primo di quella di Ridwan al-Husseini. Nel migliore dei casi, la madre le avrebbe dato un letto usato, un divano e qualche suppellettile di rame. Dopo di che, le sarebbe toccato pulire, cucinare, lavare, allattare, e forse sarebbe finita scalza e coi vestiti rattoppati. Indietreggiò, come di fronte a una visione spaventosa. Sentì rafforzarsi la passione smisurata per i vestiti insieme a quell'avversione per i bambini che le altre donne del Vicolo le rimproveravano. Una tormentosa incertezza la riprese, e mentre si chiedeva se avesse fatto bene ad acconsentire a quella passeggiata con lui, Abbas continuava a guardarla smanioso, ardente e pieno di speranza, interpretando il suo silenzio secondo il proprio desiderio. Con una voce che veniva dal profondo del cuore le disse:

"Perché taci Hamida? Una sola parola guarirà il mio cuore e cambierà il mondo. Soltanto una parola. Parlami Hamida, non continuare a tacere..."

Ma lei taceva in preda all'indecisione, così egli continuò:

"Una sola parola riempirà il mio cuore di speranza e di felicità. Non sai che cosa sia il mio amore per te, e le sensazioni sconosciute che mi dà. Fa di me un uomo nuovo e mi rende capace di affrontare il mondo senza timore. Sai, mi sono svegliato, e da domani vedrai in me un uomo diverso..." Cosa intendeva? Hamida si voltò incuriosita verso di lui, che si rallegrò per quell'interesse, e infervorato annunciò:

"Sì, con l'aiuto di Dio, tenterò anch'io la sorte. Raggiungerò l'esercito britannico e forse avrò fortuna, come tuo fratello Hussein".

Lei spalancò gli occhi e chiese quasi senza accorgersene:

"Davvero? E quando?"

Senza dubbio, egli avrebbe preferito sentirla parlare d'altro, emozionata piuttosto che incuriosita, e udire da lei quelle dolci parole per le quali il suo cuore si struggeva. Pensò che, per pudore, dietro quell'interessamento ella nascondesse un desiderio ardente quanto il suo, che temeva di rivelarle. Fremette di gioia e disse sorridendo:

"Tra poco partirò per Tell el-Kebir. Comincerò con una paga di venticinque piastre al giorno, ma mi hanno detto che si può guadagnare molto di più. Cercherò di risparmiare il più possibile, e quando tornerò alla fine della guerra, che sarà lunga a quanto dicono, aprirò un nuovo negozio a Sikka al-Gadida o nella via di al-Azhar, così potremo avere una vita comoda, insieme... se Dio vorrà. Abbi fiducia in me, Hamida!"

Era una novità che lei proprio non si aspettava. Se non stava scherzando, aveva già fatto molto per venire incontro alle sue aspirazioni. Per quanto ribelle e capricciosa, poteva essere domata ed addomesticata dal denaro.

Abbas mormorò in tono di rimprovero:

"Non vuoi fidarti di me?"

Hamida gli rispose con una voce che a lui suonò meravigliosa, benché non fosse molto bella:

"Che Dio ti faccia riuscire".

Egli sospirò contento:

"Così sia. Signore ascoltala. Il mondo ci sorriderà, con la Tua grazia. Accettami, e il mondo ci accetterà. Non ti chiedo che di accettarmi".

Hamida sentì svanire la sua indecisione, nelle tenebre in cui si dibatteva era apparsa una luce: quella brillante dell'oro. Se il giovane non le piaceva e non stuzzicava la sua femminilità, quel luccichio poteva ben affascinarla e soddisfare la sua brama di fasto e di successo. Dopo tutto – prima di tutto, anzi – al-Helwu era l'unico del Vicolo che facesse al caso suo, su questo non c'era dubbio. Tutta soddisfatta, gli sentì dire:

"Non mi ascolti Hamida? Ti chiedo solo di essere contenta".

Sulle labbra delicate della ragazza si disegnò un sorriso ed essa ripeté:

"Che Dio ti faccia riuscire".

Lui riprese felice:

"Non è necessario attendere la fine della guerra. Saremo gli abitanti più felici del Vicolo".

Lei aggrottò la fronte ed esclamò con disgusto:

"Il Vicolo del Mortaio!"

Al-Helwu la guardò imbarazzato, non osava prendere le difese di quel luogo che pure amava e che preferiva ad ogni altro al mondo. Si chiese contrariato se anche lei disprezzasse il Vicolo come lo disprezzava il fratello, d'altra parte erano stati allattati allo stesso seno. Per cancellare quella brutta impressione si affrettò a dire:

"Sceglieremo il posto che più ti piacerà, la Darrasa, la Gamaliyya o Bayt al-Qadi... per la tua casa, avrai quel che vorrai".

Lei capì il senso di quelle parole, si rese conto con disagio che aveva parlato più del dovuto e che la lingua l'aveva tradita. Mordendosi le labbra, disse in tono di diniego:

"La mia casa? Ma di che parli? Che c'entro io con tutto questo?"

Il giovane alzò la voce, in tono di rimprovero:

"Come puoi parlare così? Non mi hai fatto soffrire abbastanza? Non sai di cosa parlo? Dio ti perdoni, Hamida. Parlo della casa che sceglieremo insieme, che sceglierai tu, anzi, e che sarà tutta tua. È per questo che parto, lo sai. Mi hai anche augurato buona fortuna. Questa cosa meravigliosa si avvererà sicuramente, ormai siamo d'accordo e non c'è altro da dire".

Ma erano davvero d'accordo? Pareva proprio di sì. Perché altrimenti Hamida avrebbe acconsentito a passeggiare con lui, a parlargli e a imbarcarsi in quei progetti futuri? Che male poteva esserci? Non era il ragazzo giusto per lei? Ciò nonostante fu colta dall'ansia e dall'incertezza. Era tanto cambiata da non saper più controllare la situazione? Sentì la mano di lui cercare la sua, afferrarla e scaldarle le dita fredde. Forse avrebbe dovuto liberarsi e dirgli:

"No, questa storia non mi riguarda". Ma non ne fece nulla e non disse una parola mentre continùavano a camminare, mano nella mano. Sentiva che lui gliela stringeva teneramente dicendo:

"Continueremo a vederci non è vero?"

Hamida continuava a tacere ed egli si accontentò di quel linguaggio silenzioso.

"Ci vedremo spesso e valuteremo tutto quanto. Poi, prima di partire, parlerò con tua madre".

Spazientita, lei ritirò la mano:

"Abbiamo fatto tardi e ci siamo allontanati, dobbiamo tornare".

Tornarono quindi sui loro passi insieme, e lui rideva felice. Camminarono svelti e in pochi minuti furono nella Ghuriyya; lì si separarono. Lei proseguì mentre Abbas deviò verso al-Azhar per tornare al Vicolo passando per al-Hussein.

11

"Dio ti perdoni e abbia misericordia di te".

Così pensava Umm Hussein mentre si recava da Sayyid Ridwan al-Husseini, invocando il perdono di Dio per la rabbia e la disperazione che il marito le faceva provare. Il tentativo di farlo ravvedere l'aveva estenuata, senza farle ottenere alcun risultato. Così non vide altra possibilità che rivolgersi a Sayyid Ridwan il quale, forse, con la sua virtù e la sua autorità, sarebbe riuscito dove lei aveva fallito. Non gli aveva mai parlato di quell'odiosa faccenda, ma da un lato la disperazione, dall'altro il disonore in cui sarebbe incorsa manifestandola pubblicamente, la portarono da quel sant'uomo. L'accolse la moglie di Sayyid Ridwan che l'invitò a sedersi. Era una donna sulla cinquantina, età di cui molte vanno fiere, considerandola l'apice della maturità femminile, ma lei era emaciata e malandata, e portava nel corpo e nello spirito i segni delle prove sopportate, avendo visto i suoi figli morire uno dopo l'altro. Per questo nella casa aleggiava un'aria di mestizia e di malinconia che la fede profonda del Sayyid non arrivava a dissipare. La figura magra e triste di lei era l'esatto contrario di quella del marito: forte, radiosa, calma e sempre sorridente. Era una donna debole, la cui fede, pur radicata, non riusciva a consolarla da tanto dolore. Umm Hussein la conosceva bene e le confidò le sue pene, certa di trovare in lei comprensione e attenzione. Quindi chiese di parlare con Sayyid Ridwan. La donna scomparve per qualche istante, poi ritornò e la invitò ad accomodarsi nella stanza del marito. Questi pregava seduto per terra, davanti a un braciere, con il bricco del tè alla sua destra. La stanza era piccola ma elegante, con divani agli angoli e sul pavimento un tappeto di Shiraz. Al centro, un tavolo rotondo, coperto da libri ingialliti su cui pendeva dal soffitto una grossa lampada a gas. Il Sayyid indossava un'ampia galabiyya grigia e il suo florido viso splendeva sotto la berretta di lana nera. Spesso si ritirava in quella stanza per leggere, pregare e meditare. Lì riceveva gli amici, esperti di cose religiose e mistici, e con essi commentava e discuteva i detti del Profeta. Sayyid Ridwan non era uno specialista e non aveva una mente eccezionale ma non ignorava i propri limiti né si attribuiva conoscenze che non aveva. Era solo un credente sincero, scrupoloso e devoto, di quelli che affascinano i dotti per la magnanimità e la generosità, la rettitudine e la dolcezza, e si meritava di essere considerato quasi un santo.

Si alzò per accogliere Umm Hussein, che gli si avvicinò coperta dal velo e gli tese la mano avvolta in un lembo di stoffa per non contaminare la sua purezza rituale. Egli le diede il benvenuto: "Salute alla nostra amabile vicina", la invitò ad accomodarsi sul divano di fronte a lui, quindi tornò a sedersi per terra a gambe incrociate, mentre lei lo colmava di benedizioni: "Che Iddio vi onori e vi dia lunga vita per i meriti del Profeta!"

Egli immaginava il motivo della visita e non le chiese notizie del marito, come avrebbe dovuto fare per dovere di ospitalità. Al pari degli altri, era al corrente della condotta di padron Kirsha e gli era giunta notizia delle liti scoppiate fra i coniugi in analoghe circostanze. Era certo che pur senza volerlo sarebbe stato coinvolto in quel nuovo conflitto, ma si rassegnò a fare buon viso a cattivo gioco, accettando di buon grado, come era solito fare, anche questo fastidio. Sorrise amabilmente e le disse per incoraggiarla a confidarsi: "Tutto bene, spero".

Umm Hussein non era donna da esitare, non conosceva la timidezza ed era tutt'altro che incapace di farsi valere, in tutto il Vicolo non ce n'era una più ostinata di lei, salvo Husniyya la fornaia. Prese quindi a dire con tono rude:

"Sayyid Ridwan, non c'è uomo migliore di voi in questo Vicolo, per questo vengo a chiedervi di aiutarmi nella mia disgrazia e a lamentarmi di quel depravato di mio marito..."

Nel finire la frase la sua voce si era fatta più alta e sprezzante. Il Sayyid sorrise di nuovo e le disse in tono dispiaciuto:

"Confidati pure, ti ascolto".

La donna sospirò e riprese, colmandolo di benedizioni:

"Quell'uomo non si vergogna e non si ravvede. Ogni volta che lo credo pentito ecco un nuovo scandalo. È uno sfrontato

che né l'età, né la moglie né il pensiero dei figli riescono a trattenere. Forse avete saputo di quel giovane impudente che ogni sera
viene al caffè. È questa la nostra nuova vergogna".

Un'ombra di turbamento offuscò lo sguardo dell'uomo; egli
chinò il capo con aria preoccupata, che però lasciava inalterata la
sua serenità. Restò un momento silenzioso, invocando Dio contro gli agguati del demonio. Tanta afflizione indusse la donna a
scaldarsi ancora di più e a sbraitare in tono terribile:

"Quello sciagurato ci ha coperti di fango. Per Dio, non fosse
per tutti gli anni che ho passato con lui e per i figli, avrei lasciato
la sua casa per non farvi più ritorno. Che dite di questo orrore,
di questa condotta infame? Gli ho offerto i miei consigli e non
mi ha ascoltato, l'ho minacciato e non si è corretto. Voi siete la
mia ultima speranza. Non avrei voluto offendervi con questa storia vergognosa, ma non ho scelta. Siete voi il signore del quartiere. Tutti conoscono la vostra virtù e tutti vi prestano ascolto.
Forse potete ottenere da lui ciò che né le mie parole né quelle di
tutti gli altri hanno ottenuto. Ma se nemmeno questo dovesse
riuscire, cambierò sistema. Oggi mi trattengo, ma se dovessi disperare di vederlo correggersi, metterei a ferro e fuoco il Vicolo
intero e ci getterei a pezzi il suo corpo corrotto".

Sayyid Ridwan la guardò con aria di rimprovero e le disse
con la sua calma abituale:

"Calmati, Umm Hussein, e abbi fede, non lasciarti vincere
dall'ira. Sei una donna onesta e tutti lo sanno. Non dare te stessa
e tuo marito in pasto alle malelingue. Una buona moglie nascon-
de ciò che non si deve sapere. Torna a casa tranquilla e lascia che
me ne occupi io. Dio ci aiuterà".

Trattenendo la propria emozione lei si profuse in ringraziamenti:

"Che Dio vi ricompensi, siete la mia salvezza. Lascerò a voi
questo affare e aspetterò. Che Dio ci aiuti con quello scostumato".

Sayyid Ridwan la calmò con le sue buone parole, e ad ogni
cosa che le diceva la donna invocava la grazia di Dio su di lui e si
sfogava in ingiurie contro il marito, del quale gli raccontava ogni
spudoratezza, tanto che il sant'uomo stava quasi per perdere la
pazienza. Finalmente la congedò e trasse un grande sospiro. Poi
tornò a sedersi pensoso: avrebbe preferito non essere coinvolto
in quell'affare, ma il guaio era fatto e doveva mantenere la promessa. Chiamò il domestico e gli ordinò di andare a chiamare
padron Kirsha. Il ragazzo uscì in tutta fretta. Il Sayyid attese

tranquillo, pensando che per la prima volta invitava un uomo di simili costumi in quella stanza che conosceva solo teologi e mistici. Sospirò ancora profondamente dicendosi:

"È meglio redimere un peccatore che starsene in compagnia di un credente".

Ma davvero sarebbe riuscito a redimerlo? Scosse la grossa testa mentre recitava tra sé le parole dell'Altissimo:

"Tu non puoi guidare sulla retta via chi vuoi ma Dio guida chi vuole" e si stupì per le seduzioni esercitate dal demonio sull'uomo e per il potere che ha di allontanarlo dalla sua buona natura. Il filo dei suoi pensieri fu interrotto dal domestico che annunciava l'arrivo di padron Kirsha; ordinò di farlo entrare e si alzò per riceverlo. Kirsha entrò col suo corpo magro e lungo e da sotto le sue pesanti palpebre rivolse al Sayyid uno sguardo di venerazione e di rispetto, quindi portò una mano al petto in segno di saluto. Sayyid Ridwan gli diede il benvenuto e lo invitò ad accomodarsi. L'uomo si sedette dove poco prima si era seduta sua moglie. Sayyid Ridwan versò una tazza di tè; padron Kirsha era tranquillo, senza alcun sospetto, e non immaginava il motivo per cui Sayyid Ridwan l'aveva chiamato: era giunto a un tale stato di abbrutimento da perdere ogni intuizione e ogni cautela. Nei suoi occhi semichiusi Sayyid Ridwan lesse una calma fiducia e, altrettanto calmo, gli disse sorridendo:

"Fai onore a questa casa".

Padron Kirsha alzò le mani al turbante e rispose:

"Dio colmi di onore voi, Sayyid".

"Non volermene se ti ho fatto chiamare durante il lavoro, ma ho da dirti una cosa importante, come a un fratello, e la casa mi è parsa il luogo più adatto".

L'altro chinò il capo e disse molto educatamente:

"Sono ai vostri ordini".

Sayyid Ridwan temette di perdere troppo tempo in convenevoli e di trattenerlo troppo a lungo. Desiderava entrare in argomento e non gliene mancò il coraggio e la franchezza, disse quindi con aria severa:

"Voglio parlarti fraternamente, con affetto e lealtà. Un fratello che vede l'altro cadere lo soccorre, se lo vede inciampare lo sorregge e se quello ha bisogno di un consiglio non glielo fa mancare..."

A quelle parole, padron Kirsha perse molto del suo entusiasmo e capì di essere caduto in trappola. Nei suoi occhi passò un'ombra di sospetto ed egli mormorò imbarazzato, senza sapere bene quel che diceva:

"Dite bene".

Al Sayyid non sfuggirono il suo imbarazzo e la sua confusione, però continuò in tono serio, ma con sguardo dolce e sincero.

"Fratello, dirò chiaramente ciò che ho nel cuore e non volermene per la mia franchezza. Chi è animato da buone intenzioni e da sincera amicizia merita di essere bene accolto. In verità c'è qualcosa nel tuo comportamento che mi addolora e che considero indegno di te".

Padron Kirsha aggrottò la fronte contrariato e cominciò a pensare: "E tu che c'entri?", ma disse fingendosi sorpreso:

"Davvero siete dispiaciuto per qualcosa che ho fatto? Dio non voglia!"

Il Sayyid non badò a quel tono di falsa meraviglia e continuò:

"Il demonio trova spalancate le porte della giovinezza e di nascosto o apertamente vi penetra per diffondere la corruzione, eppure noi non permettiamo che i ragazzi accolgano il demonio, anzi ingiungiamo loro di chiuderlo fuori. Ma cosa possiamo fare coi vecchi che l'età avrebbe dovuto immunizzare? Cosa dobbiamo fare se li vediamo spalancare le porte ed invitare il demonio ad entrare? È questo che mi addolora, padron Kirsha".

Gioventù... vecchiaia, porte... chiavi, demonio, demoni, ma perché non te ne stai quieto e non lasci gli altri tranquilli? Padron Kirsha scosse il capo indeciso, poi disse abbassando la voce:

"Non ci capisco nulla, Sayyid Ridwan".

L'altro gli rivolse uno sguardo significativo e gli chiese in tono di rimprovero:

"Davvero?"

Egli mormorò cominciando a sentirsi seccato e impaurito:

"Davvero..."

Sayyid Ridwan riprese deciso:

"Pensavo che sapessi a cosa mi riferisco. Intendo parlare di quel giovane sfrontato..."

Kirsha si vide chiusa ogni via di uscita e provò una gran rabbia ma era come un topo in trappola che si dibatte inutilmente, così, tradendo la sconfitta nel tono della voce, chiese:

"Quale giovane?"

Il Sayyid continuò in tono pacato, evitando di provocarlo:

"Lo sai bene. Non te ne parlo per farti un dispetto o per mortificarti, Dio me ne guardi, ma per ricondurti al bene. A che serve negare? Tutti lo sanno e tutti ne parlano. E questo è ciò che più mi addolora, mi addolora saperti sulla bocca di tutti..."

L'ira si impossessò di padron Kirsha, che si diede un pugno sulla coscia ed esplose con voce roca, sputando rabbia:

"Ma perché mai la gente non se ne sta tranquilla e non lascia gli altri tranquilli? Davvero li hai sentiti parlare Sayyid? Sono così da quando Dio ha creato il mondo. Si impicciano degli affari altrui non perché vedono il male, ma per sparlare dei loro simili. E se non trovano niente inventano un vizio per poi sguazzarci. Pensate che chiacchierino per disgusto e per disprezzo? Niente affatto. È l'invidia che li divora!"

Il Sayyid restò stupefatto davanti a quel tipo di reazione e gli disse sorpreso:

"Come puoi pensarla in questo modo? Pensi che ti invidino per un atto tanto vergognoso?"

Padron Kirsha rise e gridò pieno d'odio:

"Potete credermi! Sono una banda di dannati. Non c'è da aspettarsi niente di buono da gente come loro".

Comprese però in quel momento che stava implicitamente ammettendo la colpa da cui cercava di difendersi e continuò:

"Sapete chi è quel giovane? È solo un ragazzo povero al quale cerco di fare del bene!"

Il Sayyid, addolorato per quella doppiezza, lo guardò come per dirgli: "Puoi davvero parlarmi così?", e poi:

"Padron Kirsha, forse non mi hai capito. Io non ti giudico né ti rimprovero, noi tutti abbiamo bisogno della misericordia e del perdono di Dio, ma non cercare di negare. Se questo giovane è povero, lascia che se ne occupi il Signore e se vuoi fare del bene il mondo è pieno di bisognosi".

"E perché mai non posso fare del bene a lui? Mi dispiace che voi non mi crediate, perché sono innocente".

Il Sayyid guardò il suo viso scuro, nascondendo la propria contrarietà e disse con dolcezza:

"Si tratta di uno sfacciato, di uno che ha una pessima reputazione. Hai fatto male cercando di ingannarmi e avresti fatto meglio a tener conto del mio consiglio e a parlarmi sinceramente e apertamente".

Padron Kirsha comprese che il Sayyid era contrariato, anche se non lo dava a vedere, allora si rifugiò nel silenzio, reprimendo la rabbia, e cominciò a pensare di andarsene. Ma l'altro continuava:

"Te ne prego per il tuo bene e per quello della tua casa. Non dispero di riportarti sulla retta via: lascia perdere quel giovane che è una creatura del demonio, e fa ritorno a Dio che perdona ed è misericordioso. Se fossi un uomo retto, oggi saresti ricco, invece guadagni molto ma getti tutto in quella cloaca immonda e resti senza un soldo. Che ne dici?"

Padron Kirsha rinunciò a negare, pensando che in fondo era libero di fare ciò che voleva e che nessuno aveva il diritto di imporgli nulla, nemmeno Sayyid Ridwan! Non pensò però neppure un momento di provocarlo né di sfidarlo, così abbassò le palpebre sui suoi occhi scuri e disse con voce sgradevole:

"Tutto questo riguarda solo Dio!"

Il bel volto del Sayyid restò turbato ed egli ribatté:

"Riguarda piuttosto il demonio! Vergognati".

L'altro mormorò:

"È Dio che ci guida sul retto cammino!"

"Non obbedire al diavolo e Dio ti guiderà. Lascia quel giovane o lascia che sia io a congedarlo..."

Padron Kirsha si allarmò, non riuscendo più a dominare i suoi sentimenti, e disse deciso:

"No, Sayyid, non lo farete..."

Il Sayyid lo guardò contrariato e addolorato e disse con tono afflitto:

"Vedi quanto preferisci la perversione alla rettitudine?"

"È Dio che conduce sulla retta via".

Cominciando a disperare di poterlo correggere, il Sayyid gli disse inquieto:

"Te lo dico per l'ultima volta: lascialo o lascia che sia io a congedarlo..."

Ma padron Kirsha spostandosi sull'orlo del divano, come per alzarsi, disse testardo:

"No, Sayyid. Vi prego di non interessarvi di questa faccenda fino a che Dio non ci mostrerà ciò che dobbiamo fare".

Il Sayyid si stupì di quella sfrontata ostinazione e chiese disgustato:

"Non ti vergogni di tanto accanimento a commettere un atto così vergognoso?"

Padron Kirsha si alzò, ne aveva abbastanza del Sayyid e delle sue prediche:

"Gli uomini commettono molte cattive azioni, questa non è che una delle tante, lasciate quindi che ci pensi io e non vogliatemene, anzi accettate le mie scuse e il mio rammarico. L'uomo è forse responsabile di come è fatto?"

Il Sayyid sorrise tristemente e disse, anche lui alzandosi:

"È responsabile di tutto, basta che lo voglia. Ma tu non hai capito il mio discorso, lasciamo quindi la faccenda al Signore".

Poi gli tese la mano:

"Arrivederci".

Padron Kirsha uscì da quella casa accigliato, brontolando, imprecando contro la gente del Vicolo e contro Sayyid Ridwan.

12.

Umm Hussein si armò di pazienza per un giorno o due. Standosene impalata dietro le imposte della finestra che dava sul caffè spiava l'arrivo del giovane che infatti arrivò camminando con sussiego. Poi lo vide ancora una volta, verso mezzanotte, avviarsi con suo marito verso la Ghuriyya, allora le si sbiancarono gli occhi dalla rabbia e si chiese: "Vuoi vedere che anche i consigli di Sayyid Ridwan non son valsi a nulla?"

Così tornò a trovarlo.

Quello scosse il capo dispiaciuto e le disse:

"Lascialo fare fino a che Dio non decida riguardo a questa faccenda". La donna tornò a casa furibonda minacciando il peggio. Senza più pensare alle malelingue attese alla finestra fino a sera e, quando il giovane arrivò, si avvolse nel velo e uscì di casa come impazzita.

Scese le scale di volata e in un minuto fu davanti al caffè. I negozi erano già chiusi e gli abitanti del Vicolo si erano rifugiati nel locale come ogni sera. Padron Kirsha stava alla cassa mezzo assopito e non si avvide della sua presenza. Lei fissò il giovane intento a sorseggiare il tè e lo guardò di traverso, poi gli si avvicinò, passando davanti a padron Kirsha il quale non levò nemmeno gli occhi su di lei, colpì la tazza che il giovane teneva in mano e gliela rovesciò addosso. Quello si alzò spaventato e si mise a gridare. Lei urlò: "Bevi il tè, figlio di puttana?"

Tutti gli occhi la fissarono: sia quelli degli abitanti del Vicolo sia quelli degli avventori che non la conoscevano. Padron Kirsha si voltò verso di lei come chi si sveglia investito da un secchio d'acqua e fece per alzarsi, ma lei lo bloccò strillandogli in faccia, fuori di sé per la rabbia:

"Tu non ti muovere, scostumato" e continuò rivolta al giovane: "E tu di che hai paura, donna vestita da uomo, pensi che non sappia perché vieni qui?"

Immobile dietro la cassa, padron Kirsha non riusciva a parlare dalla rabbia, scuro in viso, e fu ancora lei a gridare:

"Se ti azzardi a prendere le difese del tuo amico, ti spezzo le ossa davanti a tutti".

Quindi si lanciò verso il giovane che era indietreggiato tanto da finire addosso allo Shaykh Darwish, gridando:

"Vuoi rovinare la mia casa, spudorato?"

Quello gli rispose scosso:

"Chi siete signora, e che ho fatto per..."

"Chi sono? Non mi conosci? Sono la sua donna... come te!" e lo tempestò di colpi, facendogli cadere il tarbush e sanguinare il naso.

Poi lo afferrò per la cravatta e strinse con tanta violenza da soffocarlo. Gli astanti erano sbalorditi e non credevano ai loro occhi ma tutti contenti si preparavano ad assistere a uno spettacolo davvero divertente.

Le grida di Umm Hussein avevano attirato Husniyya la fornaia, arrivata col marito che la seguiva a bocca aperta.

Dopo un po' apparve Zaita, che si fermò a distanza come un demonio partorito dalla terra, e non tardarono ad aprirsi le finestre delle due case e ad affacciarsi teste di curiosi. Sconvolto dalla rabbia, padron Kirsha, vedendo il giovane amico torcersi dolorante e cercare invano di liberarsi dalla stretta della donna, si gettò furioso e schiumante su di lei, le afferrò le braccia e le gridò in volto:

"Lascialo, donna, basta con questo scandalo!"

Sotto la pressione del marito, essa fu costretta a lasciare il rivale e il velo le cadde per terra. Come pazza, gridò ancora più forte, afferrando il marito per il colletto:

"Sfrontato, mi picchi per difendere il tuo amico? Siete tutti testimoni di quel che fa questo disgraziato!"

Il giovane approfittò dell'occasione per svignarsela dal caffè senza nemmeno voltarsi, ma la battaglia tra il padrone e sua moglie continuava: lei lo teneva per il colletto e lui cercava di respingerla e di liberarsene, finché non si alzò Sayyid Ridwan a dividerli.

Coprì la donna ansimante col velo mentre essa gridava con una voce da far tremare i pilastri del caffè:

"Fumatore di hashish! Balordo! Lurido bastardo! Hai cinque figli e potresti essere venti volte nonno! Infame, ti sputerei in faccia".

Scosso dall'ira, padron Kirsha le lanciò uno sguardo duro, gridando:

"Taci, donna, e chiudi quella latrina che ci vomita sporcizia addosso!"

"Che ti caschi la lingua, se c'è una latrina sei tu, depravato, disonorato, frocio".

Egli le mostrò i pugni:

"Vaneggi come al solito. Come ti è venuto in mente di prendertela con i clienti del caffè?"

Quella rise di un riso terribile, sarcastico e amaro:

"A chi ti riferisci? Scusate tanto! Non voglio male ai clienti del caffè, ce l'ho solo con il tuo cliente particolare!"

Sayyid Ridwan si intromise di nuovo e chiese alla donna di dominarsi e di tornare a casa, ma quella, sforzandosi di cambiare tono, disse:

"Non tornerò mai nella casa di quel depravato..."

Egli insistette e a lui si unì il buon Kamil che le disse con la sua voce innocente:

"Tornate a casa, signora. Pregate e abbiate fede e date ascolto alle parole di Sayyid Ridwan..."

Il Sayyid le impedì di uscire dal Vicolo e non la lasciò finché non fu rientrata in casa, ancora recriminante e piena di sdegno. A quel punto, Zaita si eclissò e si ritirò anche Husniyya la fornaia la quale, colpendo sul dorso il marito che la seguiva, disse:

"Non smetti mai di lamentarti della tua sorte e pensi di essere l'unico uomo a prenderle. Hai visto a questi altri come gliele danno?"

A tutto quel chiasso seguì un silenzio pesante mentre gli astanti si scambiavano occhiate maliziose e compiaciute.

Il più contento era il dottor Bushi, il quale scuoteva il capo e diceva tristemente:

"Non c'è potenza né forza se non in Dio. Signore nostro, pensaci tu..."

Padron Kirsha, che sembrava inchiodato al suolo, si accorse all'improvviso della fuga del giovane. Aggrottò la fronte, testardo, e fece l'atto di seguirlo ma Sayyid Ridwan, che non era lontano da lui, gli posò una mano sulla spalla, dicendogli con calma:

"Siediti e rilassati..."

Quello sbuffò furente e indispettito, indietreggiò pesantemente dicendo fra i denti:

"Pantera! Svergognata! Ma è colpa mia, me lo merito: sono un ingenuo che non tratta la moglie col bastone".

Il buon Kamil alzò la voce dicendo:

"Pregate Iddio!"

Padron Kirsha si lasciò cadere sulla sedia, poi la collera lo prese di nuovo e si batté la mano dura sulla fronte urlando:

"Sono davvero un criminale, un assassino. Tutti nel quartiere lo sanno che sono un bruto che si abbevera di sangue. Un criminale, figlio di un cane, una belva, e mi merito proprio tutti questi affronti, visto che son io la causa di tutto" quindi, alzando il capo, continuò:

"Aspettami, donna! Lurida, stanotte per la prima volta saprai chi sono..."

Sayyid Ridwan batté le mani dal suo posto e gli disse:

"Prega il Signore padron Kirsha. Vogliamo bere il tè in pace!"

Il dottor Bushi si chinò all'orecchio di Abbas e sussurrò:

"Bisognerà riconciliarli..."

L'altro chiese malizioso:

"Riconciliare chi?"

Il dottor Bushi trattenne una risata ed emise un sibilo simile a quello di un serpente dicendo:

"Pensi che tornerà al caffè dopo quanto è accaduto?"

"Se non tornerà lui, ne verrà un altro".

Nel caffè tornò l'atmosfera abituale e la gente riprese a giocare e a chiacchierare. La zuffa era stata quasi dimenticata, ma padron Kirsha insorse un'altra volta colto da un tremito, come una bestia feroce:

"No. Non posso assoggettarmi alla volontà di una donna. Sono un uomo, sono libero e posso fare quello che voglio. Che se ne vada se vuole, a girare insieme ai mendicanti. Sì, io sono un delinquente e mi nutro di carne umana..."

Lo Shaykh Darwish alzò il capo improvvisamente e disse senza voltarsi verso il padrone:

"Ehi, tua moglie è forte, e più virile di tanti uomini. È un uomo, non una donna, perché non ti piace?"

Padron Kirsha gli rivolse uno sguardo di fuoco e gridò:

"Chiudi il becco!"

Molti si stupirono: "Persino lo Shaykh Darwish!"

Il padrone gli volse le spalle in silenzio e quello continuò:

"È un antico male che gli Inglesi chiamano homosexuality e che si scrive h.o.m.o.s.e.x.u.a.l.i.t.y. L'amore vero è quello per la sacra Famiglia. Vieni Signora... Vieni... io sono povero, o Madre dei poveri..."

13

Con l'incontro di al-Azhar si aprì per Abbas una nuova epoca: un periodo pieno d'amore, di un ardore che gli bruciava nel cuore, di una magica ebbrezza che gli zuccherava la mente e di una passione che gli scioglieva i nervi.

Allegro e fiero, costruiva castelli in aria, quasi fosse un cavaliere invincibile o un ubriaco nelle grazie dell'oste. Lui e Hamida si incontrarono ancora molte volte e non si stancavano di parlare del futuro, un futuro comune ormai, nemmeno Hamida lo poteva negare né con lui né a se stessa, e spesso si domandava se qualcuna delle sue amiche avrebbe potuto rimediarne uno migliore.

Decise quindi di passeggiare con lui sotto gli occhi delle amiche, spiando i loro sguardi indagatori e compiacendosi dell'effetto prodotto.

Un giorno le chiesero chi fosse il ragazzo che avevano visto con lei, ed ella rispose:

"È il mio fidanzato... proprietario di un negozio di barbiere" e diceva tra sé: "Ognuna di loro sarebbe felice di fidanzarsi col garzone di un caffè o di un fabbro, mentre lui è proprietario e appartiene alla classe media. Un signore!"

E continuava a paragonare, a confrontare e a riflettere, senza lasciarsi andare all'estasi in cui lui si beava, benché a volte anche lei si lasciasse prendere dall'emozione e in quei momenti era davvero come se fosse innamorata.

In uno di quei momenti egli le chiese un bacio e lei non disse né sì né no. Desiderava provare quella cosa di cui tanto aveva sentito parlare e di cui tutti dicevano meraviglie. Lui si era guardato attorno per vedere che non passasse nessuno e aveva cercato la sua bocca nell'oscurità della sera.

Aveva appoggiato le sue labbra su quelle di lei, tremando, e il suo respiro ardente l'aveva travolta. Era poi scivolato verso la gola, mentre lei chiudeva gli occhi...

Il momento della sua partenza si avvicinava ed egli pensò di compiere i passi decisivi. Scelse il dottor Bushi, che per la sua professione era avvezzo a frequentare le case del Vicolo, come suo ambasciatore presso la madre di Hamida. La donna fu contenta del giovane, che considerava l'unico adatto alla figlia in tutto il Vicolo e che stimava "padrone di un negozio e uomo di valore", ma temeva le bizzarrie di quella ragazza ribelle e pensò che l'aspettava una dura battaglia. Ma quando la vide accogliere soddisfatta la notizia e acconsentire, scrollò il capo e disse sorpresa:

"Ecco quello che succede alla finestra, senza che io ne sappia nulla!"

Al-Helwu commissionò al buon Kamil un superbo piatto di basbusa, lo mandò alla madre di Hamida, le chiese il permesso di farle visita e si recò da lei accompagnato dal buon Kamil, che condivideva con lui l'alloggio e la vita.

Questi salì le scale con molta pena, fermandosi ogni due gradini, appoggiandosi ansimante alla ringhiera, e al primo pianerottolo disse all'amico in tono scherzoso:

"Perché non rimandi il fidanzamento a quando torni dal servizio militare?"

Umm Hamida li fece entrare e si sedettero tutti e tre, scambiandosi convenevoli, finché il buon Kamil disse:

"Abbas al-Helwu è uno del nostro Vicolo, è come se fosse tuo e mio figlio, e chiede la mano di Hamida..."

La donna sorrise e rispose:

"Sia benvenuto il dolce al-Helwu. Insieme a lui mia figlia starà bene come se non mi avesse mai lasciata..."

Kamil fece le lodi del ragazzo e della signora, quindi aggiunse:

"Sta per partire e che Dio gli conceda di avere successo. Presto la sua situazione migliorerà e, a Dio piacendo, si avvererà ciò ch'egli e che noi stessi desideriamo".

Umm Hamida gli fece i suoi auguri, poi scherzò con il buon Kamil:

"E tu, quando ti decidi?"

Quello scoppiò a ridere, diventando rosso come un peperone e, accarezzandosi il pancione, disse:

"Non me lo impedisse questa fortezza..."

Recitarono la Fatiha [1] e bevvero sciroppo.

Due giorni dopo, giunse il momento dell'ultimo incontro di al-Helwu con Hamida ad al-Azhar. Camminavano silenziosi mentre al-Helwu si sentiva sul punto di piangere. Lei gli aveva chiesto:

"Starai via per molto tempo?"

Ed egli aveva risposto con voce triste e tenera:

"Presterò servizio per uno o due anni, ma non perderò nessuna occasione per venire a trovarti..."

In quell'istante Hamida provò un profondo affetto per lui e mormorò:

"Quanto tempo!"

Quell'espressione di rammarico gli fece piacere, pur nella triste circostanza, e disse emozionato:

"È l'ultima volta che ci incontriamo prima che io parta e solo Dio sa quando ci potremo rivedere. Sono diviso tra la gioia e la tristezza: mi sento triste perché me ne vado lontano, ma sono contento perché, scegliendo questo lungo cammino, ho preso l'unica strada che può condurmi a te.

Il mio cuore però lo lascerò qui, nel Vicolo, e partirò senza di lui, che non vuol seguirmi laggiù. Da domani a Tell el-Kebir, ogni mattina mi mancherà quella finestra dove, tra le imposte, ti vedevo pulire il davanzale o pettinarti. E cosa mi resterà dei nostri incontri al Muski e ad al-Azhar? Ahimè, Hamida, è questo che mi fa soffrire. Lascia che io prenda tutto quello che posso, metti la tua mano nella mia e stringi insieme a me. Dio, com'è bello, il mio cuore trema nelle tue mani, cara, amore mio, anima del mio cuore, Hamida! Il tuo nome è meraviglioso e a pronunciarlo è dolce come il miele".

La ragazza si lasciava cullare da quelle parole ardenti, guardandolo con tenerezza mormorò:

"Sei tu che hai deciso di partire..."

Egli gemette:

"Ma lo faccio per te! Io amo questo Vicolo e ringrazio il Signore di quello che mi ha dato. Non vorrei lasciare il quartiere di al-Hussein, che è il mio protettore, ma purtroppo non posso darti la vita che desideri, quindi devo partire. Che Dio mi accompagni e mi guidi..."

Molto emozionata, lei disse:

---

[1] *Fatiha*, primo breve capitolo del Corano, usato anche a scopi liturgici.

"Pregherò per la tua riuscita, ogni giorno farò visita ad al-Hussein e gli chiederò di proteggerti e di aiutarti. È bene aver pazienza, e chi parte è accompagnato dalla benedizione..."

Al-Helwu sospirò profondamente:

"Certo, ma che sarà mai un posto dove non ci sarà traccia di te?"

Lei rispose dolcemente:

"Non sarà così solo per te..."

Stordito da quella risposta, il giovane si girò verso di lei, si portò una mano al petto e disse:

"Davvero?"

Hamida gli sorrise con dolcezza guardando i suoi occhi innamorati alla luce delle insegne dei negozi; in quel momento egli non vide più che il suo viso e gli uscirono dalle labbra queste parole:

"Come sei bella! Come sei dolce! Questo è l'amore: un'infinita dolcezza. Senza di esso, il mondo non varrebbe un centesimo".

Lei non sapeva cosa dire e si rifugiò nel silenzio. Le parole di Abbas suonavano melodiose ai suoi orecchi e avrebbe voluto che non smettessero mai, mentre lui reso quasi incosciente da quel sentimento ardente, aggiungeva:

"Questo è l'amore ed è tutto ciò che abbiamo. È tutto quello che ci serve, e anche di più. Ci dà gioia se stiamo vicini e pena se ci allontaniamo e vale nella vita ancor più della vita stessa..."

Tacque un istante, sospirando, poi riprese:

"Partirò per te e per te farò ritorno, dopo aver fatto fortuna."

Hamida mormorò senza accorgersene:

"Speriamo davvero".

"Se Dio vorrà e se al-Hussein ci aiuterà, sarai invidiata da tutte le tue amiche".

Lei sorrise contenta:

"Che bellezza!"

Senza avvedersene, erano giunti alla fine della strada, risero e tornarono sui loro passi. Lui capì che quell'incontro volgeva al termine e pensando alla separazione e all'addio la sua ebbrezza svanì; si sentì di nuovo ansioso e a metà strada le chiese con ardore:

"Dove ti potrò salutare?"

Essa capì cosa intendeva, le sue labbra ebbero un tremito e chiese:

"Qui?"

"Non posso dirti addio tanto in fretta".

"Dove, allora?"

"Precedimi a casa e aspettami sulle scale".

Hamida allungò il passo, mentre Abbas camminava lentamente e giunse al Vicolo quando ormai i negozi erano chiusi. Si diresse verso la casa di Saniyya Afifi, senza pensare ad altro. Salì le scale facendo attenzione per via del buio, trattenendo il respiro, con una mano sulla ringhiera e l'altra a tentoni nell'oscurità. Al secondo piano le sue dita toccarono un velo. Il suo cuore ebbe un tremito e il desiderio tanto trattenuto esplose. La prese per un braccio e l'attirò a sé dolcemente, poi l'abbracciò stringendola con forza, come impazzito. Si gettò sulla sua bocca, incontrando prima il suo naso, quindi le labbra aperte e pronte ad accoglierlo.

Rimase rapito, finché lei non si liberò dolcemente e riprese a salire, mentre lui le sussurrava: "Arrivederci".

Hamidā non si era mai sentita emozionata come quella sera, sulle scale, dove in un breve istante aveva vissuto un'intera vita di sensazioni, di sentimenti e di ardore e pensò di essere ormai legata a lui per l'eternità.

Quella sera Abbas al-Helwu fece visita a Umm Hamida, per salutarla. Poi si recò al caffè, accompagnato da Hussein Kirsha, per trascorrervi l'ultima serata prima della partenza. Hussein sembrava fiero e soddisfatto che l'amico gli avesse dato ascolto e gli disse in un tono di sfida:

"Lascia questa lurida vita e goditi quella vera!"

Al-Helwu sorrise in silenzio, nascondendo all'amico la tristezza che aveva nel cuore all'idea di lasciare il vicolo e la ragazza che amava e restò seduto tra gli amici, soffrendo segretamente mentre riceveva saluti ed auguri.

Sayyid Ridwan al-Husseini lo benedisse e gli consigliò:

"Risparmia più che puoi sulla tua paga e non scialacquare per il vino o la carne di maiale. Non ti scordar che sei del Vicolo del Mortaio e che qui farai ritorno..."

Il dottor Bushi disse ridendo:

"Se Dio vorrà, tornerai tra noi ricco, allora dovrai farti strappare quei denti guasti e farti mettere una dentiera d'oro degna del tuo rango..."

Al-Helwu sorrise, provava verso il dottor Bushi un senso di gratitudine, poiché era stato il suo ambasciatore presso Umm

Hamida e aveva provveduto alla vendita degli utensili del negozio per una buona cifra che gli era tornata utile per il viaggio.

Il buon Kamil era mesto e silenzioso, aveva il cuore spezzato dall'imminente separazione e non sapeva come avrebbe sopportato quel distacco e la conseguente solitudine, dopo la partenza di quel ragazzo con cui aveva diviso l'esistenza per lunghi anni e che amava come se fosse una parte di lui. Ogni volta che qualcuno tesseva le lodi di al-Helwu provava una stretta al cuore, gli occhi gli si riempivano di lacrime, e tutti ridevano prendendolo in giro. Lo Shaykh Darwish recitò su di lui il versetto del Trono e gli disse:

"Ora sei un volontario dell'esercito britannico e se ti comporterai valorosamente, forse tra non molto il Re d'Inghilterra ti darà un piccolo regno di cui ti nominerà suo rappresentante, che in inglese si dice Viceroy e si scrive V.i.c.e.r.o.y.".

Al mattino presto al-Helwu partì da casa sua col pacco dei vestiti sotto il braccio. L'aria era fredda e molto umida. Nel Vicolo nessuno si era ancora svegliato, salvo la fornaia e Songor, il garzone del caffè.

Il giovane alzò la testa verso la finestra, ma la trovò chiusa e le rivolse un lungo sguardo ardente che quasi sciolse la brina delle imposte.

Camminò lento e a capo chino finché giunse all'altezza del suo negozio a cui diede un'ultima occhiata, sospirando. Vedendo il cartello appeso sulla porta su cui stava scritto a grandi lettere: "Affittasi", gli si strinse il cuore e gli venne quasi da piangere.

Affrettò il passo come per sfuggire a quelle sensazioni e, lasciando il Vicolo, sentì che il cuore lo abbandonava.

14

Era stato Hussein Kirsha a spingere Abbas a quel passo e quando l'amico partì per Tell el-Kebir, abbandonando il Vicolo e lasciando il negozio a un vecchio barbiere, fu preso da una specie di folle furore contro quel luogo e i suoi abitanti.

Da tempo non nascondeva di odiare il Vicolo e di aspirare a una nuova vita, ma non aveva trovato il modo di decidersi a dar corpo ai suoi sogni, finché, con la partenza di al-Helwu, non resse più.

Trovava insopportabile che l'amico se ne fosse veramente andato mentre lui rimaneva in quel lurido Vicolo, da cui non riusciva a liberarsi, e si risolse quindi a cambiar vita a qualsiasi costo.

Con la sua solita brutalità, un giorno in cui si sentiva più deciso che mai, disse alla madre:

"Ascoltami: ho preso una decisione irrevocabile. Non posso più assolutamente sopportare questo tipo di vita!"

La donna era abituata alle sue scenate e alle sue imprecazioni contro il Vicolo e i suoi abitanti e lo considerava un pazzo come suo padre alle cui stravaganze non conveniva badare più di tanto, quindi non fece commenti, limitandosi a mormorare:

"Dio mio, abbi misericordia di me".

Ma Hussein tornò alla carica, con gli occhi scintillanti e il volto scuro:

"Questa vita è intollerabile e non la sopporterò un giorno di più".

La madre non era tipo da stare zitta a lungo quando qualcuno dava in escandescenze, la sua scarsa pazienza si esaurì subito e urlò:

"Si può sapere che ti prende, pezzo di furfante?"
Il ragazzo disse con disprezzo:
"Devo andarmene da questo vicolo".
Lei lo fissò indispettita e lo aggredì dicendo:
"Ti ha dato di volta il cervello, figlio di un pazzo?"
Quello incrociò le braccia e continuò:
"Anzi. Sono rinsavito dopo esser stato pazzo per troppo tempo. Cerca di capirmi, non sto parlando a vanvera, so quel che dico. Ho già messo i miei vestiti in un sacco e non mi resta che dire addio a te, a questa lurida casa, a questo vicolo puzzolente e agli animali che ci abitano!"

La madre lo guardò attentamente per capirne le intenzioni e la sua determinazione la impressionò:
"Ma che stai dicendo?"
Quello ripeté, come parlando a se stesso:
"Una casa lurida, un vicolo puzzolente e uomini che sembrano bestie".

Lei scrollò il capo sarcastica:
"Salute a te, figlio di nobili signori, figlio di Kirsha Pascià".
"Kirsha l'abietto, Kirsha l'ambiguo... Puah! Non sai che siamo lo zimbello di tutti? Mi mostrano a dito ovunque io vada, dicendo: 'Sua sorella è scappata con un tale e suo padre con un altro!'"

Pestò un piede per terra facendo tremare i vetri della finestra e gridò:
"Cosa mai mi dovrebbe trattenere? Prenderò i miei vestiti, me ne andrò e non tornerò mai più".

La donna si percosse il petto dicendo:
"Dio mio, sei impazzito. Quel tossicomane ti ha trasmesso la sua follia, ma ora lo chiamo perché ti riporti alla ragione".

Hussein le gridò, strafottente:
"Chiamalo pure. Chiama mio padre e chiama anche al-Hussein se vuoi, tanto io me ne vado, me ne vado...!"

Vedendolo tanto risoluto, la donna andò nella sua stanza e vide il sacco con gli abiti. Fu presa dalla disperazione e decise di chiamare il padre, quali che fossero le conseguenze.

Hussein era la sua unica consolazione e non poteva concepire che se ne andasse di casa lasciandola sola, sperava addirittura che restasse anche dopo sposato, non poté quindi dominare la sua angoscia e andò a chiamare il padre lamentandosi della propria sorte: "Ma cosa ci invidiano? Una disgrazia simile? I nostri scandali? Le nostre miserie?"

Poco dopo arrivò padron Kirsha, e digrignando i denti la assalì dicendole:

"Cosa c'è? Vuoi fare un altro scandalo? Mi hai visto servire il tè a qualche altro cliente?"

La donna, agitando la mano come una prefica, rispose:

"È tuo figlio! Fermalo prima che se ne vada. Non ci sopporta più".

Padron Kirsha batté le mani scuotendo la testa, furioso:

"E io avrei lasciato il mio lavoro per questo? Per questo avrei salito cento scalini? Figli di cani, perché il Governo punisce quelli che vi ammazzano?"

E continuò guardando ora la madre, ora il figlio:

"Dio si serve di voi per punirmi. Che sta dicendo tua madre?"

Hussein restava in silenzio e la madre disse con tutta la pazienza di cui era capace:

"Calmati, in questo momento è più utile esser saggi che arrabbiarsi. Hussein ha già raccolto le sue cose e vuole lasciarci..."

Il padre lo guardò furente senza sapere se crederci o meno, quindi gli chiese:

"Ti ha dato di volta il cervello, figlio di una vecchia scarpa?"

I nervi scossi della donna non ressero ed essa gridò:

"Ti ho chiamato perché lo riportassi alla ragione, non per farmi insultare!"

Ma quello si girò alterato verso di lei e disse:

"Se non avesse addosso la tua pazzia tuo figlio non sarebbe in questo stato, così giovane!"

"Dio ti perdoni. Sarei io la pazza, figlia di pazzi... Bene, lasciamo perdere, ma chiedigli cosa gli è saltato in mente".

Il padre rivolse al figlio uno sguardo duro e gli chiese come se stesse per sbranarlo:

"Perché non parli, figlio di una vecchia? Davvero vuoi andartene?"

Il ragazzo solitamente cercava di evitare il padre e non si urtava con lui se proprio non era inevitabile, ma ora era ben deciso a tagliar netto con il suo passato a qualunque costo, quindi non indugiò e non fece marcia indietro, tanto più che riteneva che la faccenda riguardasse lui solo e che quindi fosse fuori discussione. Così disse tranquillo e deciso:

"Sì, papà".

L'uomo cercò di dominarsi e chiese:

"E perché mai?"

Il ragazzo ci pensò un poco e poi rispose:

"Voglio una vita diversa..."

Il padre si prese il mento fra le mani e scrollò il capo sarcastico:

"Capisco... capisco. Una vita diversa degna del tuo rango, perché un cane come te, cresciuto nella fame e nelle privazioni, perde la testa appena si ritrova qualcosa in tasca. Adesso che hai del denaro inglese è naturale che tu voglia una vita diversa, adatta alla tua elevata posizione, signor Console dei miei stivali!"

Dominandosi, Hussein disse:

"Non sono mai stato un cane affamato poiché sono nato in casa tua e questa casa non ha mai conosciuto la miseria, grazie a Dio. Solo, voglio cambiar vita, ne ho il diritto e non c'è motivo di prendersela tanto".

Il padre non capiva cosa cercasse: godeva di una libertà assoluta, nessuno gli chiedeva conto di quel che faceva, perché mai dunque voleva andare a vivere da solo? Nonostante gli scontri, padron Kirsha amava suo figlio, ma ciò non riusciva a dissipare l'atmosfera pesante e minacciosa che sempre aleggiava tra loro, tanto che spesso si dimenticava che era il suo unico figlio.

Persino in quel momento, in cui il ragazzo annunciava la sua intenzione di andarsene, il suo affetto per lui venne completamente soffocato dall'ira ed egli considerò tutta la faccenda solo come un affronto e una sfida.

Così gli chiese con aria di scherno:

"Hai denaro e ne spendi quanto vuoi, in vino, hashish e donne... ti abbiamo mai chiesto un centesimo?"

"No, mai... non mi lamento assolutamente di questo..."

Il padre proseguì, con lo stesso tono amareggiato:

"Questa sanguisuga di tua madre, la cui avidità si placherà solo nella tomba, ti ha mai chiesto una lira?"

Infastidito e irritato Hussein rispose:

"Ho detto che non mi lamento di questo. È solo che voglio una vita diversa... molti dei miei amici abitano in case dove c'è l'elettricità!"

"L'elettricità! È per questo che lasci la tua casa?! Con tutti gli scandali provocati da tua madre, possiamo ben farne a meno..."

A questo punto la donna ruppe il silenzio con un gemito:

"Dio mio, qui mi si tratta ingiustamente quanto al-Hasan e al-Hussein!"

Il figlio proseguì:

"Tutti i miei amici hanno cambiato vita e sono diventati gentlemen, come dicono gli inglesi".

Padron Kirsha spalancò la bocca e le sue grosse labbra si aprirono sui denti d'oro:

"Cosa?"

Ma il ragazzo tacque imbronciato mentre il padre continuava:

"Gelmen? Che roba sarebbe? Un nuovo tipo di hashish?"

Hussein brontolò:

"Voglio dire uomini puliti..."

"Perché tu invece sei sporco... e com'è che intendi diventare, pulito, gelmen?"

Hussein si seccò per quelle facezie e disse alterato:

"Papà, voglio cambiar vita e basta, e•sposerò una ragazza di classe".

"Una figlia di gelmen!"

"Una figlia di buona famiglia".

"E perché invece non sposi la figlia di un cane, come ha fatto tuo padre?"

La donna si lamentò:

"Dio abbia pietà di mio padre, che era un venerabile saggio".

Il marito si voltò verso di lei con la faccia scura:

"Un saggio! Ma se leggeva le preghiere ai funerali in cambio di due centesimi!"

La donna disse addolorata:

"Conosceva a memoria le parole di Dio, e tanto basti".

L'uomo le voltò le spalle e si avvicinò al figlio per chiedergli con tono terribile:

"Abbiamo parlato abbastanza e non ho tempo da perdere coi matti. Davvero vuoi andartene?"

Prendendo il coraggio a due mani, Hussein rispose secco:

"Sì".

Padron Kirsha lo guardò a lungo mentre la sua collera giungeva all'apice e lo colpì al volto con un pugno. Il ragazzo non riuscì a evitare il colpo e fu travolto dall'ira. Si allontanò dal padre gridando:

"Non mi picchiare, non mi toccare! Non mi rivedrai mai più".

L'uomo gli si avventò contro, ma la madre, disperata, si alzò per trattenerlo e si prese i colpi destinati al figlio, finché l'uomo si fermò gridando:

"Fa' sparire dalla mia vista quel tuo muso nero e non tornare più. Farò come se fossi morto e sprofondato all'Inferno!"

Il ragazzo andò nella sua stanza, raccolse il fagotto e si precipitò giù per le scale. Attraversò il Vicolo senza neppure girarsi e prima di svoltare per la Sanadiqiyya, sputò per terra gridando, tremante di rabbia:

"Al diavolo! Dio maledica questo posto e quelli che ci abitano!"

15

La signora Saniyya Afifi sentì bussare alla porta, aprì e vedendo, con gioia indescrivibile, il viso butterato di Umm Hamida cacciò un grido:

"Benvenuta mia cara".

Si abbracciarono calorosamente, o almeno così parve, ed essa guidò l'ospite in salotto, ordinando al domestico di preparare il caffè. Si sedette accanto a lei, sul divano, estrasse due sigarette dal pacchetto ed entrambe si misero a fumare, allegre e soddisfatte.

Da quando Umm Hamida si era messa a cercarle marito, la signora Saniyya era sui carboni ardenti.

La cosa curiosa è che aveva sopportato la solitudine per anni ed ora non riusciva a pazientare neppure per poco.

In quel periodo, Umm Hamida era venuta spesso a farle visita, senza lasciar passare molto tempo tra una volta e l'altra, e l'aveva costantemente tenuta al corrente di tutto, facendole di continuo promesse ed auguri, tanto che la signora Saniyya aveva cominciato a sospettare che stesse cercando di tirare la cosa per le lunghe, per spremerla meglio.

Ciò nonostante si mostrò generosa con lei, smise di chiederle l'affitto, le lasciò molti buoni per il kerosene, le regalò degli scampoli, senza contare il piatto di basbusa che fece confezionare appositamente per lei dal buon Kamil.

Quando poi Umm Hamida le annunciò il fidanzamento della figlia con Abbas al-Helwu, la signora si mostrò contenta, ma in realtà la notizia la mise in allarme e temette che l'altra desse la precedenza alla preparazione delle nozze della figlia invece che alle sue.

Per tutto quel tempo dunque era stata combattuta tra l'amicizia per Umm Hamida e il timore che la tradisse.

Mentre stava seduta accanto a lei, la guardava ogni tanto di nascosto e si domandava quale fosse il motivo di quella nuova visita.

Promesse e speranze come al solito, o finalmente l'annuncio che attendeva? Nascose l'agitazione mettendosi a parlare di cose tristi. Contrariamente al solito fu lei a tener banco, mentre Umm Hamida l'ascoltava.

Parlò dello scandalo di padron Kirsha e di suo figlio che se n'era andato di casa, biasimò il modo in cui si era comportata Umm Hussein per correggere quel marito depravato, quindi il discorso scivolò su Abbas al-Helwu e lei cominciò a elogiarlo dicendo:

"Che bravo ragazzo. Che Dio lo aiuti a farsi una posizione perché possa far felice la sua sposa, che se lo merita davvero".

Umm Hamida sorrise e disse:

"A proposito, sappiate che oggi son pronta a chiedervi in moglie!"

Il cuore dell'altra si mise a battere forte e lei si rammentò di aver avuto il presentimento che quella visita sarebbe stata importante e che Umm Hamida stesse per rivelarle qualcosa.

Arrossì e un'ondata di gioventù travolse il suo corpo sfiorito, ma si dominò e disse con falso pudore:

"Cosa dite? Mi fate arrossire!"

L'altra ribadì con un sorriso di trionfo e di compiacimento:

"Dico che sono pronta a farvi fidanzare".

"Davvero? Che notizia! Certo, ricordo il nostro accordo, ma ora non so far altro che agitarmi e arrossire".

Umm Hamida finse di assecondare quella commedia e protestò:

"Dio ve ne guardi! Non vi manca nulla e vi sposerete secondo la legge di Dio e la consuetudine che risale al Profeta..."

La signora Saniyya sospirò come chi è costretto ad arrendersi, ma il "vi sposerete" suonò dolce e gradevole ai suoi orecchi.

Umm Hamida aspirò una lunga boccata di fumo e annuì sicura e tranquilla:

"Un funzionario..."

L'altra rimase sorpresa e la guardò con occhi increduli. Un funzionario! Un frutto proibito per la gente del Vicolo.

Domandò:

"Un funzionario?"

"Certo".

"Del Governo?"

"Del Governo".

Umm Hamida tacque un istante, godendo il proprio trionfo, quindi riprese:

"E precisamente un funzionario di Polizia".

Ancora più sorpresa, la signora le chiese:

"Ma nella polizia non ci sono soltanto soldati e ufficiali?"

E lei, con aria esperta:

"Ci sono anche funzionari. Lo so ben io, se ci sono. Conosco tutte le mansioni e i livelli... è il mio mestiere, signora".

Incredibilmente sorpresa e contenta, l'altra riprese:

"È quindi un signore?"

"Con giacca, pantaloni, tarbush e scarpe da signore".

"Che Iddio vi colmi di beni!"

"So fare le mie scelte e so quanto valgono gli uomini. Se fosse stato sotto il nono livello non l'avrei scelto di certo".

"Nono livello?"

"Negli impieghi statali ci sono dei livelli. Ogni funzionario ha il suo, e il nono non è un livello come tutti gli altri, mia cara".

Con gli occhi che le luccicavano di gioia, la signora disse:

"Che amica preziosa siete".

Umm Hamida proseguì con tono trionfante, sicura di sé:

"Ha una grande scrivania, piena di carte fino al soffitto. Vanno e vengono caffè in continuazione. Qualcuno presenta un'istanza, altri chiedono informazioni. Lui sgrida questo e insulta quello, gli agenti lo venerano e gli ufficiali lo rispettano".

La signora Saniyya sorrise con gli occhi sognanti, mentre l'altra proseguiva:

"Guadagna dieci lire e non un centesimo in meno".

La signora le credette sulla parola e gridò:

"Dieci lire!"

Quella aggiunse con sufficienza:

"E questo è niente! Un funzionario non ha solo lo stipendio. Se ci sa fare può guadagnare il doppio, senza contare le varie indennità come quella per il matrimonio o per i figli..."

La signora Saniyya rise nervosamente:

"Dio vi perdoni, cosa c'entrano i figli?"

"Nulla è impossibile a Dio".

"Che Egli sia sempre lodato e ringraziato".

"Quanto all'età: ha trent'anni".

L'altra gridò incredula:

"Dio mio! Sono più vecchia di lui di dieci anni!" Umm Hamida si accorse che aveva sbagliato di una decina d'anni, ma si limitò a dirle con aria di rimprovero:

"Siete ancora giovane! Ad ogni modo l'ho informato che siete sulla quarantina e lui è d'accordo".

"Davvero lo è? Come si chiama?"

"Ahmed Effendi Tulba, del quartiere di Khurunfush, figlio di Hagg Tulba Isa, proprietario della rosticceria di Umm al-Ghulam. Una buona famiglia, nobili discendenti di Sayyid al-Husseini..."

"Davvero un'ottima famiglia. D'altra parte, come sapete, anch'io sono nobile..."

"Lo so, mia cara. Ma egli cerca anzitutto una signora seria, altrimenti si sarebbe già sposato da tempo. Il fatto è che non gli vanno le ragazze di oggi, le trova spudorate. Quando gli ho parlato della vostra reputazione e della vostra riservatezza e gli ho detto che siete una vedova nobile e ricca si è rallegrato come non mai e mi ha detto che era proprio quel che cercava. Soltanto mi ha chiesto una cosa, che d'altra parte non è affatto offensiva: vorrebbe vedere una vostra foto".

Il volto magro della signora Saniyya avvampò e lei disse preoccupata:

"Dio mio, non mi sono fatta fotografare da molto tempo..."

"Non avete una vecchia foto?"

L'altra indicò una fotografia su un tavolino al centro della stanza, senza dire una parola.

Umm Hamida si piegò un poco per prenderla e la esaminò attentamente.

Risaliva almeno a sei anni prima e la signora vi appariva ancora in carne e piena di vita. Guardando ora la foto ora l'originale, la donna disse decisa:

"È esattamente come siete, sembra fatta ieri".

Con un tremito nella voce l'altra la benedisse.

Quella si mise in tasca la foto, con tanto di cornice, si accese un'altra sigaretta, poi disse con aria seria:

"Abbiamo parlato a lungo e ho potuto sapere cosa si aspetta..."

La signora assunse un'aria guardinga per la prima volta, attese che l'altra proseguisse ma quella rimaneva in silenzio, allora le chiese con un debole sorriso:

"Cosa si aspetta, dunque?"

Davvero lo ignorava e immaginava che la volesse sposare solo per i suoi begli occhi? Umm Hamida provò una lieve irritazione, ma le disse con calma, abbassando un poco la voce:

"Penso che non avrete nulla in contrario a prepararvi voi stessa il corredo..."

La signora capì al volo che l'uomo non voleva scucire denaro e intendeva lasciare a lei tutte le spese, d'altra parte se lo immaginava fin da quando aveva manifestato per la prima volta a Umm Hamida il desiderio di sposarsi e lei gliene aveva già fatto cenno in una delle loro conversazioni, senza che lei avesse mai pensato a fare difficoltà su questo punto.

Disse quindi accondiscendente:

"Come Dio vuole".

Umm Hamida sorrise e disse:

"E che vi accordi la felicità" e si alzò per andarsene.

Le due si abbracciarono calorosamente e la signora l'accompagnò fino alla porta, restando appoggiata alla ringhiera mentre l'altra scendeva le scale diretta al suo appartamento e, prima che scomparisse, le gridò:

"Tanti saluti... e date un bacio a Hamida".

Quindi tornò nella stanza quasi ringiovanita e trasfigurata. Sedette e cominciò a ripetersi quello che la donna le aveva detto parola per parola. In realtà era un po' avara, ma ciò non avrebbe costituito un ostacolo alla sua felicità. Il denaro le aveva fatto compagnia durante la solitudine, sia quello depositato alla cassa di risparmio, sia quello che teneva raccolto in meravigliose mazzette di biglietti nuovi nella scatola d'avorio, ma né questo né quello potevano sostituire un uomo tanto importante che, a Dio piacendo, sarebbe diventato suo marito.

Gli sarebbe piaciuta la foto? Ella arrossì e si sentì la fronte in fiamme. Andò allo specchio e si girò a destra e a sinistra fino a trovare il suo lato migliore e così si fermò, guardandosi compiaciuta e mormorando: "Che Dio me la mandi buona". Quindi tornò a sedersi dicendosi: "Il denaro nasconderà i difetti". Non gli avevano detto che era ricca? E infatti lo era. Cinquant'anni non erano poi un'età disperata, aveva davanti a sé ancora dieci anni. Quante donne di sessant'anni si godevano la vita, se Dio le preservava dalle malattie! Il matrimonio sarebbe bastato a rinverdirle le ossa, e così si lasciò andare ai suoi rosei pensieri finché qualcosa si inceppò ed ella aggrottò la fronte d'improvviso chiedendosi irritata: "Ma che dirà la gente?"

Ah, la conosceva bene, e Umm Hamida sarebbe stata la prima a parlare. Avrebbero detto che la signora Saniyya era impazzita e che a cinquant'anni sposava uno che poteva essere suo figlio, che il denaro sapeva riparare i danni del tempo e un sacco di altre cose che neppure immaginava.

Che dicessero quel che volevano. L'avevano forse trattata con più riguardo quando era vedova? Alzò le spalle con indifferenza e pregò:

"Signore, proteggimi dal malocchio".

Poi le venne un'idea che decise di mettere subito in atto, recandosi dalla vecchia Ribah alla Porta Verde per chiederle di predirle il futuro e di fabbricarle un talismano e quant'altro potesse servirle, come un velo magico o dell'incenso protettore.

16

"Che vedo! Ma tu sei un uomo rispettabile!" Così diceva Zaita guardando attentamente il volto di un anziano, di media statura, che stava di fronte a lui con fare sottomesso. Un abito sdrucito, un corpo magro, ma un aspetto dignitoso, come appunto aveva notato il fabbricante di infermità. La testa grossa, i capelli bianchi, il volto allungato, e due occhi calmi e gravi. Per dignità, altezza e portamento, si sarebbe detto un soldato in congedo. Zaita lo esaminò sorpreso e paziente alla debole luce della lampada, poi tornò a dire:

"Sei un signore, davvero vuoi fare il mendicante?"

L'altro rispose con voce atona:

"Mendicante lo sono già, ma senza successo..."

Zaita tossì e sputò per terra, poi, asciugandosi le labbra con la manica della galabiyya nera, disse:

"Sei troppo debole per sopportare una forte pressione sulle membra. Per la verità, dopo i vent'anni non val la pena di fabbricare una falsa infermità, perché fa male come una vera. Quando le ossa sono tenere si può assicurare al mendicante che la cosa duri. Ma tu sei vecchio, quasi alla fine dei tuoi giorni, che posso fare con te?" Cominciò a pensare e quando gli veniva un'idea spalancava la bocca e faceva schioccare la lingua che saettava come la testa di una serpe. D'improvviso i suoi occhi brillarono e gridò:

"La dignità è l'infermità migliore!"

L'uomo gli chiese perplesso:

"Cosa intendi, maestro?"

Il volto di Zaita si fece scuro di rabbia e gli si rivolse aspro:

"Maestro? Mi hai mai sentito recitare preghiere sulle tombe?"

Quello fu sorpreso da una tale reazione e tese la mano in segno di scusa dicendo con voce rotta:

"Dio me ne guardi... volevo solo onorarti..."

Zaita sputò due volte e continuò:

"Il mio lavoro non lo saprebbero fare i più grandi medici del paese, nemmeno se volessero. Non sai che procurare una falsa infermità è mille volte più difficile che procurarne una vera? Renderti veramente infermo, per me sarebbe semplice come sputarti in faccia".

Molto educatamente l'altro disse:

"Non volermene, signore. Dio è misericordioso..."

Zaita si placò, gli lanciò un'occhiata tagliente, poi disse con un tono che aveva ancora una certa asprezza:

"Dicevo che la dignità è l'infermità migliore."

"E come, signore?"

"La dignità è sufficiente per farti riuscire con successo come mendicante sui generis".

"La dignità, signore?"

Zaita allungò la mano verso un bicchiere che stava sulla mensola e ne estrasse una mezza sigaretta, posò il bicchiere e l'accese, avvicinandosi alla fiamma della lampada, tirò una lunga boccata, strizzando gli occhi scintillanti e disse con calma:

"L'infermità non fa per te. Anzi, devi migliorare ancora il tuo aspetto. Lava bene la tua galabiyya e cerca in ogni modo di procurarti un tarbush usato, cammina con un atteggiamento umile e ben educato e avvicinati timoroso ai clienti dei caffè, poi fermati pudico e stendi dolorosamente la mano, senza dire una parola. Fa' parlare gli occhi. Conosci il linguaggio degli occhi?... Ti guarderanno stupiti e ti crederanno un nobile decaduto e non un mendicante di professione. Capisci ora cosa intendo? Con la tua dignità guadagnerai dieci volte di più di quello che guadagnano gli altri con le loro disgrazie". Gli ordinò di provare questo suo nuovo ruolo e lo stette a guardare fumando, poi rifletté un poco, accigliato: -

"Può darsi che tu pensi di papparti il mio compenso con la scusa che non ti ho sciancato. Sei libero di fare quel che vuoi, a patto che ti tenga lontano dal quartiere di al-Hussein".

L'altro protestò addolorato:

"Dio mi guardi dal tradire il mio benefattore".

E così l'incontro si concluse. Zaita gli passò davanti per fargli strada e arrivò fino alla porta esterna del forno. Tornando indietro notò la padrona rannicchiata su una stuoia, sola. Non c'era traccia del marito e come sua abitudine quando la incontrava, cercò un pretesto per scambiare due parole con lei ed esprimerle la sua ammirazione segreta, così le disse:

"Hai visto quell'uomo?"

Quella rispose con indifferenza:

"Voleva che lo rendessi infermo, no?"

Zaita rise e si mise a raccontarle la sua storia, anche la donna rise e lo maledì per il suo spirito diabolico, poi egli si diresse verso la piccola porticina di legno che conduceva nel suo antro, ma sulla soglia esitò un momento e chiese:

"Dov'è Gaada?"

La donna rispose:

"Al bagno pubblico".

Sulle prime l'uomo pensò che lo stesse prendendo in giro, poiché il marito era famoso per la sua sporcizia, ma guardandola attentamente si accorse che parlava sul serio. Capì che Gaada era veramente andato al bagno pubblico di al-Gamaliyya, cosa che faceva due volte all'anno, e non sarebbe tornato almeno fino a mezzanotte. Pensò quindi di fare un po' di compagnia alla padrona, incoraggiato dall'allegria che le aveva comunicato con la sua storia. Si sedette sulla soglia appoggiato ad un battente e allungò le gambe che assomigliavano a due stecchi di carbone, senza badare alla sorpresa e alla disapprovazione degli occhi di lei.

Essa lo trattava come tutti gli altri del Vicolo, a parte qualche parola scambiata quando lui entrava o usciva, dato che era la padrona di quel buco, ma era sicura che i loro rapporti si limitassero a questo e non sapeva quanti particolari della sua vita intima egli invece conoscesse. Un tipo come Zaita trovava facilmente un buco nel muro tra la sua stanza e il forno, per spiarla e appagare così le sue smanie e alimentare i suoi terribili sogni. Ormai era come uno della famiglia, assisteva al suo lavoro e al suo riposo e godeva specialmente quando al minimo errore la padrona tempestava di botte il marito. Quello era tanto sbadato che ogni giorno veniva punito e le percosse erano diventate il suo pane quotidiano. A volte le prendeva paziente, ma altre volte piangeva e gridava lamentandosi. Cuocendo i pani, ne bruciava sempre una parte, o ne rubava uno per mangiarlo di nascosto, o per rivenderlo e avere così mezza piastra per comprarsi la basbusa. Non poteva fare a meno di commettere questi reati giorno dopo giorno senza peraltro riuscire a cancellarne le tracce ed evitare quindi le terribili conseguenze. Zaita era stupito per l'obbedienza servile di quell'uomo, per la sua viltà e la sua stoltezza. Ma soprattutto lo trovava brutto e ridicolo. Era alto, con le braccia lunghe, la bocca aperta, gli occhi profondamente infossati e le labbra grosse. Da tempo Zaita lo odiava perché si godeva quella moglie terribile che egli divorava con gli occhi, ardendo di ammirazione e di desiderio. Per questo lo disprezzava e avrebbe voluto gettarlo con la pasta e le teglie dentro al forno. Per questo era contento che ora quell'animale non ci fosse, dandogli così l'occasione di far un po' di compagnia alla padrona. Si era quindi seduto stendendo le gambe, senza badare alla sorpresa e alla disapprovazione di lei, ma quella non esitò, con la sua abituale sfacciataggine, a chiedergli, fredda e con voce rude: "Che hai da sederti così?"

Zaita si disse: "Dio, allontana da noi la tua ira e il tuo sdegno", e a lei cortesemente:

"Sono un ospite, padrona. Non si tratta male un ospite..."

Quella rispose con disgusto:

"Perché non torni nella tua tana e non mi risparmi la vista del tuo volto?" Zaita riprese delicatamente con un sorriso che metteva in mostra le sue zanne:

"Non si può passare tutta la vita tra i mendicanti, l'immondizia e i vermi. Si ha bisogno di vedere qualcosa di più bello e gente migliore".

Lei lo aggredì.

"In altre parole devi importunare la gente con la tua faccia orrenda e il tuo odore nauseabondo! Puah! Torna nella tua tana e chiudi la porta dietro di te!"

Zaita riprese malizioso:

"Ci sono spettacoli più disgustosi e odori peggiori". La padrona capì che si riferiva al marito, si oscurò in viso e disse in tono minaccioso:

"Che intendi, fratello dei vermi?"

L'altro, a cui certo il coraggio non mancava, rispose:

"Mi riferisco a nostro fratello Gaada..."

Quella gridò con voce terribile:

"Bada a te, bastardo! Se riesco ad agguantarti ti spezzo in due".

Conscio del pericolo che correva l'uomo disse conciliante:

"Ho detto che sono tuo ospite, padrona, e un ospite non si tratta male. E poi se ho parlato male di Gaada è solo perché sono sicuro che anche tu lo disprezzi e ho visto che lo picchi per le ragioni più banali".

"Un'unghia di Gaada vale di più del tuo collo!"

Quello protestò:

"Una tua unghia forse vale mille volte il mio collo, ma Gaada..."

"Credi di essere meglio di lui?"

Il disappunto si dipinse sul volto di Zaita che spalancò la bocca dalla sorpresa, non solo perché si riteneva migliore di Gaada, ma addirittura perché considerava un oltraggio imperdonabile venir paragonato a lui. Cosa aveva a che fare quell'animale bruto con un uomo stimato quale egli era, a buon diritto considerato un re, in quel suo pur strano mondo. Le chiese stupito:

"E tu che ne pensi, padrona?"

Quella rispose con aria di sfida e di disprezzo:

"Penso proprio che una sua unghia vale più del tuo collo".

"Quell'animale?"

La donna gridò con voce rude:

"Ehi, non stai parlando di uno qualunque, faccia di demonio..."

"Quella creatura che tu tratti come un cane randagio?"

La donna capì che parlava con odio e con gelosia e ciò non le dispiacque. Così non lo picchiò come aveva intenzione di fare, ma disse, per provocarlo ancora di più:

"È una cosa che non puoi capire, dovresti morire di invidia per ogni colpo che riceve..."

Zaita disse furioso:

"Probabilmente le botte sono un onore che non capisco..."

"Un onore a cui non puoi certo aspirare, compagno dei vermi!"

Zaita ci aveva pensato a lungo, possibile che a lei piacesse veramente vivere con quell'animale? Per molto tempo si era posto questa domanda, ma non poteva credere una cosa simile: la donna doveva per forza parlare così, ma senz'altro la pensava diversamente. Con occhi infuocati osservò il suo corpo, sodo e robusto, e quella riottosità lo rese ancora più ostinato. Spronò la sua folle immaginazione e si figurò un futuro dai colori brillanti. La solitudine del luogo gli ispirava pensieri ardenti e i suoi occhi spaventosi luccicavano. La fornaia si divertiva della sua gelosia e non pareva preoccupata di trovarsi sola con lui poiché aveva grande fiducia nella propria forza, così continuò a deriderlo: "E tu, zozzone, togliti prima di dosso la polvere che ti copre e poi potrai parlare alla gente".

Non era arrabbiata, se lo fosse stata davvero la sua indole selvaggia l'avrebbe già spinta a schiaffeggiarlo. E se lei scherzava, lui non doveva assolutamente lasciarsi sfuggire l'occasione:

"Padrona, tu non distingui la polvere dall'oro".

E quella con aria di sfida:

"Puoi forse negare di essere fatto di fango?"

Egli alzò le spalle e disse semplicemente: "Tutti lo siamo..."

La donna riprese sarcastica: "Vattene! Sei fango su fango e sudiciume su sudiciume, per questo non sai far altro che sfigurare gli uomini, come se ti spingesse un desiderio demoniaco di degradarli al tuo livello".

Zaita finse di ridere e si fece più speranzoso:

"Faccio loro del bene, non pensi che un mendicante senza infermità non vale un centesimo? Dopo il mio trattamento, invece, vale tanto oro quanto pesa! Un uomo si apprezza per quanto vale, non per come appare, e il nostro Gaada non ha né valore né aspetto..."

Di nuovo essa sbraitò con fare minaccioso:

"Hai il coraggio di battere ancora su questo tasto?"

Zaita non raccolse la minaccia e fece finta di ignorare l'argomento su cui era tornato intenzionalmente, passando ad altro:

"D'altra parte tutti i miei clienti sono mendicanti professionisti, che vuoi che faccia di loro? Vuoi che li vesta eleganti, che li addobbi di gioielli e li mandi così per le strade a sedurre le anime generose?"

"Diavolo che sei! Lingua di demonio e faccia di demonio".

Egli sospirò rumorosamente e disse rassegnato come per farsi compatire:

"Eppure un giorno sono stato un re..."

La donna scosse il capo, chiedendo con ironia:

"Re degli uomini o dei demoni?"

E lui, sullo stesso tono:

"Degli uomini! Ognuno di noi viene al mondo come un re, ma poi la malasorte ne fa quello che vuole. Ed è giusto che la vita ci inganni così, altrimenti, se sapessimo subito ciò che ci aspetta, ci rifiuteremmo di nascere!"

"Così ha voluto Dio, figlio d'una stordita!"

Ma quello continuò eccitato e allegro:

"Appena nato ero felice, mi prendevano in braccio allegramente, e mi circondavano di premure e di affetto. Dubiti ancora che io sia stato un re?"

"Oh no, Altezza..."

Eccitato dalla piega che aveva preso la conversazione e allietato dalla speranza Zaita continuò:

"La mia nascita fu davvero felice e benedetta. I miei genitori erano mendicanti di professione e avevano dovuto affittare un bambino che mia madre portava in giro a chiedere l'elemosina. Ma quando arrivai io poterono far a meno dei figli degli altri, perciò furono molto contenti di me".

Husniyya non poté trattenere una sonora risata e Zaita si accalorò ancora di più proseguendo:

"Ah, i ricordi della mia infanzia felice! Mi rammento ancora i giochi sul marciapiede, gattonavo fino al ciglio della strada e là c'era una pozzanghera dove si raccoglieva l'acqua della pioggia o quella spruzzata dagli innaffiatoi o il piscio degli animali, in fondo si accumulava il fango, la superficie era piena di mosche, mentre ai bordi si ammassavano i rifiuti della strada. Che spettacolo affascinante! L'acqua era torbida e piena di immondizie multicolori: bucce di pomodoro, foglie di prezzemolo, terra e melma e le mosche tutt'intorno, io alzavo le palpebre anch'esse piene di mosche e lasciavo vagare lo sguardo su questo incantevole panorama: il mondo non era abbastanza vasto per la mia gioia..."

La fornaia gridava sarcastica:

"Che fortuna hai avuto!"

Lui, compiaciuto che lei partecipasse alla conversazione, disse con ardire:

"È questo il segreto della mia passione per quello che a torto chiamano immondizia. L'uomo può abituarsi a qualsiasi cosa per quanto anomala e strana, e io temo che tu possa abituarti alla compagnia di quell'animale".

"Ancora ritorni sull'argomento?"

Accecato e reso sordo dal desiderio Zaita proseguì:

"Certo. Non si guadagna niente a nascondere la verità".

"A quanto pare sei stanco di vivere...."

"Come ti ho detto, sono stato felice una sola volta, da piccolo".

Quindi indicò con la mano l'immondezzaio dove abitava e continuò:

"Il mio cuore mi dice che potrò esserlo ancora, in questa stanza" e la indicò con la testa come per dirle: "Vieni".

Tanta audacia fece uscire di sé dalla rabbia la donna che urlò:

"Bada a te, figlio di un diavolo!"

E quello, con voce tremante:

"E come potrebbe il figlio del demonio guardarsi dalle seduzioni di suo padre?"

"E se ti spezzassi le ossa?"

"Chissà... forse mi piacerebbe..."

D'improvviso l'uomo si alzò e indietreggiò lentamente, pensava di aver raggiunto il suo scopo e di aver ormai in pugno la fornaia. Era in preda ad una sorta di pazzia ed era scosso da brividi mentre i suoi occhi, sconvolti e animaleschi, fissavano quelli della donna. Poi d'improvviso afferrò un lembo della sua galabiyya e se la tolse con sorprendente velocità, restando nudo. La donna rimase interdetta per qualche momento, poi tese la mano ed afferrò un boccale che gli scagliò fulmineamente addosso con violenza, colpendolo al ventre. Egli emise una sorta di muggito e si accasciò al suolo.

17

Selim Alwan era seduto come al suo solito al suo tavolo nel bazar, quando giunse Umm Hamida per fare alcuni acquisti. L'uomo l'accoglieva sempre con grande cortesia, ma quella volta l'invitò addirittura a sedersi vicino a lui e ordinò a un commesso di portarle i profumi che desiderava. Lusingata da tanta gentilezza, Umm Hamida si profuse in ringraziamenti e benedizioni. Ma quella gentilezza non era senza motivo, il Sayyid infatti aveva preso una decisione irrevocabile, poiché è difficile che l'uomo riesca a vivere con l'anima divisa e la volontà confusa, senza arrivare a scegliere. Certo, gli dispiaceva vedere l'orizzonte della sua vita offuscato da tanti problemi in attesa di una soluzione, che lui non trovava, ma non sapeva che farci. Vedeva la preoccupazione dei figli, non sapeva come far fruttare il denaro accumulato, specialmente ora che gli allarmisti avevano prospettato un ribasso del suo valore dopo la guerra; e poi c'era quel titolo a cui aveva deciso di non pensare più ma che continuava a tormentarlo come un male nascosto, e il suo rapporto con la moglie, diventato difficile con lo sfiorire della giovinezza di lei in confronto alla sua vitalità; e per finire soprattutto la nuova passione che lo tormentava. Si dibatteva incerto tra tutte queste preoccupazioni, finché decise di risolverne definitivamente almeno una, senza rendersi conto che nella sua scelta si era lasciato guidare dall'istinto. Voleva placare quel sentimento tirannico e si adoperò in tale direzione come se la soluzione di quel problema eliminasse tutti gli altri. Tuttavia era ben conscio delle inevitabili conseguenze e di tutti gli altri problemi anche più gravi che ne sarebbero derivati. Ma l'amore, l'amore si era impadronito di lui insinuandosi nel fondo della sua anima, mettendo radici nella sua mente e nella sua volontà, facendogli sottovalutare le difficoltà che si opponevano ai sogni. Diceva tra sé per giustificarsi: "Mia moglie come donna è finita, e io non son uomo da lasciarsi andare a quest'età. Non c'è alcun motivo per cui debba rassegnarmi ad un simile tormento. Se Dio stesso vuole la nostra felicità, perché dovremmo renderci la vita impossibile con le nostre mani?" Così prese la decisione irrevocabile di cercare di realizzare i suoi desideri. Per questo aveva invitato Umm Hamida a sedersi accanto a lui, voleva parlarle di quell'importante faccenda. Per un po' non osò aprir bocca, non perché esitasse, ma perché gli era difficile scendere dal suo piedistallo e avere a che fare con una donna simile, ma proprio in quel momento entrò un impiegato portando il famoso piatto di farik. Al vederlo, Umm Hamida non poté trattenere un sorriso che non sfuggì al padrone, il quale decise di cogliere al volo l'occasione che gli si offriva. Dimenticando ogni dignità, proferì, seccato:

"Quanti fastidi mi procura questo piatto!"

Quella temette che alludesse al suo sorriso e si affrettò a dire: "Che Dio vi conservi! E perché mai?"

L'uomo continuò sullo stesso tono:

"Quante tribolazioni..."

Non capendo che cosa intendesse essa chiese di nuovo: "E perché mai, Eccellenza?"

Sayyid Selim disse tranquillamente, incoraggiato dal fatto di parlare con una mezzana:

"La controparte non è soddisfatta..."

Umm Hamida si meravigliò. Rammentava come un solo boccone di quel piatto facesse venire l'acquolina in bocca agli abitanti del Vicolo ed ecco una donna astinente che non ne era soddisfatta! Pensò: "Chi ha pane non ha denti". Poi mormorò sorridendo spudoratamente: "Che cosa strana!"

Il Sayyid scrollò la testa dispiaciuto. Sua moglie non aveva mai fatto buona accoglienza a quel piatto, neppure quando era ancora nel fiore dell'età. Per indole, rifuggiva da tutte le cose innaturali, ma sopportava quella costrizione per compiacere il suo insaziabile marito e per timore di compromettere la sua serenità. Tuttavia non esitava a consigliargli di desistere da quella pratica, alla lunga pericolosa per la salute. Con l'età poi, essa si era fatta meno paziente, la sua insofferenza verso quella cosa era aumentata e lei se ne lamentava apertamente, tanto da preferire la casa dei figli al tetto coniugale: in apparenza si recava da loro a far visita, ma in realtà si trattava di una fuga. Egli era arrivato al punto di non poterne più e la trattava freddamente e con disprezzo, cosicché la loro serenità ne fu turbata e la loro convivenza scossa. Ma lui d'altra parte non poteva rinunciare alla propria passione, né accettare la freddezza di lei. Così la riottosità della moglie, come egli la chiamava, aveva costituito per lui un pretesto per dedicarsi ad un nuovo amore e cercarsi una nuova moglie.

Scuotendo il capo e con aria corrucciata, egli disse con un tono che Umm Hamida conosceva bene:

"L'ho avvertita che ne avrei sposata un'altra. E, se Dio vorrà, lo farò..."

Mossa dall'istinto professionale, la donna drizzò le orecchie e lo guardò come un mercante guarda un ambito cliente, poi disse con qualche incertezza:

"Siamo a questo punto?"

L'uomo continuò serio e preoccupato:

"Vi ho aspettata a lungo, e stavo quasi per mandarvi a chiamare. Che ne pensate?"

La donna sospirò, invasa da una indicibile gioia. Più tardi avrebbe detto che, uscita per comprare un po' di hennè, si era imbattuta in un tesoro. Poi lo guardò sorridendo e disse:

"Siete un uomo per bene, come ce ne sono pochi. Fortunata quella che sceglierete. Sono ai vostri ordini: ho vergini e donne che sono state sposate, giovani e mature, ricche e povere, scegliete quella che volete..." Egli si attorcigliò i grossi baffi ed ebbe un attimo di esitazione, poi si chinò verso di lei e disse a bassa voce, sorridendo:

"Non c'è tanto da cercare. Ciò che voglio si trova a casa vostra!"

Quella spalancò gli occhi per la meraviglia e mormorò inconsciamente:

"A casa mia!"

Il Sayyid proseguì, divertito dallo stupore della donna:

"Certo, proprio a casa vostra, del vostro sangue e della vostra carne. Mi riferisco a vostra figlia Hamida!"

La donna non credeva alle proprie orecchie e rimase sbigottita. Certo, aveva saputo da Hamida stessa che il Sayyid le lanciava occhiate infuocate ovunque andasse, ma l'ammirazione è una cosa e il matrimonio un'altra. Chi avrebbe creduto che Sayyid Selim Alwan, padrone del bazar, avrebbe chiesto la mano di Hami-da? Preoccupata, la donna rispose:

"Non siamo degni di un simile onore!"

Ma quello continuò garbatamente:

"Siete una brava donna, vostra figlia mi piace e questo basta. Forse la gente per bene deve essere ricca? Che bisogno c'è del denaro se io ne ho più del necessario!"

Lei lo ascoltava, sempre in preda allo stupore. Poi d'improvviso, si ricordò di una cosa a cui fino a quel momento non aveva pensato. Si rammentò che Hamida era fidanzata e le sfuggì un lamento che indusse l'uomo a chiederle:

"Che c'è?"

La donna disse agitata:

"Mio Dio, ho dimenticato di dirvi che Hamida è fidanzata! Si è fidanzata con Abbas al-Helwu, prima che egli partisse per Tell el-Kebir!"

Il volto dell'uomo impallidì, quindi si fece giallo dalla rabbia e disse con astio, come se pronunciasse il nome di un insetto immondo:

"Abbas al-Helwu!"

La donna si affrettò a dire:

"Mio Dio, e abbiamo già letto la Fatiha".

Sayyid Selim continuò, aggrottando la fronte, furioso:

"Quel barbiere spiantato..."

Umm Hamida disse come per scusarsi:

"Ha detto che andava a lavorare nell'esercito, per fare un po' di soldi, ed è partito dopo che abbiamo recitato la Fatiha".

Vedendosi messo sullo stesso piano di al-Helwu, quello si arrabbiò ancora di più e disse con voce tagliente:

"Quello sciocco pensa che l'esercito sia un paradiso senza fine! Piuttosto mi stupisco che mi parliate di questa storia!"

La donna continuò sullo stesso tono:

"Me ne sono ricordata all'improvviso, ecco tutto. Non ci sognavamo neppure un simile onore. Per questo non avevamo motivo di rifiutargli la mano di Hamida. Non vogliatemene, i vostri desideri sono ordini, ma non ci aspettavamo un simile onore, non vogliatemene. Ora me ne vado, ma tornerò presto. Non siate arrabbiato con me, perché vi arrabbiate così?"

Il volto dell'uomo si distese ed egli pensò che forse si era alterato più del dovuto, come se al-Helwu fosse stato l'aggressore e non l'aggredito. Comunque disse:

"Non ho forse diritto di arrabbiarmi?"

Ma d'improvviso si interruppe, come se gli fosse venuto in mente qualcosa di sgradevole e chiese contrariato:

"La ragazza ha dato il suo consenso? Intendo dire, ci tiene?"

La donna si affrettò a rispondere:

"Mia figlia non ha niente a che fare con questa storia! Tutto quello che è successo è che al-Helwu è venuto un giorno accompagnato dal buon Kamil e poi abbiamo recitato la Fatiha".

Egli disse:

"Come sono strani i giovani! Quasi non hanno di che vivere e non trovano niente di male a sposarsi e a riempire il quartiere di figli che andranno a cercar da mangiare nelle pattumiere. Ma dimentichiamo questa storia".

"Ben detto, signore... Ora me ne vado, ma tornerò subito e che Dio ci aiuti".

La donna si alzò e si inchinò per salutarlo, poi prese il pacchetto di hennè che l'impiegato aveva appoggiato sul tavolo e se ne andò in fretta.

Il Sayyid restò contrariato e accigliato, il suo sguardo duro manifestava nervosismo e rabbia. Aveva inciampato al primo passo: uno sporco barbiere che non valeva un centesimo, osava fargli concorrenza. Sputò per terra con disgusto come per liberarsi di lui. Gli sembrava di sentire il brusio delle malelingue che commentavano la faccenda con parole di scherno e di derisione. Sua moglie avrebbe detto che lui aveva rapito una ragazza che stava pettinandosi nel negozio di un barbiere nel Vicolo del Mortaio! Certo, sua moglie ne avrebbe parlato e riparlato e anche la gente ci avrebbe ricamato su e tutto ciò sarebbe giunto alle orecchie dei suoi figli e delle sue figlie, dei loro amici e nemici. Pensava a tutto questo, ma non gli veniva neppure in mente di desistere: il più era fatto, si era deciso, aveva messo mano alla cosa e ora si affidava a Dio. Si attorcigliava i baffi con cura e scuoteva il capo in segno di disprezzo, una passione indomabile si era impadronita di lui ed egli non badava a ciò che si sarebbe detto. D'altra parte, la gente si era mai trattenuta dal parlare? Non avevano fatto di quel piatto di farik una leggenda che si tramandavano di bocca in bocca? Dicessero pure quello che volevano, lui avrebbe fatto come gli pareva: dopo tutto egli era il padrone e le teste si chinavano al suo passaggio. Quanto alla famiglia, la sua ricchezza bastava a soddisfare i bisogni di tutti e il suo nuovo matrimonio non sarebbe certo costato più del titolo di Bey, qualora si fosse ostinato a volerlo. Così la sua collera si spense, i suoi lineamenti si rilassarono ed egli si sentì soddisfatto. Doveva ricordarsi che era di carne anche lui, altrimenti avrebbe fatto torto a se stesso, nutrendo preoccupazioni che lo avrebbero divorato. A che serviva essere tanto ricco se non poteva realizzare un desiderio, se doveva lasciare il suo cuore consumarsi inutilmente di passione per un corpo che aveva a portata di mano?

18

Umm Hamida si affrettò verso casa e nel breve tratto fra il bazar e il suo appartamento, la sua mente si abbandonò a sogni grandiosi. Trovò Hamida in piedi, che si pettinava in mezzo alla stanza, e la esaminò attentamente, come se la vedesse per la prima volta e come se vedesse in lei la femmina che aveva eccitato un uomo del rango, dell'età e della ricchezza di Sayyid Selim Alwan, e sentì dentro di sé qualcosa di molto simile all'invidia. Sapeva bene che ogni centesimo che la giovane avesse ricavato da quel matrimonio sarebbe stato per metà suo e che lei avrebbe ampiamente approfittato di tutti i vantaggi che ne sarebbero derivati, ma non sapeva liberarsi da quello strano sentimento che si mescolava alla sua gioia e alla sua ambizione. Si diceva: "Davvero il destino riserva una simile fortuna a questa ragazza che non conosce né padre né madre?" e si chiedeva meravigliata: "Ma non l'ha sentita il Sayyid quando strilla con quella sua voce da bisbetica contro le vicine? Non ha mai visto una di quelle scenate? La carne è proprio la rovina degli uomini!" Quindi esclamò senza staccarle gli occhi di dosso:

"Per al-Hussein, sei nata la notte del Destino!"

Hamida smise di pettinarsi i capelli neri e lucidi e domandò ridendo:

"Perché poi? C'è qualche novità?"

La donna si tolse il velo e lo gettò sul divano, poi disse lentamente, scrutandola in volto per vedere l'effetto che avrebbero avuto le sue parole:

"Un nuovo pretendente!"

Un vivo interesse, misto a stupore, si dipinse negli occhi della giovane che chiese:

"Dici davvero?"

"Un uomo di rango, che neppure ti sogni, figlia di ignoti!" Il cuore di Hamida si mise a battere violentemente e i suoi occhi brillarono mentre chiedeva:

"Ma chi può essere?"

"Indovina".

In preda all'ansia e sconvolta dall'emozione, la ragazza continuava a chiedere:

"Chi?"

La madre, scuotendo il capo e inarcando le sopracciglia, disse:

"Il Sayyid Selim Alwan in persona!"

La ragazza strinse il pettine tanto forte che quasi si bucò la mano e gridò:

"Selim Alwan, il padrone del bazar?!"

"Il padrone del bazar e di una fortuna grande come il mare!" Il volto della ragazza si illuminò e lei, inebetita dallo stupore e dalla gioia, mormorò:

"Cose da pazzi!"

"Cose meravigliose! Non ci crederei se non me l'avesse detto lui in persona".

La ragazza si piantò il pettine tra i capelli, si precipitò di fianco alla madre e le chiese, afferrandola per una spalla: "Che ti ha detto? Dimmi cosa ti ha detto. Parola per parola".

Ascoltò attentamente il racconto della madre. Il suo cuore continuava a battere mentre essa arrossiva e i suoi occhi brillavano di gioia. Era la fortuna che sognava, il successo per cui si struggeva. La smania di successo era come una malattia, la sua brama di potere era un istinto inappagato. E con che altro avrebbe potuto soddisfarlo, se non con la ricchezza?

In quella sua gioia improvvisa si sentì come un combattente isolato che si ritrova inopinatamente un'arma tra le mani, nel momento più difficile della battaglia. Come un uccello dalle ali spezzate che tenta disperatamente di volare e al quale, per un miracolo inaudito, siano rispuntate le piume e si libri sopra le montagne.

Sua madre la spiava:

"Che ne pensi?"

Dal canto suo Umm Hamida non sapeva proprio cosa dire, ma era pronta a contraddire la figlia, qualunque fosse stato il suo parere. Se avesse parlato del Sayyid le avrebbe detto: "E al-Helwu?" Se avesse parlato di al-Helwu le avrebbe detto: "E il Sayyid, lo lasciamo perdere?" Ma Hamida le disse con aria di grave disapprovazione:

"Cosa penso?"

"Certo, cosa pensi. Non è facile decidere, ti dimentichi che sei fidanzata e che abbiamo recitato la Fatiha con al-Helwu?"

La ragazza le lanciò uno sguardo duro che offuscò la bellezza dei suoi occhi e disse, infastidita e sprezzante:

"Al-Helwu!"

La madre si meravigliò per l'estrema rapidità con cui la ragazza aveva risolto un affare tanto delicato, come se al-Helwu non fosse mai esistito, e ancora una volta pensò che la figlia era davvero strana e terribile. In verità non aveva dubbi sulla decisione di Hamida, ma avrebbe preferito vederla un po' più combattuta, più esitante ed essere lei a convincerla ad accettare Selim Alwan piuttosto che sentirle nominare al-Helwu con tanto disprezzo. Così continuò con aria di rimprovero:

"Certo, al-Helwu, dimentichi che è il tuo fidanzato?"

Non lo dimenticava, ma dimenticarlo o no non cambiava niente. La madre stava forse mettendole i bastoni fra le ruote? Le bastò però uno sguardo per accorgersi che non stava parlando sul serio, allora alzò le spalle e disse come se niente fosse:

"Buonanotte!"

"Ma cosa diranno di noi?"

"Lascia che dicano quello che vogliono..."

"Chiederò consiglio a Sayyid Ridwan al-Husseini".

A quel nome la giovane si spaventò e protestò:

"Che c'entra lui? Questo affare riguarda solo me!"

"In casa nostra non c'è un uomo, andrò a parlare con lui".

La donna era impaziente, quindi si alzò, si avvolse nel velo e uscì dalla stanza dicendo:

"Lo consulterò e tornerò immediatamente".

La ragazza la seguì con lo sguardo corrucciato, poi, accorgendosi di non aver finito di pettinarsi, riprese a farlo con gesti meccanici, gli occhi spalancati su un mondo di sogni fantastici. Dopo di che si alzò e si diresse alla finestra, dalla quale, attraverso le imposte, restò a guardare il grande bazar per un'ora, quindi tornò a sedersi.

Il suo distacco da Abbas non era stato in realtà tanto improvviso come pensava la madre. Certo, per un momento, aveva pensato di essersi legata a lui per sempre e gli aveva offerto le labbra ch'egli aveva baciato con amore, aveva parlato di un futuro in comune, gli aveva promesso di pregare per lui al-Hussein, e lo aveva fatto, non senza sforzo, con la speranza di ottenere l'agognata felicità. Inoltre, grazie a lui non era più una semplice ragazza, ma una giovane fidanzata e sua madre non poteva più divertirsi a tirarle i capelli, dicendole malignamente: "Se qualcuno ti chiede in sposa, te li taglio". Ciò nonostante, dormiva sulla bocca di un vulcano. Fin dal principio non si era sentita completamente tranquilla e dentro di sé avvertiva una costante preoccupazione. Certo, Abbas aveva fatto balenare qualcosa davanti ai suoi occhi ambiziosi, ma non era l'uomo che desiderava ed era rimasta indecisa fin dal primo incontro. Non sapeva come sarebbe stato veramente il suo uomo, ma al-Helwu non si era mai impadronito del suo cuore. Con tutto ciò, non aveva ceduto ai propri timori senza combattere, ripetendosi che la vita con lui avrebbe potuto riservarle sorprese inimmaginabili. Così continuava a riflettere, ma la riflessione è un'arma a doppio taglio: si chiedeva quale fosse la felicità che lui le prometteva e se fosse più grande di quella che sognava. Il giovane diceva che sarebbe ritornato ricco e che avrebbe aperto un negozio al Muski: ma tutto ciò le avrebbe davvero garantito una vita più agiata? Ed era poi veramente ciò che la sua anima folle desiderava? Tutti questi pensieri moltiplicavano le sue incertezze e la convincevano sempre più che quel giovane non era l'uomo della sua vita. Capì che l'avversione per lui era troppo forte per sperare che la convivenza potesse attenuarla. Ma che poteva fare? Non si era legata a lui per l'eternità?... Dio mio! Perché non aveva imparato un mestiere come le sue amiche? Se avesse avuto un lavoro, avrebbe potuto aspettare di sposarsi come desiderava, o non sposarsi affatto. Il suo entusiasmo cominciò ad attenuarsi e i suoi sentimenti a raffreddarsi ed ella tornò come era prima che gli incontri con al-Helwu la scuotessero e quelle speranze la ingannassero. Si trovava in questo stato d'animo quando Sayyid Selim chiese la sua mano e così lei mise da parte senza esitazione il primo fidanzato che, in cuor suo, aveva già messo da parte ormai da tempo.

L'assenza della madre non durò a lungo, essa ritornò dalla casa di Sayyid Ridwan con aria grave e disse togliendosi il velo: "Il Sayyid Ridwan non è per niente d'accordo..."

Quindi le raccontò cosa si erano detti e di come questi avesse messo a confronto i due partiti. Al-Helwu era giovane e Selim vecchio, il primo era del suo stesso ambiente, il secondo di un'altra classe sociale, il matrimonio fra un uomo come lui e una giovane come Hamida avrebbe creato difficoltà e problemi che presto o tardi avrebbero finito col nuocere alla ragazza, ed aveva concluso dicendo:

"Al-Helwu è un bravo figliolo ed è partito per far fortuna in vista del matrimonio. Lui è l'uomo più adatto, non avete che da aspettare e se, Dio non voglia, non riuscisse nel suo intento, allora avrete diritto di maritarla con chi vorrete".

La ragazza la guardò mandando lampi dagli occhi e gridò con voce dura, imbruttita dall'ira:

"Sayyid Ridwan sarà un santo, o almeno così vuole apparire agli occhi della gente, ma quando dà un consiglio non si preoccupa del bene altrui, cerca solo di conquistare al cielo altri santi. Della mia felicità non gli importa nulla, forse si è fatto impressionare dalla lettura della Fatiha, come conviene ad un uomo che si lascia crescere una barba di due metri. Non è lui che devi consultare per il mio matrimonio. A lui devi rivolgerti per farti spiegare un brano della Scrittura... e poi, per Dio, se fosse buono come dicono, il cielo non gli avrebbe tolto tutti i suoi figli!"

La donna si spaventò e disse con dolorosa disapprovazione:

"È questo il modo di parlare degli uomini più nobili e virtuosi?"

La ragazza gridò stizzita, fiutando il pericolo:

"Sarà virtuoso e santo quanto vuoi, addirittura un profeta, se ti piace, ma non ostacolerà la mia felicità..."

Alla donna dispiacque l'affronto fatto a quel sant'uomo, anche se non approvava quel parere su cui in fondo non era d'accordo, comunque per dare una lezione alla ragazza e per vendicarsi del suo cattivo carattere disse:

"Ma tu sei fidanzata..."

Hamida rise sarcastica:

"Una è libera fino a quando non si sposa, tra noi ci sono soltanto parole e un piatto di basbusa!"

"E la Fatiha?"

"Il buon Dio è generoso..."

"Prendere alla leggera la Fatiha è un peccato grave".

Hamida gridò con sdegno:

"Fattici un brodo!"

La donna si percosse il petto:

"Ah, figlia di un serpente!"

Hamida aveva notato negli occhi della madre segni di cedimento e disse ridendo:

"Sposatelo tu..."

La donna batté le mani trattenendosi dal ridere:

"In fondo hai diritto di cambiare un piatto di basbusa con un piatto di farik..."

Hamida la guardò con aria di sfida e le disse con foga:

"Diciamo piuttosto che ho rifiutato un giovane e ho scelto un uomo fatto".

La madre scoppiò in una fragorosa risata e mormorò:

"Il pollo vecchio è più grasso".

Si sistemò tutta allegra sul sofà, dimenticando la sua finta opposizione ai progetti della figlia, estrasse dal pacchetto una sigaretta e se l'accese mettendosi a fumare con gusto, come non le accadeva da tempo. Hamida la guardò irritata e disse:

"Santo cielo, in realtà sei molto più contenta tu di me per questa novità e fai la difficile solo per orgoglio, per ostinazione e per provocarmi. Dio ti perdoni..."

La madre le rivolse un'occhiata profonda e significativa:

"Quando un uomo come Sayyid Selim sposa una ragazza come te in realtà sposa tutta la sua famiglia. È come il Nilo che quando straripa allaga l'intero paese, mi capisci? O forse credi di volare nel tuo nuovo palazzo mentre io me ne resterò qua, alla mercé della signora Saniyya Afifi e di tutte le altre anime buone come lei?"

La figlia, che aveva preso ad intrecciarsi i capelli, scoppiò a ridere e disse assumendo un'aria scherzosamente altera:

"Alla mercé della signora Saniyya Afifi e della signora Hamida Hanim..."

"Certo... certo, cara la mia trovatella, figlia di padre ignoto".

La ragazza continuava a ridere e disse:

"Sì, ma quanti padri noti in realtà non valgono nulla!"

Il mattino del giorno dopo, Umm Hamida si recò tutta contenta al bazar, pronta a recitare di nuovo la Fatiha, ma non trovò il Sayyid Selim al suo solito posto. Si informò e le dissero che quel giorno non sarebbe venuto. Tornò a casa insoddisfatta e impaziente. A mezzogiorno si diffuse per il Vicolo la notizia che l'uomo era stato colto nella notte da una crisi di angina e che giaceva fra la vita e la morte. Se per tutti fu un dispiacere, sulla casa di Umm Hamida la notizia si abbatté come un fulmine.

19

Un giorno il Vicolo si destò in mezzo al frastuono. I suoi abitanti videro degli uomini intenti ad erigere un tendone su un terreno abbandonato della Sanadiqiyya, proprio di fronte al Vicolo. Pensando che fossero addobbi funebri, il buon Kamil si turbò e gridò con la sua voce acuta:

"Apparteniamo a Dio e a Lui facciamo ritorno! Signore tu puoi e conosci ogni cosa" e chiese ad un giovanotto chi fosse il morto.

"Non si tratta di un morto, ma di un comizio!"

Il buon Kamil scosse il capo e mormorò:

"Ancora Saad e Adli!" Egli non capiva assolutamente nulla di politica, salvo quel paio di nomi che ricordava a memoria, senza capirne il significato. E se aveva appeso in bella mostra nel suo negozio una grande foto di Mustafà al-Nahhas, era solo perché Abbas un giorno aveva comprato due immagini del leader politico e ne aveva messa una nel suo negozio, regalando l'altra al suo amico il quale non trovò nulla di male ad esporla, sapendo che anche molti altri lo facevano. In un negozio di alimentari della Sanadiqiyya c'erano due foto, una di Saad Zaghlul e una di Mustafà al-Nahhas, mentre nel caffè Kirsha ce n'era una del Khedivé Abbas. Egli si mise a guardare gli uomini intenti al loro lavoro con aria di disapprovazione, già prefigurandosi una giornata rumorosa e pesante. La tenda veniva innalzata pezzo per pezzo: furono eretti i pali, tese le corde, distesi i teloni. Per terra venne sparsa della sabbia e file di sedie furono disposte ai lati di uno stretto corridoio che conduceva verso un palco, innalzato all'interno. A tutti gli incroci tra la moschea di Hussein e la Ghuriyya, erano stati messi altoparlanti ma la cosa più bella era che avevano lasciato aperta l'entrata della tenda, il che avrebbe permesso agli abitanti del Vicolo di prendere parte al comizio senza allontanarsi dalle proprie case. Sopra il palco era stata appesa un'enorme immagine del capo del governo e sotto una foto del candidato Farahat, conosciuto da tutti nel quartiere, poiché era un commerciante della via dei Ramai. Alcuni giovani andavano in giro ad attaccar manifesti sui muri. Sui manifesti c'era scritto, a colori vivaci: "Votate per il vostro rappresentante indipendente Ibrahim Farahat, seguace di Saad. Abbasso l'epoca oscura dell'indigenza, evviva il tempo della giustizia e del benessere".

Volevano attaccarne uno anche nella bottega del buon Kamil, ma egli, ancora di cattivo umore per la partenza di Abbas, si oppose e disse ironico:

"Non qui ragazzi, porta sfortuna e allontana i clienti".

Uno di loro ribatté ridendo:

"Li richiama, invece. Se il nostro candidato vedesse questo manifesto potrebbe comprarti tutta la basbusa, pagandotela il doppio e dandoti in più anche un bacio".

Il lavoro finì verso mezzogiorno e il Vicolo tornò alla sua calma abituale che si mantenne fino a sera, quando arrivò Sayyid Ibrahim Farahat con il suo seguito per controllare ogni cosa. Quell'uomo spendeva senza lesinare, ma essendo commerciante teneva una contabilità minuziosa delle uscite, per non rischiare di strafare. Piccolo e paffuto, avanzava tra la folla pavoneggiandosi e scrutando ciò che lo circondava con due occhi ingenui in un viso scuro e rotondo. La sua andatura fiera ispirava fiducia, lo sguardo era benevolo e nel suo aspetto generale il ventre sembrava occupare un posto ben più importante della testa. Nel Vicolo e nel circondario, c'era molto interesse per lui che era considerato il personaggio di maggior spicco della serata.

Era seguito da un nugolo di ragazzi che ripetevano slogan. Una voce chiedeva tonante: "Chi è il nostro deputato?" e un coro gli rispondeva: "Ibrahim Farahat", un'altra chiedeva: "Chi è nato nella nostra circoscrizione?" e tutti gridavano: "Ibrahim Farahat" e così via, finché la strada non fu piena di giovani, e molti di loro si infilarono sotto la tenda. Il candidato rispose alle acclamazioni portandosi una mano alla fronte, quindi si diresse verso il Vicolo, seguito dai suoi sostenitori, la maggior parte dei quali erano sollevatori di pesi del club sportivo della Darrasa. Si avvicinò al vecchio barbiere che aveva preso il posto di al-Helwu, gli tese la mano e gli disse:

"Salute a te, fratello".

Quello fece un inchino in segno di deferenza e di benvenuto, quindi il candidato si voltò verso il buon Kamil dicendo: "Non darti la pena di alzarti, te ne prego per al-Hussein. Come va? Allahu akbar! Allahu akbar! Questa basbusa è eccellente e stasera la gente saprà quanto vale".

Continuò a salutare tutti quelli che incontrava, finché giunse al caffè Kirsha, salutò il padrone, si sedette e invitò i suoi compagni a fare altrettanto. Molti lo avevano preceduto al caffè, persino Gaada il fornaio, e Zaita. Il candidato guardava gli astanti con soddisfazione, quindi disse al padrone:

"Tè per tutti..." e sorrise rispondendo ai ringraziamenti che si levavano da ogni parte, poi, rivolto al padrone riprese:

"Mi auguro che il caffè possa far fronte a tutte le richieste".

Un po' indolente padron Kirsha rispose: "Siamo al vostro servizio..."

Quel tono non sfuggì al candidato che gli disse amabilmente: "Siamo tutti figli dello stesso quartiere e tutti fratelli". In realtà Sayyid Farahat era venuto al caffè appositamente per ingraziarsi padron Kirsha. Qualche giorno prima, lo aveva fatto chiamare per invitarlo a schierarsi dalla sua parte chiedendogli il voto e i voti di quanti, padroni di caffè o camerieri, egli potesse influenzare. Gli aveva offerto quindici lire per il suo disturbo, ma padron Kirsha le aveva rifiutate dicendo che egli non era da meno di al-Fawwal, padrone del caffè della Darrasa, il quale, a quanto si diceva, ne aveva ricevute venti. Il Sayyid era riuscito a fargli accettare la somma, promettendo che gli avrebbe dato il resto e quindi si erano lasciati, ma ançora temeva che padron Kirsha potesse cambiare idea.

In effetti padron Kirsha nutriva un certo risentimento verso questo novizio, come lo chiamava, ed era pronto ad attribuirgli le peggiori intenzioni, se non avesse mantenuto la promessa.

A dispetto del suo abbrutimento, nei periodi elettorali padron Kirsha si svegliava, memore del fatto che da giovane in politica si era fatto una fama pari a quella che avrebbe raggiunto in seguito per altre faccende. Aveva partecipato attivamente alla rivoluzione del 1919, ed era ritenuto responsabile del grande incendio della società ebraica del tabacco in piazza Hussein. Era stato uno degli eroi delle aspre lotte che avevano opposto i rivoluzionari ad Armeni ed Ebrei. Terminata la fase cruenta della rivoluzione, aveva trovato nelle battaglie elettorali nuovo terreno in cui sfogare energie e ardore. Si era impegnato a fondo nelle elezioni del 1924 e aveva eroicamente resistito alle lusinghe di quelle del 1925, anche se allora si diceva che avesse accettato regali dal candidato del governo, dando invece il voto a quello del Wafd e si vociferava che avesse fatto lo stesso durante le elezioni di Sidqi, accettando denaro, ma nello stesso tempo boicottando le votazioni. Allora però gli agenti del governo lo avevano tenuto d'occhio e lo avevano trasportato con altri su un furgone fino al seggio elettorale dove per la prima volta era stato costretto a tradire il Wafd. Nel 1936 si era occupato per l'ultima volta di politica, dopo di che l'aveva abbandonata per il commercio e da quel momento aveva sempre considerato le elezioni un affare come un altro, vendendosi al migliore offerente. Giustificava il suo comportamento sostenendo che la corruzione aveva invaso la vita politica e diceva: "Se chi si contende il potere mira al denaro, non c'è niente di male che lo facciano anche i poveri elettori!" Così si era lasciato corrompere anche lui, vinto dall'abbrutimento e dominato dalle passioni. Del suo antico spirito rivoluzionario gli rimaneva solo un vago ricordo che a volte riaffiorava, e lui se ne vantava, in qualche momento di lucidità, con gli amici, intorno al braciere, ma aveva rigettati ormai tutti i valori della vita onesta e non si curava più di nulla, se non della droga e delle sue passioni. Di qualsiasi altra cosa gli si parlasse, rispondeva: "Al diavolo!"

Non odiava più nessuno, non gli Ebrei, non gli Armeni, e nemmeno gli Inglesi, ma non amava nessuno ed era dunque sorprendente l'improvviso entusiasmo che manifestava per questa guerra, che lo vedeva schierato dalla parte dei Tedeschi.

Proprio in quei giorni, si chiedeva quale fosse la situazione di Hitler: se da un lato gli sembrava veramente minacciato, dall'altro aveva sentito dire che avesse costretto i Russi ad accettare una pace separata. Ma la sua ammirazione per Hitler era dovuta soltanto a quanto si raccontava del suo coraggio e della sua forza, lo considerava una sorta di grande conquistatore al quale augurava la vittoria come l'aveva augurata ai leggendari Antara e Abu Zaid. Ad ogni modo aveva conservato una certa importanza nel campo elettorale, essendo il leader dei gestori di caffè che si riunivano da lui ogni sera e, conseguentemente, di inservienti, garzoni e clienti. Per questo Sayyid Ibrahim Farahat faceva di tutto per ingraziarselo e trascorreva un'intera ora del suo tempo prezioso al caffè, mostrandosi estremamente gentile.

Di quando in quando gli lanciava occhiate furtive, quindi gli chiese all'orecchio: "Sei contento?"

Quello gli concesse un sorriso e disse con qualche riserva:

"Dio sia lodato! Siete una vera benedizione".

L'altro continuò sottovoce:

"Ti compenserò largamente di tutto quello che non hai avuto" poi, girando lo sguardo sui presenti, disse amabilmente:

"Se Dio vorrà, non deluderete le mie speranze..."

Un coro di voci si levò:

"Dio ce ne guardi, Sayyid Farahat. Siete uno di noi".

Rassicurato, l'uomo sorrise e prese a dire:

"Come sapete, io sono un indipendente, ma resto fedele ai veri principi di Saad. A che ci sono serviti i partiti? Non siete forse al corrente dei loro dissensi? Assomigliano a... (stava per dire 'ragazzi di strada', ma poi ricordò che proprio a quelli si stava rivolgendo e si corresse)... ma lasciamo perdere i paragoni. Ho scelto di rimanere indipendente dai partiti perché niente mi impedisse di dire la verità, per non essere schiavo di un ministro o di un leader e, se Dio ci concederà il successo, in parlamento parlerò in nome della gente del Vicolo del Mortaio, della Ghuriyya e della Sanadiqiyya. Basta con le chiacchiere e con l'ipocrisia, è venuto il momento di occuparsi dei vostri bisogni essenziali, di garantirvi il rifornimento di stoffa, di zucchero, di kerosene, di olio, di pane genuino e di carne a prezzi accessibili..."

Con vivo interesse, qualcuno chiese:

"Davvero avremo in abbondanza tutte queste cose?"

L'uomo rispose sicuro:

"Senza alcun dubbio. È questo il motivo dei rivolgimenti attuali. Ho fatto visita ieri al capo del governo (ma, ricordandosi di aver detto che era indipendente, si affrettò ad aggiungere) che riceveva i candidati di tutte le tendenze, ed egli ci ha assicurato che ci saranno vestiti e cibo per tutti".

Deglutì e continuò:

"Vedrete cose meravigliose. Senza dimenticare la gratifica che avrete se io verrò eletto".

Il dottor Bushi gli chiese:

"La gratifica sarà dopo la pubblicazione dei risultati?"

Quello si voltò verso di lui e disse un poco agitato:

"In parte anche prima".

Sayyid Darwish uscì dal suo torpore e dal suo silenzio:

"È come la dote che si paga un po' prima e un po' dopo. Ma tu, Regina delle donne, non hai dote, poiché il tuo amore è spirituale e viene dal cielo".

Sayyid Farahat si voltò verso di lui infastidito, ma appena lo vide capì, dalla galabiyya, dalla cravatta e dagli occhiali d'oro, che si trattava di un uomo venerato e sul suo viso tondo apparve un sorriso, mentre gli diceva amabilmente:

"Salute al nostro Shaykh".

Quello non gli rispose neppure, e sprofondò di nuovo nel suo torpore. Allora intervenne uno del seguito:

"Avrete quello che desiderate, lo giuriamo sul Corano".

Più di una voce si levò per dichiararsi d'accordo.

Sayyid Farahat fece alcune domande ai presenti, sui certificati elettorali, e quando si rivolse al buon Kamil quello gli rispose:

"Non ho certificato e non ho mai preso parte a nessuna votazione".

Il candidato gli chiese:

"Dove sei nato?"

L'altro rispose con indifferenza:

"Non so..."

Tutti si misero a ridere, compreso Sayyid Farahat che, senza prendersela, mormorò:

"Risolverò questa faccenda con lo Shaykh del quartiere".

In quel momento sopraggiunse un ragazzo in galabiyya che portava dei volantini e approfittò di quel caffè affollato per mettersi a distribuirli. Molti pensarono che si trattasse di avvisi elettorali e li accettarono di buon grado, per compiacere il candidato. Anche Sayyid Farahat ne prese uno e lo lesse. Ecco quello che vi si diceva:

"Se alla tua vita coniugale manca qualcosa, devi usare l'ambra Santori. Ambra Santori, prodotto scientifico privo di ogni tossicità, autorizzato dal ministero della Sanità con licenza numero 128, rinfresca, tonifica e ridona la giovinezza in 50 minuti. Modalità d'uso: Prendetene una quantità equivalente a un chicco di grano in una tazza di tè molto zuccherata e le forze vi torneranno.

Un quarto di questo prodotto val più di qualsiasi eccitante.

Scorre nelle vene come una corrente elettrica. Richiedetene una scatola campione, a chi vi ha dato questo avviso, al prezzo irrisorio di 30 millim. La vostra felicità per 30 millim. Saremo lieti di accogliere tutte le osservazioni del pubblico".

Ci fu di nuovo una risata generale e il candidato si sentì un po' imbarazzato ma uno del seguito venne in suo soccorso, gridando:

"È un buon segno", poi gli sussurrò all'orecchio:

"Andiamo ora, dobbiamo ancora passare da molti quartieri".

L'uomo si alzò, dicendo:

"Addio. Ci rivedremo presto, se Dio vuole, e che Egli possa realizzare le nostre speranze".

Lasciando il caffè, rivolse uno sguardo cortese allo Shaykh Darwish e gli disse:

"Pregate per me, Shaykh".

Ma quello gli rispose, allargando le braccia:

"Che tu possa andare in rovina!"

Il tramonto si annunciava appena e il tendone era già affollato. Tra i presenti circolava la notizia che un grande uomo politico avrebbe tenuto un importante discorso e che poeti e panegiristi si sarebbero esibiti sul palco. Non si dovette aspettare a lungo prima che uno vi salisse per recitare invocazioni religiose. Lo seguì un complesso musicale, formato da vecchi decrepiti dagli abiti sbrindellati che attaccarono l'inno nazionale, e quella musica, trasmessa dagli altoparlanti, richiamò molti giovani dai vicoli circostanti, tanto che la Sanadiqiyya si riempì di folla. Ovunque si alzavano grida e clamori. Terminato l'inno, la banda rimase sul palco, e qualcuno pensò che gli oratori avrebbero parlato a suon di musica, ma ecco che uno di loro, pestando un piede sulla pedana, richiamò tutti al silenzio e, magnifica sorpresa, apparve un famoso intrattenitore nel suo costume popolare. La folla, come lo vide, andò in delirio, acclamando e applaudendo. Egli fece il suo numero e quindi fu la volta di una donna seminuda che danzò, inneggiando di quando in quando al candidato.

L'addetto agli altoparlanti si mise a gridare nel microfono:

"Sayyid Ibrahim Farahat è il miglior deputato e il microfono Bahlul è il miglior microfono". Ben presto il canto, la danza e le grida coinvolsero tutti e il quartiere intero fu in festa. Quando Hamida fece ritorno dalla sua consueta passeggiata, la festa era in pieno svolgimento. Essa pensava, del resto come tutti nel Vicolo, che si sarebbe trattato di un semplice raduno elettorale con tanti discorsi, in arabo letterario, ma appena vide quello splendido spettacolo, si rallegrò e si guardò attorno cercando un posto da cui potesse osservare meglio quella festa di suoni e di danze di cui raramente aveva potuto vedere l'uguale nella vita. Faticò ad aprirsi un varco tra ragazzi e ragazze per raggiungere l'imbocco del Vicolo, si avvicinò alla parete del negozio di barbiere e salì su una pietra addossata al muro, guardando il tendone, interessata e allegra. C'erano giovani dappertutto e molte donne che tenevano i loro bambini per mano o li portavano sulle spalle. I canti si mescolavano alle acclamazioni, la conversazione alle grida, le risate al pianto dei bambini. Quella vista incantevole l'aveva conquistata ed esercitava su di lei una forte attrazione, la gioia brillava nei suoi occhi affascinanti e la sua bocca si apriva al sorriso, mostrando denti bianchi come perle. Si era avvolta nel velo che lasciava scoperto solo il viso abbronzato, la parte più bassa delle gambe e una punta dei suoi capelli corvini. Il cuore le danzava di gioia, i suoi sensi si erano destati e il sangue le circolava caldo nelle vene. Il numero del comico la divertì come non mai e neppure la sensazione di amarezza che destò in lei la danzatrice poté offuscare la sua allegria. Rimaneva lì estasiata, senza curarsi del calare delle tenebre, quando avvertì sulla sinistra qualcosa che attirava il suo sguardo, qualcosa che sollecitava i suoi sensi, la sensazione che si prova quando due occhi si fissano su di noi, ed ella rispose senza volerlo, distogliendo lo sguardo dal comico e voltandosi verso sinistra, dove incontrò due occhi che la divoravano senza ritegno. Tutto ciò non durò che un secondo, quindi essa tornò a guardare lo spettacolo ma non si divertiva più come prima, non riusciva a dimenticare quegli occhi terribili, e continuava a sbirciare verso sinistra, in preda al dubbio e all'ansia. Si voltò di nuovo e di nuovo incontrò quello stesso sguardo, accompagnato ora da uno strano sorriso. Non riuscì a sostenerlo e si girò nella direzione di prima, infuriata.

Quello strano sorriso, sfrontato e provocatore, l'aveva fatta arrabbiare poiché aveva sollecitato un punto debole del suo animo scontroso ed esplosivo. Provò un desiderio violento di affondare le unghie in qualcosa, per esempio nel collo di quell'individuo, ma decise di fingere di ignorarlo, benché non le piacesse la resistenza passiva e continuasse a percepire la forte sensazione di quello sguardo sfacciato addosso. Le aveva rovinato la serata e lei era inviperita.

Ma l'uomo non contento di quanto aveva fatto e inconsapevole di quello che aveva suscitato in lei, si mosse per mettersi tra la ragazza e la tenda, intenzionato senza dubbio a sbarrarle la strada, e lì si fermò, girandole le spalle. Era alto e snello, le spalle larghe, il capo scoperto, i capelli folti, indossava un completo sul verde, elegante come il suo aspetto, che stonava in quell'ambiente. Sorpresa, Hamida dimenticò la sua furia selvaggia: era un signore distinto come non se ne vedevano nel Vicolo. Avrebbe osato guardarla ancora, in mezzo a tutta quella gente? Lui, temerario, non tardò a voltarsi, lanciandole uno sguardo travolgente. Aveva un viso magro e allungato, gli occhi a mandorla, sotto due spesse sopracciglia, e uno sguardo astuto e insolente. Non contento di guardarla così in pubblico, la esaminava dalla testa ai piedi, tanto che ella fu indotta senza volere a guardarlo negli occhi come per controllare il risultato di quell'ispezione. I loro occhi si incontrarono, lo sguardo provocatore e insolente di lui rivelava sicurezza e orgogliosa sfida. Lei, dimentica dello stupore di qualche istante prima, si sentì di nuovo invadere dall'ira e dal desiderio di dirgliene quattro, il sangue le montò alla testa e decise di insultarlo pubblicamente, ma quando fu sul punto di farlo, presa dall'ansia e dall'inquietudine, non osò. Si stancò di starsene lì, scese dalla pietra e se la svignò in fretta verso il Vicolo che percorse in pochi secondi. Mentre oltrepassava la soglia di casa, sentì il desiderio di girarsi, ma si raffigurò ancora quello sguardo sfacciato e quel sorriso provocatore, così rinunciò a voltarsi. Salì in fretta le scale, furibonda, e rimproverandosi di averlo lasciato fare, di non avergli detto quel che si meritava. Andò in camera da letto e si tolse il velo, quindi si avvicinò alla finestra chiusa e, da dietro la tenda, guardò in strada. Lo cercò con lo sguardo, finché non lo vide all'entrata del Vicolo, intento a scrutare le finestre. Non aveva più l'aria sicura e provocatoria di prima, piuttosto sembrava preoccupato. Ciò le fece piacere e la calmò. Restò al suo posto, gustando lo smarrimento di lui, desiderosa di vendicarsi. Era senza dubbio un signore, e non aveva niente a che fare coi suoi precedenti ammiratori, lei gli era certamente piaciuta, altrimenti perché quell'ostinato interesse? Ma quelle occhiate, che Dio lo maledisse, si meritavano una ben dura reazione! E perché poi tanta smisurata sicurezza? Si credeva forse un eroe o un principe? Di nuovo, ira e compiacimento si mescolarono in lei e provò ancora un oscuro desiderio di sfidarlo. Egli però, disperando di vedere qualcosa a quelle finestre, era sul punto di rinunciare, e Hamida ebbe paura che ella potesse desistere e scomparire fra la folla. Esitò un istante, poi girò la maniglia e scostò i due battenti lasciando uno spiraglio, dal quale fece finta di mettersi a guardare la festa. Egli ora voltava le spalle al Vicolo ma lei era certa che si sarebbe girato di nuovo a guardare, come infatti fece. Indugiò a esaminare di nuovo le finestre e quando vide che una aveva le imposte socchiuse, restò qualche istante dubbioso, poi il suo viso si illuminò, gli tornò alle labbra quel sorriso e riprese un'aria orgogliosa e superba più di prima. Hamida comprese di aver commesso un errore imperdonabile a mostrarsi alla finestra e si sentì di nuovo invadere dalla collera. In quel sorriso scorgeva una sfida, un invito alla lotta, in quegli occhi vedeva ciò che non aveva mai visto in nessun uomo, in quegli occhi leggeva chiaramente, alla luce della sua anima propensa all'ira e battagliera. Sembrava un uomo deciso a tutto e quando si mosse, risalendo il Vicolo a passi sicuri, Hamida pensò che stesse dirigendosi verso casa sua.

Egli invece deviò verso il caffè Kirsha e prese posto tra il padrone e lo Shaykh Darwish, dove sedeva di solito Abbas al-Helwu a spiare l'ombra di Hamida dietro le imposte. Ciò che aveva fatto era sicuramente audace, ma Hamida non si ritrasse e restò al suo posto a guardare il tendone anche se non capiva più nulla di quello che vedeva e intanto sentiva gli sguardi di lui che la investivano di quando in quando, come fasci di luce. L'uomo non si mosse fino alla fine della festa, quando essa chiuse la finestra. E nei giorni e nelle notti seguenti Hamida continuò a pensare a quella serata.

20

Da allora l'uomo venne ogni giorno nel Vicolo, vi giungeva nel pomeriggio, sedeva al suo solito posto e passava il tempo fumando il narghilè e bevendo tè.

La comparsa di questo forestiero così rispettabile ed elegante causò una certa sorpresa al caffè, ma presto tutti ci fecero l'abitudine e non gli badarono più. D'altra parte, non c'era nulla di straordinario che un signore come lui frequentasse un caffè aperto a tutti. Padron Kirsha però era seccato che volesse pagare il conto sempre con grossi biglietti, il più delle volte almeno di una lira, mentre Songor era felice perché riceveva mance che mai aveva visto in vita sua. Hamida aspettava ogni giorno con impazienza il suo arrivo, ma i primi tempi preferì rinunciare alla sua passeggiata quotidiana, a causa dei suoi abiti modesti, anzi miseri. Presto però non ne poté più di starsene chiusa in casa e si arrabbiò per quella sua ritrosia che considerava una viltà indegna del suo temperamento ardito. Non tollerava di vedersi imporre un comportamento da qualcun altro, e nel suo animo inquieto si scatenò un nuovo conflitto. Vedeva i biglietti di banca che l'uomo dava a Songor sotto i suoi occhi ed evidentemente ne comprendeva il significato. Altrove ciò avrebbe anche potuto non avere alcun senso, ma nel Vicolo del Mortaio quello era un linguaggio eloquente e benché l'uomo stesse molto attento a non far capire a nessuno quale fosse il vero motivo per cui frequentava il caffè, ciò non di meno non si lasciava sfuggire l'occasione per guardare di nascosto verso la finestra oppure prendeva il bocchino del narghilè fra le labbra come se lo baciasse e quindi soffiava il fumo verso l'alto come per inviare quel bacio all'ombra di lei, immobile dietro la finestra. Hamida osservava tutto ciò con interesse divisa tra il compiacimento e la rabbia.

Aveva voglia di riprendere le sue passeggiate, infischiandosene dei suoi timori. Se lo avesse incontrato o se lui avesse osato abbordarla – cosa di cui non dubitava affatto – avrebbe certo saputo come rispondere alla sua insolenza, anzi gli avrebbe dato una lezione da ricordare per tutta la vita. Sì, quello era il modo migliore per ripagarlo della sua infatuazione menzognera, di quell'aria di superiorità e di quell'insolenza provocatoria. Maledetto, chissà poi cosa gli permetteva di assumere quell'aria trionfante. Non si sarebbe data pace finché non l'avesse visto con la faccia nella polvere... ma avesse almeno posseduto un bel velo e un paio di sandali nuovi!

Si era intromesso nella sua vita proprio nel momento della sua disperazione più amara, quando Sayyid Selim Alwan era caduto mezzo morto, dopo averle fatto sperare per qualche ora la vita agiata che sognava e dopo che essa aveva capito di non amare Abbas al-Helwu. Sapeva di non poter più sperare nel matrimonio con Selim Alwan e si vedeva condannata ad essere la fidanzata di al-Helwu per il quale provava sempre più avversione. Però non voleva ammettere la propria sfortuna e se la prendeva con la madre, accusandola di essere stata invidiosa e di aver mirato al denaro di Sayyid Selim, e così Dio aveva mandato in fumo le loro speranze. Era questo il suo stato d'animo quando quell'uomo si affacciò nella sua vita, provocando in lei un'impetuosa tempesta e risvegliando i suoi istinti nascosti. La sua sfrontatezza e la sua aria provocatoria l'avevano incollerita, ma la sua distinzione, la sua prestanza e la sua bellezza l'avevano affascinata. La forza segreta dei suoi istinti la spingeva verso quell'uomo in cui scopriva ciò che non aveva mai trovato negli altri uomini di sua conoscenza: forza, denaro e combattività. Ella non vedeva chiaro nei suoi sentimenti e non capiva quali fossero le esigenze del suo animo contorto, per cui rimaneva in forse tra l'attrazione e il desiderio di prenderlo per il colletto.

Uscire le sembrò un modo di sfuggire alla reclusione e all'incertezza e una maniera per conoscere se stessa. Forse per la strada egli l'avrebbe abbordata, dandole l'occasione di sfidarlo a sua volta e di cedere a quel richiamo segreto che la invitava nello stesso tempo a combatterlo e a lasciarsi attirare.

Così un pomeriggio si fece bella, si avvolse nel velo e senza più pensare a nulla, lasciò l'appartamento. In meno di un minuto fu in strada e senza voltarsi attraversò il Vicolo e si diresse verso la Sanadiqiyya, domandandosi che cosa avrebbe pensato quell'uomo. Presuntuoso com'era, avrebbe senz'altro concluso che lei fosse uscita appositamente per incontrarlo, ignorando la sua abitudine di andare a spasso, e non avendola vista uscire di casa per molti giorni. Certamente l'avrebbe seguita e abbordata per la strada. Infine decise di non curarsi di quello che lui avrebbe pensato e si augurò che la sua presunzione lo inducesse a sbilanciarsi.

Desiderava incontrarlo e bruciava dalla voglia di provocarlo e di cancellare dalle sue labbra quello stupido sorriso di superiorità. Camminando lentamente, raggiunse Sikka al-Gadida e intanto immaginava che lui si alzasse e uscisse in fretta dal caffè per non perdere le sue tracce. Forse ora stava avanzando a passi svelti verso la Ghuriyya, cercandola coi suoi occhi audaci e vogliosi. Lei, che quasi non distingueva la gente e le macchine per la strada, riusciva a immaginarselo mentre la seguiva. L'aveva già scorta? Gli era tornato sulle labbra quel sorriso trionfante? Il maledetto non sapeva cosa lo aspettava. Doveva solo continuare a camminare senza voltarsi, stando bene attenta: voltarsi, anche una sola volta, sarebbe stato peggio di una disfatta. Quello sfrontato doveva essere ora solo a qualche passo da lei. Che cosa avrebbe fatto? Si sarebbe accontentato di seguirla come un cane? O l'avrebbe superata di un po' per farsi vedere? Oppure l'avrebbe raggiunta per rivolgerle la parola?

Continuava a camminare stando all'erta, immaginandosi qualcosa di nuovo a ogni passo, scrutando tutti i passanti che la avvicinavano e la superavano e tendendo l'orecchio ad ogni rumore dietro di lei. L'attesa la innervosiva e stava quasi per cedere alla tentazione di voltarsi, ma si trattenne, decisa a continuare a guardare avanti, vedendo le amiche del laboratorio che le venivano incontro. Sorrise, le salutò e si girò per camminare in mezzo a loro. Esse le chiesero il motivo delle sue insolite assenze e lei rispose di esser stata malata, intanto scrutava la strada, cercando tracce dell'uomo. Parlava e scherzava con loro, mentre i suoi occhi andavano da un marciapiede all'altro. Dove si nascondeva dunque? Forse la guardava senza farsi vedere. Comunque fosse, per quel giorno Hamida aveva perduto l'occasione di dargli una lezione. Era furibonda, aveva sperato che l'abbordasse per potergli scaricare addosso la sua rabbia e lui era sfuggito alle sue grinfie. Ma dov'era dunque? La seguiva? Questa volta non seppe resistere al desiderio di voltarsi. Lo fece, ed esaminò la strada aguzzando la vista, ma lui non c'era da nessuna parte.

Forse aveva tardato un poco a lasciare il caffè e l'aveva perduta di vista ed ora girava senza sapere dove cercarla. Hamida sentì svanire entusiasmo ed energie. Giungendo alla fine della Darrasa si immaginò di vederlo apparire improvvisamente, come aveva fatto un giorno Abbas, le tornò la speranza e di nuovo fu presa dall'emozione, salutò l'ultima delle compagne e si mise lentamente sulla via del ritorno ispezionando i due lati della strada. Niente. Quel poco di cuore che le rimaneva intatto si spezzò e fu come se il mondo le cascasse addosso. Disperata, fece il resto del percorso, stordita da quello smacco. Risalì il Vicolo guardando verso il caffè, cominciando a distinguere poco a poco la figura di padron Kirsha e alla sua sinistra... santo cielo! Non si era neppure mosso ed era ancora lì attaccato alla sua pipa! Il cuore di Hamida prese a battere violento e il sangue le salì al volto e alla testa, si precipitò a casa senza capire più nulla e salì le scale in preda alla vergogna, sentimento che non le era abituale. Appena si trovò nella stanza, esplose come un vulcano in preda a una folle rabbia, gettando il velo per terra e lasciandosi cadere sul divano. Perché dunque veniva al caffè tutte le sere? Perché la guardava di nascosto? Perché affidava quei baci al vento? Era combattuta tra la disperazione e l'incertezza, tra la vergogna e la rabbia. Pensò poi che non ci fosse alcun legame tra quel che lei pensava e la sua presenza, tutte le sere, al caffè: si era solo illusa e aveva sognato invano. O piuttosto quel giorno l'aveva ignorata per darle una lezione e farla soffrire, prendendosi gioco di lei, come fa il forte con il debole? Doveva afferrare la brocca e scagliargliela contro per spaccargli la testa e saziare così la sua sete di vendetta?

Un'irritazione che non aveva mai provato si impadronì di lei, tanto che si chiese cosa le stesse accadendo, eppure sapeva cosa desiderava: voleva che l'uomo la seguisse e la fermasse per strada, per potergli vomitare addosso la sua ira e le sue minacce, sfidando quella sicurezza, quella boria e quel sorriso trionfante. Era stato proprio quel sorriso la causa di tutto, improvvisamente capì cosa avesse significato per la sua mente e per i suoi istinti, per la sua anima e per il suo corpo. Quella sfida le piaceva, le piaceva la provocazione di quel sorriso, per questo si disperava di aver perso l'occasione tanto attesa per affrontarlo. Dentro di sé bruciava dalla voglia di misurarsi con la forza di quest'uomo virile, energico e presuntuoso.

Così rimase per un po' sul divano, addolorata e furente, poi si voltò verso la finestra e la guardò con rabbia, vi si avvicinò lentamente e sbirciò giù attraverso le imposte, nascondendosi nella penombra della stanza. Lo vide seduto tranquillamente al suo posto, fumare pacificamente il narghilè con quella sua aria furba e sicura, come se vivesse isolato da quanto lo circondava, ma senza quel sorriso provocatore. Eccolo lì beato, mentre lei si tormentava. Lo guardava con odio ma si sentiva sempre più agitata e incerta. Rimase dov'era finché la madre la chiamò per la cena. Trascorse poi una notte penosa e una triste giornata, attendendo il pomeriggio in preda a una continua ansia. Se gli altri giorni non aveva dubitato che sarebbe venuto, quel giorno si sentiva invece penosamente incerta. Guardò la luce del sole che declinava salire lentamente lungo il muro del caffè, mentre le cresceva dentro la paura che non venisse, ma col suo istinto combattivo, scontroso e ostinato allontanò da sé quel timore. L'ora in cui di solito arrivava passò, trascorsero altri minuti e lei capì che quel giorno ormai non sarebbe certamente venuto. Capì anche che l'aveva fatto apposta, mentre un sorriso le saliva alle labbra ed essa tirava un profondo sospiro di sollievo. A dire il vero non c'era un motivo chiaro per rallegrarsi, ma il suo istinto le diceva che se non era venuto intenzionalmente quel giorno, altrettanto intenzionalmente il giorno prima non l'aveva seguita, e non per mancanza di interesse, al contrario, in quel modo voleva prenderla al gioco e costringerla ad aspettarlo, come infatti lei faceva persino in quel momento. Questo la consolò ma ben presto il suo spirito battagliero tornò a farsi sentire.

Quando ne ebbe abbastanza di restarsene in casa, si avvolse nel velo e uscì senza nemmeno truccarsi, come invece aveva fatto il giorno prima. L'aria fresca della strada la rianimò e rammentando l'ansia e la preoccupazione di tutta la giornata, mormorò irritata: "Che pazza! Perché poi mi sono angustiata tanto? Gli venga un accidente!" Affrettò il passo, finché incontrò le sue compagne. Mentre camminavano insieme, esse la informarono che una di loro stava per sposare Zunful, il garzone di un negozio di alimentari, e le dissero:

"Ti sei fidanzata prima di lei, ma lei si sposerà prima di te".

Provocata da quelle parole, Hamida rispose secca: "Il mio fidanzato è impegnato a prepararsi un brillante avvenire".

Suo malgrado era fiera di al-Helwu, ma si ricordò con disappunto di Sayyid Selim Alwan, al diavolo anche lui come tutte le cose inutili, e ne fu tanto contrariata che rimase in silenzio per tutto il resto della strada.

Le sembrava che la vita si accanisse contro di lei e la vita è l'unico nemico che non si può prendere per il collo. Accompagnò le amiche fino in fondo alla Darrasa, si congedò dall'ultima e tornò sui suoi passi. Fu allora che lo vide a poca distanza, era certamente lui e stava fermo sul marciapiede come se l'aspettasse. Sotto l'effetto della sorpresa, lo fissò per alcuni istanti, provando un po' d'imbarazzo, ma subito se ne pentì e continuò a camminare un po' turbata. Non era preparata a quell'incontro e non dubitava che egli l'avesse seguita per tutto il tempo. Così, con la massima tranquillità, lui continuava a prendere l'iniziativa, mentre lei, in preda all'imbarazzo e al turbamento, si sforzava di raccogliere le forze e di recuperare l'aggressività, dispiaciuta e angosciata per non essersi truccata a dovere.

L'aria imbruniva e il luogo era deserto, l'uomo attendeva che lei si avvicinasse, senza più traccia di sfida sul volto privo di quella sua aria trionfante. Quando giunse alla sua altezza disse a bassa voce:

"Chi sa attendere, alla fine ottiene..."

Hamida non capì la fine della frase che si perse in un bisbiglio. Gli rivolse uno sguardo duro e, senza dire una parola, proseguì per la sua strada.

Egli si mise al suo fianco e disse con voce calma e profonda:

"Salve. Ieri quasi impazzivo per non averti potuta seguire. L'ho fatto per la gente, avevo atteso un'occasione simile per giorni ed ecco che si presentava senza che io potessi approfittarne, quasi impazzivo..."

La guardava con aria mite, senza la sfrontatezza e la protervia che l'avevano esasperata e parlava con un tono dolente di scusa. Hamida rimase sconcertata, senza sapere cosa fare. Doveva continuare a ignorarlo, affrettando il passo e lasciare che tutto finisse così? Volendo, avrebbe anche potuto farlo, ma il suo cuore non la incoraggiava in quel senso. In fondo, attendeva quell'incontro fin dal primo giorno e la timidezza non era certo uno dei suoi pregi. Quanto all'uomo, recitava la sua parte abilmente e mentiva con astuzia: non era stata infatti la paura della gente a trattenerlo il giorno prima, bensì l'istinto e l'esperienza a consigliargli che a volte è meglio pazientare che affannarsi e a suggerirgli in quel momento una finta cortesia e mitezza. Riprese amabilmente:

"Aspetta un attimo, io..."

Ella si voltò verso di lui e lo interruppe bruscamente:

"Come osi rivolgermi la parola! Ci conosciamo?"

Egli rispose, fingendosi gentile:

"Come no? Siamo vecchi amici. Ti ho vista più volte io in

questi giorni che i tuoi vicini in tanti anni e ho pensato a te più di quanto abbiano fatto quelli che ti sono vicini da tutta la vita. Come puoi dire che non ti conosco?"

Parlava con dolcezza ma senza esitazione, con voce ferma. Hamida si sentiva sempre più conquistata da quelle parole e desiderosa di tenergli testa, l'unica cosa che sapeva fare quando la vita si accaniva contro di lei.

Non volle quindi venir meno alla sua parte e disse bruscamente, ma senza alzare la voce per non far sentire il suo accento sgradevole:

"Perché mi segui?"

Egli sorrise meravigliato:

"Perché ti seguo? Perché trascuro i miei affari e passo il mio tempo sotto le tue finestre? Perché abbandono tutto il resto per starmene nel Vicolo del Mortaio? Perché ho aspettato tutto questo tempo?"

Essa aggrottò la fronte e disse con disprezzo:

"Non ti ho interrogato per sentirmi rispondere queste sciocchezze. Trovo odioso che tu mi segua e che mi rivolga la parola".

L'uomo cambiò tono facendosi sicuro e arguto:

"Noi seguiamo sempre le belle ragazze. È la regola. Sarebbe veramente peccato che nessuno le seguisse. In altre parole se nessuno vi seguisse, quando ve ne andate a spasso, significherebbe che è vicino il giorno del giudizio".

In quel momento passarono accanto alla curva che deviava per la Awariga, dove abitavano alcune delle sue amiche, ed essa si augurò che qualcuna la vedesse mentre un signore così distinto la corteggiava. Avvicinandosi però alla piazza della moschea, lo respinse:

"Allontanati, in questo quartiere mi conoscono".

Egli la esaminò attentamente e fu certo che, forse senza rendersene conto, la ragazza voleva continuare la conversazione, allora sulle sue labbra ricomparve quel sorriso che avrebbe certamente riportata Hamida a meno miti consigli, se solo l'avesse visto. Riprese:

"Questo non è il tuo quartiere, né questa è la tua gente. Tu sei un'altra cosa. Qui sei come una straniera".

A quelle parole essa riacquistò fiducia e fu colta da una gioia sconosciuta, mentre lui continuava, come sdegnato:

"Come puoi passeggiare avvolta in quel velo e con quelle ragazze? Che hanno in comune con te? Una principessa così poveramente vestita, mentre i sudditi sfoggiano abiti nuovi..."

Essa disse risentita:

"Che c'entri tu? Vattene!"

"Non me ne andrò".

Ancora in collera Hamida gli chiese:

"Che cosa vuoi dunque?"

Con sorprendente audacia lui rispose:

"È te che voglio e nient'altro".

"Ti venga un accidente".

"Dio ti perdoni. Perché ti arrabbi poi? Non sei forse al mondo per essere presa e io per prenderti?"

Oltrepassarono alcune botteghe e lei lo aggredì dicendo:

"Non un passo di più, altrimenti..."

"Altrimenti me le darai" concluse lui sorridendo.

Il cuore di Hamida si mise a batterle forte e i suoi occhi fiammeggiarono:

"L'hai detto".

Ma lui riprese con un sorriso maligno:

"Vedremo. Ora ti lascerò, anche se a malincuore, ma ti aspetterò ogni giorno. Non tornerò al caffè per non destare sospetti nel Vicolo, ma ti aspetterò ogni giorno... Arrivederci alla più bella ragazza del mondo".

Hamida proseguì il cammino, i suoi tratti si erano distesi e sul suo volto si leggevano gioia e compiacimento.

"Tu sei un'altra cosa"... Certo. E che altro aveva detto? "Qui sei come una straniera"... "Non sei forse al mondo per essere presa e io per prenderti?" E poi?... "Me le darai"... Provava una gioia folle e un piacere selvaggio. Attraversò la strada senza più veder nulla e quando si ritrovò nella sua stanza ed ebbe ripreso fiato, pensò con meraviglia che era stata capace di tener testa a un estraneo e di parlargli senza pudore né imbarazzo. Poteva fare ciò che voleva, senza incertezze. Una sconsiderata sicurezza la travolse, tanto che si lasciò sfuggire un'acuta risata. Ricordandosi però che si era ripromessa di prenderlo per il collo, si fece seria per un istante, ma si giustificò dicendosi che lui non le si era presentato con aria spavalda di sfida e le aveva anzi parlato dolcemente ed educatamente. Forse non si trattava di un atteggiamento naturale e il suo cuore le diceva che in realtà era una tigre in attesa solo di una buona occasione per assalirla. Bastava dunque che aspettasse per vedergli manifestare il suo vero carattere e allora... e di nuovo fu presa da una folle gioia e da un piacere selvaggio.

21

Il dottor Bushi stava uscendo di casa quando arrivò il domestico della signora Saniyya Afifi per pregarlo di recarsi dalla sua
padrona. Il volto dell'uomo si offuscò ed egli si chiese infastidito:
"Cosa vorrà quella donna? Aumentarmi l'affitto?" Ma subito
si rassicurò, la signora Saniyya non poteva infatti contravvenire
alle disposizioni militari che bloccavano gli affitti durante la
guerra. Uscì di casa e salì le scale imbronciato. Il dottor Bushi,
come tutti gli inquilini, detestava la signora Saniyya Afifi e non
perdeva un'occasione per parlare della sua avarizia. Un giorno
l'aveva persino calunniata spargendo la voce che intendesse costruire una baracca sulla terrazza e andare ad abitarci, per poter
così affittare il proprio appartamento. In più la odiava per non
esser mai riuscito, neppure una volta, ad evitare di pagarle l'affitto, poiché ella chiedeva aiuto a Sayyid Ridwan al-Husseini e
quello non si tirava mai indietro. Bussò alla porta facendo gli
scongiuri. Gli aprì la signora in persona, avvolta nel velo, e lo invitò ad accomodarsi in salotto. L'uomo entrò e sedette e quando
ebbero preso il caffè la signora disse:
"Dottore, vi ho chiamato perché esaminiate i miei denti..."
L'uomo si mostrò interessato e compiaciuto per quella richiesta
inattesa, per la prima volta nella sua vita provò simpatia per la signora e le domandò:
"Spero che non vi facciano male".
Quella rispose:
"Oh no, grazie a Dio, ma alcuni li ho persi e altri sono mal-
fermi".

Il dottore si fece ancor più interessato, ricordandosi che nel Vicolo si mormorava che la signora stesse per risposarsi, le disse, lieto dell'occasione:

"La cosa migliore è fare una dentiera".

"Ci ho pensato, ma non ci vorrà un sacco di tempo?"

L'uomo si alzò, le si avvicinò e le disse:

"Aprite la bocca".

La donna spalancò la bocca ed egli la esaminò attentamente. Rimase stupito e un po' deluso di vederci così pochi denti, ma badò bene a non minimizzare l'importanza del proprio lavoro e disse pacato:

"Avremo bisogno di qualche giorno per estrarre questi denti, poi sarà necessario attendere sei mesi prima di applicare la dentiera per lasciare che la gengiva riposi e si rassodi".

Lei alzò le sopracciglia tinte, contrariata, pensava di poter essere pronta per il marito in due o tre mesi al massimo, così disse impaziente:

"No... voglio un lavoro veloce che richieda tutt'al più un mese".

L'uomo rispose:

"Un mese, signora? È impossibile".

La donna scontenta concluse:

"Allora, arrivederci".

Il dottor Bushi parve riflettere e disse:

"Ci sarebbe un altro sistema, se volete..."

Ella comprese che l'uomo agiva con l'astuzia e la malizia di un mercante e ne fu irritata, ma si controllò perché aveva bisogno di lui e gli chiese:

"Quale sarebbe?"

"Potrei montarvi una dentiera d'oro. Si potrebbe fare subito dopo aver estratto i denti".

Essa ebbe una stretta al cuore, pensando al costo di una dentiera d'oro. Stava per rifiutare la proposta, ma le tornò alla mente il pensiero del marito.

Come poteva accoglierlo con quella bocca devastata? Dove avrebbe trovato il coraggio di sorridergli? Tutti sapevano che i prezzi del dottor Bushi erano modici e che egli si procurava le dentiere qua e là abilmente, per rivenderle a basso prezzo. Erano tanto convenienti che nessuno si curava della loro provenienza. Tutto questo era vero, ma una dentiera d'oro non era una cosa da poco, per questo la donna, che era un'avara incallita, si lasciò prendere dalla paura e gli chiese, con finta noncuranza:

"E quanto mi costerebbe?"

Il dottore, che non si era lasciato ingannare da quell'indifferenza simulata, rispose:

"Dieci lire".

La donna, che ignorava i prezzi reali delle dentiere d'oro, rimase contrariata e gli fece eco con aria di diniego:

"Dieci lire!"

Mostrandosi irritato, l'uomo riprese:

"I medici che fanno il loro mestiere per guadagno non le fanno pagare meno di cinquanta, ma noi purtroppo siamo dei poveri sfortunati".

Discussero animatamente il prezzo proposto, finché si accordarono su otto lire e il dottore lasciò l'appartamento maledicendo tra sé quella stupida donna. In quei giorni la signora Saniyya Afifi guardava le cose con occhi diversi e la vita la ripagava con la stessa benevolenza: la speranza tanto attesa era ormai a un passo, l'ombra della solitudine stava per dileguarsi e il gelo del suo cuore era sul punto di sciogliersi. Ma la felicità ha un prezzo, se ne era resa ben conto nei negozi di mobili della via di al-Azhar e in quelli di abiti del Muski, e lei si era messa a spendere senza economia quello che aveva ammucchiato in tutto quel tempo. Umm Hamida la seguiva passo passo e con la propria sagacia faceva di tutto per rendersi indispensabile, così la signora, anche se le costava cara, non se ne separava, pensando di aver ancora bisogno di lei. Abiti e mobili però non erano tutto, la casa della sposa doveva essere rimessa a nuovo, e la sposa stessa aveva bisogno di cure e di restauri. Un giorno essa disse a Umm Hamida, ridendo non poco imbarazzata:

"Signora, non vedete come le preoccupazioni mi hanno imbiancato le tempie?"

Quella, sapendo bene che le preoccupazioni non c'entravano affatto, rispose:

"Daremo una mano di vernice a quelle preoccupazioni. C'è forse oggi una sola donna che non si tinga i capelli?"

L'altra rise allegramente:

"Che Dio vi benedica, siete una donna eccezionale. Che farei della mia vita se non ci foste voi?"

Poi, dopo un'esitazione, mettendosi una mano sul petto:

"Mio Dio, questo corpo rinsecchito potrà piacere a quel giovane? Niente curve davanti né di dietro, niente di tutto quello che attira gli uomini".

Umm Hamida rispose:

"Non vi disprezzate, non sapete che essere magri è di moda? E che moda! Comunque, se volete, vi preparerò delle pillole meravigliose che vi faranno ingrassare in poco tempo". Scrollò il capo e continuò:

"Finché Umm Hamida è con voi non dovete avere alcun timore. Umm Hamida è la chiave magica che apre tutte le porte e se domani andremo insieme al bagno pubblico, vedrete di cosa sono capace".

Così passavano i giorni in preparativi, in occupazioni piene di gioia e di speranza. La signora si faceva tingere i capelli, preparare rimedi, togliere i denti guasti e sostituirli con denti d'oro. Spendeva allegramente, vincendo la propria avarizia e sacrificando l'idolo giallo per uno splendido avvenire. E sempre in vista del domani faceva visita alla moschea di al-Hussein, offriva denaro e zuppa di pane ai poveri che stavano lì attorno, e aveva fatto voto a Shaarani di quaranta candele.

Umm Hamida era esterrefatta per il cambiamento radicale notato nella signora Afifi e si diceva:

"Gli uomini meritano che ci si dia tanta pena per loro? Sia lodata la tua saggezza Signore, sei tu che hai stabilito che le donne adorassero gli uomini".

22

Il buòn Kamil si svegliò dal suo cronico assopimento al suono di un campanello, aprì gli occhi, tese un poco l'orecchio e poi allungò il collo finché la sua testa spuntò fuori dal negozio. All'imbocco del Vicolo vide una vettura che conosceva bene, si alzò faticosamente dicendo lieto e meravigliato: "Signore, davvero è tornato Sayyid Selim Alwan?" Il conducente aveva lasciato il suo posto e si era precipitato alla porta della carrozza per aiutare il padrone a scendere. Quello si era appoggiato al suo braccio e si era alzato lentamente: era apparso dapprima il suo tarbush col fiocco penzolante, poi il suo corpo incurvato ed eccolo infine in piedi sulla strada, che si aggiustava il vestito. La malattia l'aveva colpito nel cuore dell'inverno ed egli si era ristabilito all'inizio della primavera, quando il freddo pungente era stato spazzato via da una dolce ondata di tepore che rallegrava il mondo. Ma di quale guarigione si poteva parlare? Il Sayyid non era più lo stesso: il pancione che sporgeva da sotto i vestiti era scomparso, il volto pieno e sanguigno si era fatto pallido e magro, con gli zigomi sporgenti e le guance scavate, gli occhi avevano perduto la loro luminosità e lo sguardo era ansioso, smarrito, smorto, sotto una fronte corrucciata. Sulle prime il buon Kamil, che aveva la vista debole, non notò tutti quei cambiamenti, ma avvicinandosi si accorse del suo deperimento e ne fu turbato. Si chinò come per nascondere il proprio imbarazzo e disse alzando la sua voce acuta:

"Dio sia lodato per la vostra guarigione, Sayyid. Questo sì è un bel giorno. Per Dio e per al-Hussein, senza di voi il Vicolo non vale una buccia di cipolla".

Sayyid Selim gli rispose:

"Che Dio vi benedica, Kamil" e si avviò lentamente, appoggiandosi al suo bastone, seguito dal cocchiere e da Kamil stesso che barcollava come un elefante. Il campanello aveva annunciato il suo arrivo e subito gli impiegati si erano affollati all'entrata del bazar. Anche padron Kirsha e il dottor Bushi erano arrivati dal caffè e tutti gli si strinsero attorno felicitandosi e facendogli gli auguri, ma il cocchiere alzò la voce dicendo:

"Fate passare per favore, lasciate che si sieda e poi lo saluterete".

Lo folla gli fece largo ed egli proseguì il suo cammino, imbronciato e furente. Non avrebbe voluto vedere nessuna di quelle facce, ma non appena si fu seduto dietro la scrivania, i dipendenti del bazar gli si precipitarono addosso ed egli lasciò che gli baciassero la mano uno dopo l'altro, infastidito dal contatto delle loro labbra e pensando tra sé: "Banda di bugiardi e di ipocriti! Siete stati voi la causa di tutto".

Gli impiegati tornarono alle loro occupazioni e arrivò padron Kirsha che gli strinse la mano e gli disse:

"Benvenuto al signore di tutto il quartiere. Che Dio sia mille volte lodato per la vostra guarigione".

Il Sayyid ringraziò, e quando il dottor Bushi, baciandogli la mano, disse con enfasi:

"Oggi possiamo bene essere contenti e tranquilli poiché le nostre preghiere sono state esaudite", ringraziò anche lui, dissimulando il proprio disgusto, odiava infatti la sua piccola faccia rotonda. Rimasto solo, sospirò affaticato e disse con voce quasi impercettibile:

"Cani... Tutti cani... Sono stati i loro occhi invidiosi a mordermi!" e si mise a inseguire i loro fantasmi con l'immaginazione, per liberarsi dall'angoscia che lo agitava, ma non restò molto coi suoi pensieri poiché gli si presentò Kamil Effendi Ibrahim, il suo sostituto, e lui, appena lo vide, si scordò immediatamente di tutto ciò che non riguardava i conti e le verifiche.

Gli disse secco:

"I registri..."

Il sostituto fece per muoversi ma il Sayyid lo bloccò come ricordandosi all'improvviso di una questione importante e gli disse in tono imperativo:

"Avverti tutti che d'ora in poi non voglio sentire odore di fumo – il medico gli aveva proibito di fumare – e avvisa Ismail che quando gli chiedo dell'acqua mi prepari un bicchiere con metà acqua normale e metà tiepida. Nel bazar è assolutamente vietato fumare. E ora i registri, presto". L'altro andò a impartire i nuovi ordini, seccato, poiché era un accanito fumatore e poco dopo tornò coi registri. Non gli era sfuggito il mutamento che la malattia aveva provocato nel carattere del padrone e ne era preoccupato; convinto che lo attendesse una verifica impegnativa, Kamil Effendi si sedette di fianco al Sayyid e aprì il registro, mettendoglielo sotto gli occhi.

Il Sayyid era abile nel suo lavoro e non gli sfuggiva alcun particolare per quanto piccolo: controllò i registri uno dopo l'altro con attenzione, senza manifestare stanchezza o noia. Durante quell'operazione chiamò alcuni impiegati per verificare gli orari di lavoro, confrontando quanto essi dicevano con il contenuto dei registri e Kamil Effendi sopportava tutto pazientemente, imbronciato ma senza che gli venisse neppure in mente di protestare. Non era la revisione l'unica cosa a tormentare i suoi pensieri, rimuginava in silenzio quel divieto di fumare che era saltato fuori improvvisamente e che gli avrebbe fatto rinunciare anche alle raffinate sigarette Cotarelli che il padrone aveva l'abitudine di offrirgli. Lanciava delle strane occhiate a quell'uomo curvo sui registri, dicendosi preoccupato e irritato:

"Mio Dio com'è cambiato, è diventato un estraneo, uno sconosciuto".

E trovò strani quei baffi ancora spessi e folti che, su un volto distrutto dalla grave malattia, erano come una grande palma in un brullo deserto. Rabbioso, pensò: "Chi può dirlo? Forse si è meritato quel che gli è accaduto; Dio non è ingiusto con nessuno".

In circa tre ore il Sayyid terminò la revisione dei conti e gli restituì i registri guardandolo con aria strana, l'aria di chi non avendo trovato quanto cercava, continua ad avere dei dubbi. E disse tra sé: "Controllerò i registri ancora una volta, anzi, molte volte finché non troverò quello che nascondono. Sono tutti dei cani o piuttosto sono immondi come cani ma non altrettanto fedeli!" Poi avvertì il sostituto:

"Non dimenticare ciò che ho detto, Kamil Effendi, circa l'odore del fumo e l'acqua tiepida".

In seguito vennero da lui alcuni clienti stranieri a salutarlo e a parlare di affari e quando qualcuno gli proponeva di rimandare tutto all'indomani per non stancarsi, egli rispondeva irritato:

"Se non fossi in grado di lavorare non sarei venuto".

Appena restò solo, fu ripreso da pensieri di vendetta e, come avveniva spesso in quegli ultimi giorni, riversò la sua ira su tutti. Da tempo andava ripetendosi che tutti gli invidiavano la salute, il bazar, la carrozza e il piatto di farik e li malediceva con tutto il cuore. Questa idea lo aveva accompagnato durante la malattia e neppure la moglie si era salvata da quei sospetti. Un giorno, mentre essa sedeva al suo capezzale, il Sayyid l'aveva guardata di traverso e le aveva detto con voce tremante e collerica:

"Anche tu hai la tua parte in tutto questo, da tempo mi asfissiavi dicendomi che era finito il tempo del farik, come se fossi stata gelosa della mia salute... Ecco, ora è finita, dovresti essere contenta..."

La donna restò turbata da quelle parole e pianse a lungo, ma egli non si impietosì e insistette nella sua durezza continuando a ripetere con odio:

"Mi hanno invidiato... mi hanno invidiato, persino mia moglie, la madre dei miei figli, mi ha invidiato!"

Da quando aveva visto la morte in faccia aveva perso ogni controllo. Non avrebbe mai dimenticato quel momento spaventoso e terribile, in cui era stato colto dalla crisi. Si stava preparando per il sonnellino quando aveva avvertito un dolore che gli spaccava il petto, aveva provato un bisogno imperioso di respirare a fondo ma non poteva farlo perché il dolore glielo impediva, finché si era lasciato andare alla disperazione e alla sofferenza. Quando era giunto il medico, aveva tranguggiato le medicine, ma poi era rimasto per giorni tra la vita e la morte. Se alzava le palpebre affaticate e pesanti vedeva confusamente la moglie, le figlie e i figli con gli occhi arrossati dal pianto.

Era caduto in quel particolare stato in cui l'uomo, perduto il controllo del corpo e della mente, vede il mondo come una nuvola oscura di ricordi confusi e spezzati, quasi incoerenti. Nei momenti in cui recuperava un po' di lucidità, chiedeva, sudando freddo:

"Sto per morire?" Stava davvero per morire con attorno tutta la sua famiglia? In genere la morte ci strappa ai nostri cari, ma che vantaggio si ha se coloro che ci amano ci si stringono attorno? In quei momenti desiderò pregare e recitare la Shahada,[1] ma era troppo debole per farlo, così la preghiera si elevò silenziosa dentro di lui, mentre lo sforzo gli inumidiva la bocca inaridita.

La sua fede, per quanto solida, non gli fece scordare l'orrore di quell'ora suprema e il suo corpo non riusciva a lottare. In

---

[1] *Shahada*, professione di fede islamica.

quanto all'anima, si aggrappava alla vita angosciata e atterrita, mentre i suoi occhi versavano copiose lacrime e i suoi sguardi imploravano soccorso. Ma non era ancora giunta la sua ora ed egli superò la crisi e raggiunse la terraferma della convalescenza. Tornò a poco a poco alla vita e si illuse di recuperare la salute, l'energia e il ritmo di prima, ma gli avvertimenti e le raccomandazioni del dottore mandarono in fumo le sue speranze. La vitalità che gli restava era scarsa.

Certo, era scampato alla morte, ma era diventato un altro: fiacco e depresso. La malattia dell'anima col passare dei giorni si aggravò: era tutto un recriminare, odiare e crucciarsi. Era rimasto sbalordito di quello che gli era accaduto e si chiedeva perché Dio lo avesse punito a quel modo. Era un esemplare di quelle coscienze sempre soddisfatte di sé, che attribuiscono tutte le colpe agli altri e considerano ineccepibile il proprio comportamento, rifiutando di vedere i propri errori. Amava profondamente la vita e godeva le sue ricchezze. Lui e la sua famiglia rispettavano – così almeno credeva – la legge divina, per cui aveva sempre avuto una grande fiducia nell'esistenza, fino a quando quel duro colpo gli aveva fatto perdere la salute e rischiato di fargli perdere la ragione.

Che colpe aveva? Non aveva fatto nulla di male. Erano stati gli altri, i suoi rivali, con la loro invidia a rovinarlo per sempre. Così nella sua mente non ci fu più posto che per l'amarezza, e sulla sua fronte apparve una ruga profonda. In effetti ciò che aveva perduto sul piano della salute fisica era ben poco in confronto a quanto era capitato ai suoi nervi.

Adesso, seduto alla sua scrivania nel bazar, si chiedeva se nella vita non gli restasse altro che starsene rannicchiato lì, a controllare i registri. Il volto della vita gli sembrava più scuro ancora del suo; se ne stava immobile come una statua, indifferente al tempo che passava, immerso nei propri pensieri, finché avvertì un movimento all'entrata del bazar, si girò e vide Umm Hamida venirgli incontro col suo viso butterato e una strana espressione negli occhi. La salutò e ascoltò distrattamente i suoi rallegramenti, tutto preso dai ricordi passati. Non era straordinario che egli avesse dimenticato Hamida come se non fosse mai esistita? Più volte durante la convalescenza aveva pensato a lei, ma quel ricordo si era dileguato senza lasciare traccia e aveva finito per dimenticarla come se non fosse mai esistita, come se fosse stata soltanto una goccia di quel sangue sano che un tempo gli scorreva nelle vene e che ora era svanito. Così svanì negli occhi della donna quella strana espressione ed egli, fissando il vuoto, la ringraziò di essere venuta a rallegrarsi con lui e la invitò a sedersi. La sua presenza però lo infastidiva, anzi lo disturbava. Si domandava quale fosse il vero motivo della sua visita: intendeva solamente felicitarsi o piuttosto rassicurarsi che volesse ancora sposare sua figlia? La donna non aveva in realtà secondi fini e non contava più su di lui ormai da tempo, ciò nonostante egli disse come per scusarsi:

"Avevamo voluto una cosa, ma Dio ha deciso altrimenti..."

Essa capì cosa intendeva dire e si affrettò a rispondere:

"Non avete nessuna colpa, noi non facciamo che pregare per la vostra salute".

Poi si profuse in saluti e uscì dal bazar, lasciandolo triste e nervoso. In quel momento un sacco di hennè scivolò dalle mani di un impiegato e il Sayyid si incollerì ancora di più e si mise a gridare:

"Tra poco il bazar chiuderà e dovrete cercarvi qualcun altro che vi dia di che vivere".

Allora si ricordò che i figli gli avevano consigliato ultimamente di liquidare i suoi affari e di mettersi a riposo. La sua collera e la sua indignazione raddoppiarono, pensando che era il denaro e non il suo riposo a interessarli.

Non gli avevano già dato un consiglio simile in precedenza, quand'era ancora in forze? Il denaro volevano, altro che salute e riposo! Accecato dall'ira, dimenticava che un tempo anch'egli aveva riposto tutte le speranze nel lavoro, che l'unico piacere della sua vita era stato ammucchiare una ricchezza della quale ora non avrebbe più potuto godere e che aveva sempre pensato male di tutti, figli e moglie compresi. Era ancora tutto agitato quando sentì una voce forte e profonda che diceva con dolcezza:

"Dio sia davvero lodato per la tua guarigione. La pace sia con te, fratello!"

Si voltò e vide avvicinarsi la figura massiccia e il viso raggiante di Sayyid Ridwan al-Husseini.

Per la prima volta, i suoi lineamenti si rasserenarono ed egli fece per alzarsi, ma l'altro lo prevenne, mettendogli una mano sulla spalla e dicendo:

"Resta comodo, ti prego".

I due si strinsero la mano. Sayyid Ridwan, che gli aveva fatto visita più volte durante la sua malattia, si sedette al suo fianco e i due si misero a parlare amichevolmente.

Profondamente emozionato, Sayyid Alwan disse:

"Sono salvo per miracolo".

E l'altro con la sua voce profonda e quieta:

"Sia lodato Dio, Signore dell'universo. È un miracolo che ti sia salvato ed è un miracolo che tu sia ancora in vita. Come sapete, noi tutti viviamo in virtù di un miracolo. Ogni istante della vita di un uomo è un miracolo del potere divino, l'esistenza di ognuno è una continua serie di prodigi celesti, e che dire della vita di tutti gli uomini, degli animali, di tutte le creature terrene? Ringraziamolo dunque continuamente, anche se la nostra gratitudine sarà sempre poca cosa in confronto alle grazie del Signore".

L'altro lo ascoltava immobile e infine mormorò in tono afflitto:

"La malattia è una brutta bestia".

Sayyid Ridwan sorrise e disse:

"Forse lo è di per sé, ma d'altro canto è una prova divina e da questo punto di vista è un bene".

Non condividendo quella filosofia, l'uomo ebbe un moto di stizza verso l'amico. Il benefico effetto di quella visita era svanito, ma, contrariamente al solito, lui seppe controllarsi e disse in tono lamentoso:

"Cosa ho fatto per meritarmi questo castigo? Non vedi che ho perso per sempre la salute?"

Accarezzandosi la bella barba e con un certo tono di rimprovero, l'altro rispose:

"Il nostro giudizio è ben poca cosa in confronto a tanta meravigliosa saggezza. Certamente sei un brav'uomo, pio, generoso, osservante, ma Dio mise alla prova anche il suo servo Giobbe che era un profeta. Non disperare dunque e non rattristarti, la tua fede ti faccia sperare per il meglio".

Ma l'uomo si irritò ancora di più e disse con stizza:

"E cosa mi dici di padron Kirsha, che continua ad essere sano come un pesce?"

"Tu, pur malato, sei migliore di lui in buona salute".

L'altro, vinto dall'ira, gli lanciò uno sguardo di fuoco e disse:

"È perché sei felice e beato che predichi pietà e devozione, ma non hai provato e perduto quel che ho provato e perduto io".

Sayyid Ridwan ascoltò a capo chino tutto il discorso, poi alzò la testa con un dolce sorriso sulle labbra, ma con uno sguardo intenso e deciso. Sayyid Alwan sentì svanire collera e irritazione: improvvisamente si era reso conto di star parlando ad un uomo che aveva sopportato le più dure prove mandate da Dio. Abbassò gli occhi e il suo volto pallido arrossì un poco, poi disse a bassa voce:

"Perdonami fratello, sono un po' esaurito".

L'altro, continuando a sorridere, gli disse:

"Non te ne voglio per questo, che Dio ti fortifichi e ti dia la pace. Invocalo incessantemente e non lasciare mai che la tua pena abbia la meglio sulla fede, poiché la vera felicità si allontana quanto più ci allontaniamo dalla fede".

Prendendosi il mento fra le mani, Sayyid Alwan ribatté incollerito:

"Sono stato invidiato, erano gelosi del mio denaro e del mio successo. Sono stato invidiato Sayyid Ridwan!"

"L'invidia è peggio della malattia. È un sentimento tristo; sono molti quelli che invidiano i loro simili per beni passeggeri, ma tu non disperare e non ti rattristare, prega il Signore Iddio che è clemente e misericordioso".

Parlarono a lungo, poi Sayyid Ridwan prese congedo e se ne andò, lasciando l'altro più calmo. A poco a poco però il cattivo umore tornò e lui, stanco di starsene seduto, si alzò e si diresse lentamente verso la porta del bazar, fermandosi sulla soglia con le mani dietro la schiena. Il sole era allo zenit e l'aria tiepida e luminosa. Nel Vicolo a quell'ora non c'era nessuno, eccetto lo Shaykh Darwish che se ne stava seduto al sole davanti al caffè. Restò così a lungo, poi, com'era solito fare, si voltò verso la finestra che era aperta e vuota. Infine, stanco di stare in piedi tornò a sedersi al suo posto, accigliato e triste.

23

"Non tořnerò al caffè per non destare sospetti...", così le aveva detto quando si erano lasciati. Hamida se l'era ricordato il mattino del giorno seguente, pensando a lui, trasognata e felice. Si chiedeva se andare o no all'appuntamento e mentre il suo cuore assentiva senza esitazione, essa decise: "No... deve prima tornare al caffè" e preferì non uscire per la solita passeggiata, trincerandosi dietro alla finestra, in attesa di quel che sarebbe successo. Passato il crepuscolo, venne la notte e allora l'uomo comparve in fondo al Vicolo, puntando gli occhi verso le imposte socchiuse della finestra; sorrideva senza spavalderia e andò a sedersi al solito posto. Hamida si rallegrò per quella vittoria che la vendicava di quanto aveva patito mentre lo cercava per il Muski. I loro occhi si incontrarono senza che lei abbassasse i suoi né si muovesse dal suo posto. Il sorriso di lui si accentuò finché anch'essa sorrise senza accorgersene. Cosa voleva dunque? Questa domanda le sembrò strana, quell'insistenza nel cercarla non poteva avere che uno scopo, la stessa cosa che voleva Abbas al-Helwu e che Sayyid Selim Alwan aveva desiderato prima che il destino mandasse in frantumi il suo sogno. Perché dunque non poteva essere lo scopo anche di quel signore tanto distinto? Non le aveva detto: "Sei al mondo per essere presa e io per prenderti..."? Cosa poteva significare se non il matrimonio? Inseguiva i suoi sogni sicura della propria forza, piena di fiducia in se stessa, ostinata nelle proprie illusioni. Continuò a guardarlo da dietro le imposte socchiuse, sostenendo i suoi sguardi furtivi, tranquilla, sicura e senza esitazione. Quegli occhi parlavano un linguaggio profondo, di cui non erano capaci né la lingua né i sensi, un linguaggio che le riecheggiava nell'anima e stuzzicava il suo istinto. Forse, senza saperlo, aveva provato questa emozione profonda e sincera il giorno in cui aveva incontrato per la prima volta quegli occhi che l'avevano guardata con aria travolgente di sfida, e aveva visto quel sorriso trionfante e magnetico.

Si riconosceva in quello sguardo e non si sentiva più perduta nel labirinto della vita, non più smarrita come di fronte al dolce Abbas o davanti all'immensa fortuna di Sayyid Alwan.

Sentiva quanto quell'uomo la desiderasse ed era consapevole che l'eccitazione, la meraviglia e l'emozione che suscitava in lei, l'attiravano come una calamita. Era un uomo diverso dalla massa asservita dalla povertà e dal bisogno, lo dimostravano il suo aspetto e quei biglietti di banca. Lui la fissava con occhi ardenti d'amore ed ella rimase al suo posto finché, dopo averla salutata con un leggero sorriso, l'uomo se ne andò seguito dagli occhi di lei che gli davano tacitamente appuntamento per il giorno dopo.

Il pomeriggio seguente uscì di casa con il cuore colmo di desiderio, di sfida e di voglia di vivere. Appena ebbe percorso la Sanadiqiyya, lo vide da lontano, fermo all'incrocio tra la Ghuriyya e Sikka al-Gadida. I suoi occhi ebbero un rapido bagliore e in lei si diffuse un sentimento oscuro e strano, un misto di gioia e di desiderio selvaggio di lotta. Pensava che lui l'avrebbe seguita finché la Darrasa non fosse rimasta deserta. Camminava lentamente senza timore o vergogna, gli si avvicinò come se non lo vedesse, ma mentre gli passava accanto, accadde qualcosa che non aveva previsto: l'uomo si mise a camminarle al fianco, tese la mano e con audacia indescrivibile prese la sua, dicendole tranquillamente, fingendo di ignorare la gente che li circondava:

"Buonasera mia cara..."

Essa fu presa alla sprovvista, tentò di liberare la mano senza riuscirci e temette, provando ancora, di attirare l'attenzione dei passanti. Era imbarazzata e furente: doveva scegliere se provocare uno scandalo irreparabile oppure cedere, pur detestando quell'imposizione.

Infuriata, mormorò a voce bassa, tremando di rabbia:

"Come osi? Lasciami subito la mano!"

Egli rispose tranquillamente, camminando al suo fianco come se fossero due amici che passeggiavano insieme:

"Calma... calma... non si fa così tra amici".

Ma lei continuava, furiosa:

"La gente... la strada..."

Lui cercò di rabbonirla con un sorriso dicendo:

"Non badare a questa gente, pensa solo al denaro e vede solo i conti che ha in testa. Perché non andiamo da un gioielliere dove io possa scegliere un gioiello degno della tua bellezza?"

Hamida, esasperata da tanta disinvoltura, disse in tono minaccioso:

"Continui a far finta di nulla?"

Lui, sempre calmo e sorridente, rispose:

"Non voglio farti arrabbiare, ti ho aspettata per passeggiare con te. Perché sei seccata?"

"Detesto questo modo di assalire la gente, bada di non farmi uscire dai gangheri..."

"Prometti che cammineremo insieme?"

Hamida gridò:

"Non prometto nulla... e lasciami la mano".

L'uomo la lasciò ma non si allontanò da lei e le disse, blandendola:

"Che testarda sei, ecco la tua mano, ma non ci separeremo, vero?"

Lei sospirò irritata e lo guardò di traverso:

"Brutto presuntuoso".

Egli accolse l'insulto sorridendo in silenzio, mentre continuavano a camminare fianco a fianco senza che lei si scostasse. Hamida si rammentò quanto l'avesse atteso il giorno prima, proprio in quella strada, per recitare una scena simile, ma non voleva pensarci, le bastava averlo costretto a lasciarle la mano. Però se ora avesse tentato di riprenderla forse non glielo avrebbe impedito. Non era uscita con la speranza di incontrarlo? Ma le dispiaceva vederlo più sicuro e audace di lei, così camminava al suo fianco incurante della folla, immaginandosi la sorpresa e l'invidia delle ragazze del laboratorio se l'avessero vista. Presto il suo cuore fu pieno di un sentimento appassionato e di un prepotente desiderio di vita e di avventura.

L'uomo riprese:

"Mi scuso di essere stato maleducato, ma che potevo fare di fronte alla tua ostinazione? Hai deciso di farmi soffrire, mentre io merito solo la tua simpatia per i miei sentimenti sinceri e per tutta la pena che mi do".

Che dirgli? Desiderava parlare con lui, ma non sapeva come, dopo tutte le ingiurie che gli aveva lanciato. Il filo dei suoi pensieri si interruppe quando vide avvicinarsi le sue amiche e disse con finto spavento:

"Le mie amiche!"

L'uomo guardò davanti, vide le ragazze che lo scrutavano con sguardi indagatori, mentre lei continuava con aria di rimprovero, dissimulando il suo compiacimento:

"Mi hai disonorata!"

Egli rispose con fare sprezzante, ma soddisfatto che lei rimanesse al suo fianco e continuasse a rivolgergli la parola:

"Non hai nulla da temere... Ignorale".

Le ragazze si avvicinarono e scambiarono con Hamida sguardi allusivi e lei si rammentò di certe avventure che le avevano raccontato, poi le passarono accanto ridendo e parlottando. L'uomo riprese malizioso e scaltro:

"E quelle sarebbero le tue amiche? No, non hai niente a che fare con loro, piuttosto mi meraviglio che esse siano così libere mentre tu resti rinchiusa in casa, e che indossino bei vestiti mentre tu te ne stai avvolta in questo velo nero. Com'è potuto succedere, bella mia? Il destino? Ti rassegni troppo facilmente!"

Lei arrossì e le sembrò di sentir parlare il suo cuore. I suoi occhi brillarono di eccitazione e di sentimento.

Sicuro del fatto suo, l'uomo continuava:

"La tua bellezza è degna di una diva..."

Lei colse l'occasione per parlare, si voltò verso di lui sorridendo con quella sua audacia naturale e chiese:

"Una diva?"

"Beh, sì. Non vai al cinema? È così che chiamano le belle attrici".

Hamida, che andava raramente con sua madre al cinema Olimpia a vedere film egiziani, capì ciò che intendeva e gongolò di gioia, arrossendo leggermente. Fecero qualche passo in silenzio poi lui le chiese amabilmente:

"Come ti chiami?"

E lei, senza esitazione:

"Hamida".

Allora lui disse sorridendo:

"E quello che hai stregato si chiama Farag Ibrahim. Nelle situazioni come la nostra, il nome è l'ultima cosa che conta, i due vengono a saperlo quando sono ormai certi di essere una cosa solo, non è forse così, bella?"

Oh, se avesse saputo parlare come sapeva insultare ed attaccar briga! Lui sì che parlava bene e lei non sapeva tenergli testa. Questo la seccava, rifiutava il ruolo passivo di cui di solito si accontentano le ragazze. Con il suo carattere desiderava ben altro che aspettare, tacere e starsene al suo posto ma, non riuscendo a esprimere tali sentimenti, fu presa dall'angoscia e si limitò a guardarlo intensamente. Il suo disagio aumentò al termine della strada, quando giunsero in vista di piazza Regina Farida, quasi senza accorgersene.

Non poté quindi far altro che dire, celando il suo rammarico: "E ora torniamo".

"Indietro?"

"Siamo alla fine della strada".

"Ma il mondo non finisce dove finisce il Muski! Perché non facciamo il giro della piazza?"

"Se ritardo, mia madre potrebbe stare in pensiero".

"Se vuoi, prenderemo un tassì che ci farà risparmiar tempo".

Un tassì? Quella parola ebbe un suono meraviglioso ai suoi orecchi. In vita sua, era salita solo su una carrozza e le ci vollero alcuni secondi per riprendersi dalla sorpresa. Certo, prendere un tassì con un estraneo era una faccenda su cui riflettere bene, ma per lei era solo un motivo in più per accettare e non per tirarsi indietro. Sentì l'impulso di lanciarsi in quell'avventura, come per liberarsi del sentimento segreto di angoscia che poco prima non era stata capace di esprimere.

Una temerarietà e un ardire sconosciuti si erano impadroniti di lei, non sapeva cosa fosse più importante in quel momento: l'uomo che aveva destato quei sentimenti o l'avventura stessa, forse entrambi. Si girò verso di lui e vide che la guardava seducente con un'ombra di quel sorriso che da tempo la turbava. I suoi sentimenti mutarono ed ella disse:

"Non voglio far tardi..."

"Hai paura?"

"Non ho paura di nulla".

Il viso di lui si illuminò e, con l'aria di chi la sa lunga disse allegramente:

"Chiamerò un tassì..."

Lei cedette e fissò lo sguardo sul tassì che si avvicinava e si fermava davanti a loro. L'uomo le aprì la portiera ed ella si curvò un poco mentre il suo cuore batteva, afferrò un lembo del suo velo e salì. L'uomo la seguì dicendo fra sé, soddisfatto:

"Due o tre giorni di fatica risparmiati".

Poi, rivolto al conducente:

"Via Sharif Pascià".

Sharif Pascià? Non si trattava del Vicolo, né della Sanadiqiyya, della Ghuriyya e neppure del Muski, Sharif Pascià! Ma perché proprio quella via? Gli chiese:

165

"Dove vuoi andare?"

Mentre le loro spalle si sfioravano, lui rispose:

"Faremo un giretto e poi torneremo".

Il tassì si mise in moto e Hamida per un istante dimenticò tutto, persino quell'uomo che le stava quasi incollato addosso, mentre i suoi occhi erano rapiti dalle luci che si susseguivano e un nuovo mondo brillante e sorridente le appariva al di là del finestrino. Il movimento del tassì si trasmetteva al suo corpo e al suo spirito e una piacevole ebbrezza la invadeva: le sembrava di volare, di toccare il cielo con un dito. Ed era come se quella sua gioia si modulasse in armonia col movimento della macchina e il cambiamento del paesaggio e delle luci. I suoi occhi brillavano e la sua bocca si apriva per la meraviglia. Il tassì circolava agilmente, aprendosi un varco in un oceano di vetture, di tram e di persone, e l'immaginazione di Hamida correva con lui. Era stregata, ubriaca, tutto le ballava intorno. Poi d'improvviso si riscosse alla voce di lui che le sussurrava all'orecchio: "Guarda le belle ragazze come sfoggiano i loro splendidi abiti!"

Sì, ondeggiavano qua e là come astri luminosi. E come erano belle, che meraviglia!

Solo allora si ricordò del suo velo e dei sandali, sentì una stretta al cuore e si destò dalla sua beatitudine, come si sveglia da un sogno felice chi viene punto da uno scorpione. Si morse le labbra irritata e di nuovo fu presa dal suo istinto di ribellione, di rivolta e di lotta. Solo allora si accorse che lui le stava quasi incollato addosso e il contatto del suo corpo trasmise una nuova sensazione ai suoi sensi e le bruciò il cuore. Si sentiva attratta verso di lui da una forza superiore alla propria volontà. Lui guardava, come aspettando il momento in cui si sarebbe lasciata andare, poi le prese una mano fra le sue e incoraggiato dalla sua condiscendenza, volle baciarla, ma lei, come per difendersi gettò un po' indietro la testa. L'uomo, senza tener conto di quella debole resistenza, appoggiò la sua bocca a quella della ragazza che rabbrividì e provò un desiderio folle di mordergli le labbra fino a farle sanguinare. Un desiderio folle che si impadroniva di lei come il demone della lotta, ma egli si ritrasse prima che lei potesse metterlo in atto. Quella vena di pazzia continuava ad ardere in lei e l'avrebbe spinta a gettarglisi addosso e a ficcargli le unghie nel collo se lui non avesse ripreso a parlare amabilmente:

"Ecco la via Sharif Pascià. La mia casa è a due passi, non vuoi vederla?"

Hamida si girò coi nervi tesi nella direzione indicata e vide alcuni palazzi molto alti, senza capire a quale lui si riferisse. L'uomo ordinò al conducente di fermarsi di fronte a una di quelle costruzioni e le disse:

"È qui".

Lei vide un edificio enorme con un'entrata più larga del Vicolo, abbassò lo sguardo smarrita e chiese a voce bassa:

"A che piano?"

Ed egli sorridendo:

"Al primo. Non ti costerà nulla visitarlo".

Hamida gli rivolse uno sguardo duro di disapprovazione e lui continuò:

"Come ti arrabbi in fretta! Posso chiederti cosa c'è di male? Sono sempre venuto a trovarti, da quando ti ho vista, perché dunque non vuoi farmi visita tu, per una volta?"

Cosa voleva quell'uomo? Forse pensava di aver trovato una facile preda? Il bacio che aveva rubato, gli aveva fatto sperare di più? Era accecato dalla boria e dalla vanità? Oppure tutto ciò era la naturale conclusione di quell'amore che la faceva delirare? La collera si riaccese nel suo cuore: era pronta a lottare e a sfidarlo con tutte le sue forze. Decise di andare con lui dove voleva per mostrargli chi era e riportarlo alla ragione. Sì, il suo temperamento indomito e ribelle la invitava a gettarsi a capofitto in quella lotta e lei non seppe resistere a un simile richiamo. Non voleva certo battersi in nome della virtù, della morale e del pudore, non era proprio il tipo. Si trattava piuttosto di una collera motivata dall'orgoglio, dal sentimento violento della propria forza e da un folle desiderio di combattere a cui non era estranea la voglia di avventura che l'aveva spinta in quel tassì. L'uomo la guardava attentamente e pensava tra il preoccupato e il divertito:

"Questo amore di ragazza è un tipo difficile, di quelle che vanno in frantumi a toccarle, per cui bisogna essere molto accorti e molti abili". E rivolgendosi a lei, cortese e speranzoso:

"Spero di poterti offrire un bicchiere di limonata".

Hamida lo guardò con un'aria di sfida, poi mormorò:

"Come vuoi".

Tutto contento l'uomo aprì la portiera e scese dal tassì seguito da lei, che esaminava il luogo dove si trovavano mentre lui pagava la corsa.

Hamida pensò al Vicolo che aveva lasciato poco prima e si stupì di quell'avventura in cui si era gettata senza timore e che l'aveva condotta in quell'enorme edificio.

Chi l'avrebbe creduto! Che cosa avrebbe detto Sayyid Ridwan al-Husseini, per esempio, se l'avesse vista entrare in quella casa? Sulle sue labbra si disegnò un sorriso e lei ebbe la strana sensazione che quel giorno fosse il più felice di tutta la sua vita.

L'uomo si precipitò verso di lei, le prese la mano e insieme entrarono nell'edificio, salirono uno scalone che li condusse al primo piano, poi attraversarono un ampio atrio fino alla porta di un appartamento, sulla destra. L'uomo estrasse dalla tasca una chiave e aprì, pensando tutto soddisfatto:

"Un altro giorno o due guadagnati".

Spinse la porta e le cedette il passo, entrando dopo di lei, quindi la chiuse. Hamida si trovò in un lungo corridoio illuminato da una potente lampada elettrica, sui due lati del quale si aprivano varie stanze. L'appartamento non era vuoto, poiché, oltre al lampadario già acceso al loro arrivo, da dietro le porte chiuse giungevano grida, parole e canti. Farag Ibrahim si diresse verso la porta di fronte all'entrata, aprì e invitò la ragazza ad entrare. La stanza era di medie dimensioni, ammobiliata con sedie e divani in pelle, al centro un tappeto quadrato e ricamato e un grande specchio alto fino al soffitto appoggiato su una base allungata, retta da gambe dorate. L'uomo osservava con compiacimento lo sguardo stupito e smarrito di lei e le disse cortese:

"Togliti quel velo e accomodati".

Hamida non si tolse il velo, ma prese posto su una sedia, mormorando come per avvertirlo:

"Non posso far tardi".

Lui si avvicinò a un elegante tavolo che stava al centro della stanza sul quale si trovava un thermos, lo stappò e riempì due bicchieri di limonata fresca, quindi gliene porse uno dicendo:

"Il tassì ti riporterà a casa in pochi minuti".

Bevvero insieme e l'uomo rimise i bicchieri sul tavolo, mentre lei lo esaminava furtivamente, osservando la sua figura slanciata ed elegante, e le mani, dalla cui bellezza rimase affascinata. Erano eleganti, con dita affusolate, suggerivano forza e bellezza insieme e ne ricevette un'impressione mai provata prima. L'uomo la guardò a lungo, sorridendo dolcemente come per rassicurarla e incoraggiarla, ma lei non era per nulla impaurita, solo un po' tesa per l'emozione. Si rammentò delle voci che aveva sentito quando erano entrati nell'appartamento e si stupì di averle dimenticate, così chiese:

"Cosa erano quei rumori nell'appartamento?"

L'uomo rispose, restando in piedi accanto a lei:

"Persone che conoscerai a tempo debito, ma perché non ti togli il velo?"

Hamida, quando lui l'aveva invitata, aveva pensato che vivesse da solo, si stupì che l'avesse portata in una casa dove c'erano altre persone, finse di ignorare l'ultima domanda e restò a guardarlo tranquilla, con aria di sfida. Egli non rinnovò l'invito ma le si avvicinò fino a sfiorarle i piedi, si chinò un poco e le afferrò una mano tirandola a sé dolcemente e dicendo:

"Vieni, sediamoci sul divano".

Lei non oppose resistenza e si alzò, per seguirlo e sedersi accanto a lui. Si sentiva in preda a sentimenti contrastanti: l'attrazione verso l'uomo che amava e la resistenza verso chi avrebbe potuto benissimo prendersi gioco di lei. A poco a poco lui le si accostò e la circondò con un braccio mentre lei tranquilla lo lasciava fare senza sapere quanto avrebbe dovuto resistere. L'uomo le afferrò il mento e avvicinò la bocca alla sua come un assetato che si disseta ad un ruscello, infine le loro labbra si unirono ed essi restarono così a lungo, come rapiti. Lui metteva in quel bacio tutto l'ardore di cui era capace per ottenere ciò che desiderava e in quanto a lei, si sentiva tutta inebriata, ma una certa agitazione le rovinava l'incanto e la faceva stare in guardia. Sentì la mano dell'uomo allentarle il velo in vita e poi alzarsi per scostarglielo dalle spalle. Allora, mentre il cuore le batteva all'impazzata si irrigidì, lo respinse e si risistemò il velo dicendo freddamente:

"No..."

Lui, sorpreso, vide lo sguardo di ostinato rifiuto e di sfida che lei gli rivolgeva, ma sorrise, assumendo espressamente un'aria stupita, mentre diceva tra sé: "Come pensavo è proprio un osso duro", poi si rivolse a lei a bassa voce:

"Non volermene, cara, ho perso il controllo".

Ella si girò per nascondere un sorriso di trionfo, ma la sua gioia non durò a lungo: lo sguardo le cadde sulle mani e per la prima volta si rese conto di quanto fossero belle quelle di lui, in confronto alle sue così ruvide. Se ne vergognò e disse scontenta:

"Perché mi hai portata qui? È una cosa stupida!"

Lui protestò con ardore:

"È la cosa più bella che abbia fatto in vita mia! Perché disprezzi la mia casa, non è anche la tua?"

Quindi le guardò i capelli lasciati scoperti dal velo, chinò il capo e li baciò dicendo:

"Dio, che bei capelli! Sono i più bei capelli che abbia mai visto".

Lo disse sinceramente, nonostante l'odore di petrolio, e quel complimento fece piacere a Hamida che chiese:

"Quanto resteremo qui?"

"Fin quando avremo fatto conoscenza, abbiamo mille cose da dirci. Hai paura? Non è possibile. Si vede che non hai paura di nulla!"

Lei ne fu tanto contenta che ebbe voglia di baciarlo, mentre lui, guardandola, pensava: "Ora ti capisco figlia di una leonessa!" quindi le disse con voce vibrante e accalorata:

"Il mio cuore ti ha scelto e non mente. Quelli che l'amore unisce nessuno li può dividere, tu mi appartieni e io appartengo a te".

Avvicinò il volto al suo come per chiederle permesso e lei si protese verso di lui finché un bacio violento li unì. Egli sentì l'intensa pressione delle labbra di lei contro le sue, e le sussurrò all'orecchio:

"Amore mio..."

Lei sospirò profondamente e si raddrizzò per riprendere fiato, mentre egli continuava:

"Il tuo posto è qui, questa è la tua casa. Questo – disse indicando il suo petto – è il tuo rifugio".

E lei, con una risatina:

"Non ti sarai dimenticato che devo tornare a casa".

In realtà egli aveva tutt'altro piano in testa ed esclamò in tono di disapprovazione:

"Di che casa parli? Quella del Vicolo? Magari dimenticassi tutto quel quartiere. Che cosa ti piace di quel Vicolo? Perché ci vuoi tornare?"

La ragazza rise dicendo:

"Come puoi chiedermelo? Non ho la mia casa e la mia famiglia?"

Ed egli contrariato:

"Non sono una casa e una famiglia per te. Tu sei di un'altra pasta, cara. È un'eresia che un corpo vivo e fresco viva in un cimitero pieno di ossa marce. Non hai visto le belle ragazze pavoneggiarsi in abiti di lusso? E perché tu, che sei molto più bella e affascinante di loro, non dovresti avere abiti e gioielli così? Dio mi ha mandato da te per restituire alla tua vera natura ciò che le è stato sottratto. Per questo dico che questa casa è tua".

Quelle parole facevano vibrare il cuore di Hamida come le dita di un violinista fanno vibrare un violino, era stordita, aveva abbassato le palpebre e nei suoi occhi brillava uno sguardo sognante, ma continuava a chiedersi quali fossero esattamente le intenzioni di quell'uomo. Certo, era quanto desiderava, ma come realizzare quei sogni e quelle speranze? Perché lui non diceva chiaramente quel che voleva e non dichiarava le sue intenzioni con franchezza? Esprimeva in modo ammirabile ciò che lei sperava e sognava, come se parlasse una lingua segreta capace di svelare quanto lui aveva nell'intimo e di portare alla luce quanto era nascosto, dando corpo a ciò che già sapeva, tanto che le pareva di vederlo coi propri occhi. Ma c'era una cosa sola che egli non dichiarava, un discorso in cui non si avventurava. Perché dunque quell'esitazione? Lo guardò coi suoi occhi belli ed arditi e chiese:

"Cosa vuoi dire?"

L'uomo avvertì che era arrivato a un punto critico del suo piano e la guardò come se volesse ipnotizzarla, dicendo a voce bassa:

"Intendo dire che dovresti rimanere in una casa adatta a te, approfittare di quanto di meglio ti può offrire la vita".

Hamida rise brevemente e mormorò imbarazzata:

"Non capisco nulla..."

Le accarezzò a lungo i capelli, approfittando del silenzio per riorganizzare i suoi pensieri, quindi riprese:

"Forse ti chiederai come possa pretendere che tu rimanga a casa mia, ma lascia che ti chieda a mia volta: perché vuoi tornare al Vicolo? Te ne starai ad aspettare, come una povera ragazza, che una specie di uomo di quel posto ti noti, ti sposi, e divori la tua fresca bellezza e la tua tenera giovinezza, per buttarti poi nella spazzatura? Non mi rivolgo a te come a una delle tante stupidelle a cui si parla a vanvera, so per certo che ce ne sono poche come te. Sei incantevole e in più hai una qualità che supera tutte le altre. Sei l'audacia in persona e se vuoi una cosa, la otterrai".

Hamida impallidì, si irrigidì e disse con stizza:

"Questo gioco non mi piace! Hai cominciato per scherzo e ora sembra che tu stia parlando sul serio".

"Un gioco? No, per Dio e per tutto ciò che vali per me, io non scherzo, soprattutto con una persona che stimo, rispetto e amo. Se il mio intuito non mi inganna, sei pronta a tutto per la tua felicità; non è possibile che cerchi di ostacolarla. Ho bisogno di una compagna nella vita, e puoi essere soltanto tu..."

Lei gridò al colmo dell'agitazione:

"Quale compagna? Se davvero hai intenzioni serie, cosa cerchi? La strada è libera e se vuoi..." e stava per dire "se vuoi sposarmi", ma si fermò e lo fissò dura e sospettosa. Egli capì quel che intendeva e sogghignò in cuor suo, ma continuò a recitare la

171

sua parte, poiché sarebbe stato inutile far marcia indietro e disse con slancio teatrale:

"Voglio una compagna da amare, con cui avere una vita luminosa, agiata e felice, non un'esistenza misera di gravidanze, parti e di sporcizia, ma la vita delle dive di cui ti ho parlato".

Lei spalancò la bocca sbalordita e una luce spaventosa brillò nei suoi occhi, impallidì di collera e di sdegno, poi, vinta dall'indignazione, gridò alzandosi:

"Mi inviti alla perdizione! Sei un delinquente!"

Così strepitava con una rabbia, dovuta più alla sorpresa e al disinganno che all'immoralità contro la quale non era solita prendersela tanto, di quelle proposte.

Egli sorrise sprezzante:

"Io sono un uomo..."

Ma lei, spinta dal suo temperamento focoso, lo interruppe gridando:

"Non sei un uomo, sei un ruffiano..."

Egli rise sonoramente e disse:

"E un ruffiano non è forse un uomo? E ti assicuro sulla tua bellezza che non è un uomo comune. Un uomo normale al massimo ti procura grattacapi, mentre il ruffiano è uno che lavora per la tua felicità! E non dimenticare poi che io ti amo, non lasciare che la collera distrugga il nostro amore. Io ti prometto felicità, amore, successo. Se tu fossi stata una ragazza sciocca ti avrei ingannata, ma ti stimo e ho preferito dirti francamente la verità. Siamo fatti della stessa pasta, Dio ci ha creati perché ci amassimo e collaborassimo. Se ci uniamo avremo l'amore, la ricchezza, il successo, ma se ci separiamo sarà la miseria, la povertà e la rassegnazione, almeno per uno di noi".

Lei continuava a guardarlo, chiedendosi sbalordita come potesse parlare a quel modo. Era fuori di sé. Ma, per quanto possa sembrare strano, benché fosse furibonda con lui, non lo disprezzava e non smise di amarlo neppure un momento. Nemmeno al colmo della sua indignazione, si dimenticava di star lottando con l'uomo che le aveva insegnato l'amore e che aveva fatto nascere in lei quel sentimento. Vinta dall'emozione, si alzò di scatto e disse con irritazione e sdegno:

"Non sono quella che pensi".

Lui sospirò profondamente, mostrandosi contrariato, benché, da bravo uomo d'affari, non avesse perduto la sicurezza e disse con aria dispiaciuta:

"Non posso credere di essermi ingannato sul tuo conto. Mio

Dio, davvero diventerai un giorno come una donna del Vicolo? Gravidanze e parti, parti e gravidanze, allattare bambini sul marciapiede, mosche, minestra, fave... appassire e inflaccidire! No, no, non posso crederci..."

Lei non poté più trattenersi:

"Basta!"

Si diresse verso la porta ed egli si affrettò ad alzarsi, la seguì e le disse con dolcezza: "Calma", ma non la trattenne, anzi le aprì la porta e uscirono insieme.

Era arrivata felice e senza timore e ora se ne andava distrutta e sconvolta. Si fermarono davanti all'ingresso, finché giunse un tassì su cui salirono entrambi e che si allontanò con loro velocemente. Hamida era assente, assorta nei suoi pensieri e lui la osservava di nascosto, in silenzio. Gli sembrava infatti che fosse più saggio tacere, e tacque fino a che il tassì raggiunse il centro del Muski, qui egli ordinò all'autista di fermarsi, la ragazza si scosse al suono della sua voce, guardò fuori e si rassettò un po', prima di scendere. Egli fece per aprirle la porta, ma indugiò un istante, si chinò per baciarle una spalla e le disse:

"Ti aspetto domani..."

Lei si scostò e disse recisamente:

"No".

Girando la maniglia, egli le disse:

"Ti aspetterò, amore mio... e tu ritornerai da me..." e aggiunse mentre scendeva dall'auto: "Non dimenticare, domani. Cominceremo una nuova, splendida vita. Io ti amo... Ti amo più della vita stessa..."

La seguì con gli occhi mentre si allontanava in fretta e sorrise sarcastico dicendo fra sé:

"È proprio una bella figliola, non vorrei sbagliarmi ma è dotata per natura, una puttana nata... sarà una perla rara".

24

La madre le domandò:

"Perché hai fatto tardi?"

E Hamida, con indifferenza:

"Zeynab mi ha invitata e sono andata a casa sua".

La donna le annunciò che la signora Saniyya Afifi stava per sposarsi e che le avrebbe regalato un vestito per partecipare alla cerimonia.

Hamida si finse contenta e restò seduta per un'ora intera ad ascoltare le chiacchiere della madre, quindi entrambe cenarono e si ritirarono nella stanza da letto.

Hamida dormiva su un vecchio divano, la madre su un materasso steso direttamente sul pavimento. In pochi minuti la donna piombò in un sonno profondo e cominciò a russare, mentre Hamida restava a fissare la finestra chiusa, dalla quale filtrava la luce che saliva dal caffè. Passò mentalmente in rassegna tutti gli avvenimenti di quella giornata memorabile, rivisse con l'immaginazione ogni gesto, ogni silenzio, ogni parola di quella sua incredibile avventura, e insieme a una certa angoscia provò un'autentica gioia, fatta di fierezza, di orgoglio e di quella pazzia che aveva nel sangue.

Tuttavia non dimenticava che, tornando al Vicolo, si era detta "Non avessi mai incontrato quell'uomo!", ma erano parole che non trovavano alcuna eco nel suo cuore. La verità è che quel giorno aveva appreso sul proprio conto più cose che in tutto il resto della vita, pareva che lui si fosse messo sul suo cammino per rivelarle come un chiaro specchio la sua immagine più segreta.

Nonostante tutto, lasciandolo gli aveva detto di no e probabilmente non avrebbe potuto fare marcia indietro. Ma questo cosa avrebbe significato? Starsene rinchiusa in casa ad aspettare il ritorno di Abbas al-Helwu? Santo cielo, nel suo cuore non c'era più posto per lui, di lui non c'era più traccia né eco.

Al-Helwu rappresentava ai suoi occhi un matrimonio miserabile con conseguenti gravidanze, parti, allattamenti di bambini sul marciapiede in mezzo alle mosche: tutte immagini disgustose e detestabili.

Non nutriva certo un istinto materno come le ragazze della sua età e non a torto le donne del Vicolo l'accusavano di essere dura e strana. Cosa voleva dunque?

Il suo cuore si mise a battere forte ed ella si morse le labbra quasi fino a farsele sanguinare. Sapeva bene cosa voleva e a cosa aspirava.

Quello che le covava dentro confusamente e oscuramente quel giorno aveva squarciato il velo ed era venuto a galla.

Potrà sembrare strano ma, nell'insonnia, non esitava seriamente su quale fosse la strada da scegliere e non vedeva una contraddizione tra il suo passato e il suo presente, né tra quel che c'era di buono nella sua esistenza e il male che le stava davanti. In effetti aveva già scelto la sua strada, senza saperlo: l'aveva fatto quando si era trovata di fronte a quell'uomo, in quella casa.

Mentre in apparenza esitava, dentro di sé gongolava, e se il suo volto si faceva scuro e accigliato, la sua immaginazione esultava. La cosa più sorprendente è che non lo aveva detestato neppure per un momento, non aveva provato disprezzo per lui e aveva continuato a considerarlo la sua vita, il suo vanto, la sua forza e la sua felicità. L'unica cosa che la indispettiva era la presunzione che aveva ostentato dicendole: "Tornerai da me".

Certo, sarebbe tornata, ma gli avrebbe fatto pagare cara quella sfacciata sicurezza! Il suo amore non era schiavitù né sottomissione, ma una lotta senza esclusione di colpi.

Da quanto tempo marciva in quella casa e in quel vicolo? D'ora in poi nulla avrebbe potuto trattenerla dal correre verso la luce, l'agiatezza e il potere. D'altra parte chi poteva liberarla dalle costrizioni del passato, se non la mano di quell'uomo che aveva incendiato i suoi pensieri? Non sarebbe però corsa da lui, sottomessa e docile, gridandogli:

"Sono la tua schiava, fa' di me ciò che vuoi".

Non conosceva questo tipo di amore, ma non gli sarebbe neppure piombata addosso urlando:

"Sono la tua padrona, sottomettiti!"

Detestava tanto l'amore sdolcinato quanto un amante rammollito. Gli sarebbe andata incontro col cuore pieno di speranze e desideri dicendo:

"Ecco, io vengo con tutta la mia forza, rendimi malleabile con la tua. Continuiamo ad affrontarci, sarà una gioia indescrivibile. Fammi godere gli agi e la felicità che mi hai promesso".

Grazie a lui, aveva capito qual era la sua strada e non avrebbe sprecato quell'occasione a nessun costo.

Con tutto ciò, la notte non le risparmiò tribolazioni. Si chiedeva come l'avrebbero giudicata l'indomani e la risposta era semplicemente: "Una sgualdrina". Provò una stretta al cuore e un nodo alla gola nel ricordare come una volta, litigando con una delle sue amiche del laboratorio, l'avesse insultata gridando:

"Ragazzaccia, sgualdrina!" rimproverandola di comportarsi e di andarsene a zonzo come un uomo.

Che avrebbero detto dunque di lei? Si sentì invadere dalla tristezza e dall'afflizione e si agitò angosciata nel sonno, ma nulla al mondo avrebbe potuto farla desistere dalla sua decisione o distoglierla da quella scelta definitiva. Così ora scivolava verso un destino inesorabile senza che niente potesse frenare il suo precipitarsi nell'abisso.

Improvvisamente i suoi pensieri corsero alla madre, si voltò e, dopo un'ora in cui non si era neanche accorta della sua presenza, ne avvertì il respiro profondo. La immaginò disperata, e si rammentò quanto l'amasse con affetto sincero, quasi fosse la sua vera madre e come anche lei le volesse bene, nonostante i litigi e i contrasti che le opponevano.

Ma, per scacciare quel sentimento affettuoso che si insinuava nel suo cuore, sospirò con forza, stizzita, e si disse:

"Non ho né padre né madre, ho soltanto lui a questo mondo".

Così voltò le spalle al passato, pensando solo al domani e a quello che le avrebbe riservato.

L'insonnia continuava e le bruciava gli occhi e il cervello; si augurò che il sonno la liberasse da quel tormento, e sperò di chiudere gli occhi per non riaprirli che alla luce del mattino. Fece appello alla propria volontà per allontanare dalla sua mente le preoccupazioni e per un po' vi riuscì, ma le voci che salivano dal caffè Kirsha la disturbavano, e prese a maledirle ritenendole colpevoli della sua insonnia.

Suo malgrado si mise ad ascoltare quei discorsi, prendendosela dentro di sé con quelli che li pronunciavano:

"Songor, cambia l'acqua del narghilè" diceva la voce di padron Kirsha, quel depravato dedito all'hashish.

"Signore, che Dio arrangi questa faccenda!" invocava quel bestione di Kamil.

"Ogni cosa ha il suo motivo" ed era l'ignobile dottor Bushi. Improvvisamente si immaginò il suo amato, seduto come al solito tra padron Kirsha e lo Shaykh Darwish, immaginò che le inviasse dei baci e il suo cuore prese a palpitare.

Poi si rammentò di quell'enorme edificio, di quella magnifica stanza e subito risuonò alle sue orecchie la voce di lui che le sussurrava: "Tornerai da me".

Mio Dio! Quando sarebbe riuscita ad addormentarsi?

"La pace sia con voi, fratelli" diceva Sayyid Ridwan al-Husseini, quello che aveva consigliato sua madre di rifiutare la mano di Sayyid Alwan, prima che la malattia lo colpisse. Chissà cosa avrebbe detto di lei il giorno dopo, quando gli fosse giunta la notizia. Dicesse pure quel che voleva e che Dio maledicesse tutti gli abitanti del quartiere! L'insonnia si trasformò in un feroce mal di testa, mentre lei continuava a girarsi e rigirarsi su un fianco, sul dorso e a pancia in giù. La notte passò lenta, pesante, estenuante e penosa, carica delle preoccupazioni del domani.

Poco prima dell'alba, Hamida piombò in un sonno profondo dal quale si svegliò ch'era ormai mattino avanzato. Appena desta, le si ripresentarono tutti i pensieri, come se si fossero svegliati molto prima di lei, eppure senza esitazione si chiese impaziente quando sarebbe arrivato il tramonto.

Si disse che era ormai solo di passaggio in quel Vicolo col quale, come aveva detto il suo amore, non aveva niente da spartire. Quindi si alzò come al solito, aprì la finestra, arrotolò il materasso della madre, sistemandolo in un angolo della stanza, riordinò la casa, pulì il pianerottolo, e fece da sola colazione poiché sua madre era già uscita per quei suoi affari che non finivano mai. Quindi passò in cucina e trovò un piatto di lenticchie che la donna aveva lasciato per il pasto di mezzogiorno e si mise a mondarle e a lavarle, quindi accese il fornello e parlando a se stessa a voce alta disse:

"È l'ultima volta che cucino in questa casa, e forse è addirittura l'ultima volta che cucino in vita mia... chissà quando mangerò ancora lenticchie!"

In realtà quel cibo non le dispiaceva ma sapeva che era un piatto da poveri, mentre dei ricchi sapeva solo che mangiavano sempre carne. Così prese a immaginarsi beata che cosa avrebbe mangiato in futuro, come si sarebbe vestita e agghindata, e i suoi lineamenti si distesero in un'espressione sognante.

A mezzogiorno lasciò la cucina e andò in bagno a lavarsi, poi si pettinò e raccolse i capelli in una lunghissima treccia che le scendeva giù per la schiena. Indossò i suoi abiti migliori, ma rimase costernata nel vedere quanto fosse misera la sua biancheria intima, allora il suo viso abbronzato si oscurò, all'idea di doversi recare da lui in quello stato, e decise che non gli si sarebbe concessa se non dopo aver sostituito quegli indumenti con altri nuovi e raffinati.

Dato poi che si appassionava solo a situazioni di conflitto, quest'idea le piacque e si sentì ardere di amore e di piacere. Si fermò quindi davanti alla finestra, portando uno sguardo d'addio sul suo quartiere, ma senza soffermarsi su nulla: il forno, il caffè Kirsha, i negozi del buon Kamil e del barbiere, il bazar, la casa di Sayyid al-Husseini... e ogni sguardo accendeva un ricordo che si consumava come un fiammifero.

Stranamente, restava impassibile e fredda, senza nessun moto di simpatia per il Vicolo e per i suoi abitanti. I rapporti di vicinato e di amicizia tra lei e la maggior parte delle donne del quartiere come Umm Hussein, la sua nutrice, e la fornaia, erano compromessi, la sua lingua non aveva risparmiato neppure la moglie di Sayyid Ridwan al-Husseini la quale, avendo saputo che Hamida aveva parlato male di lei, l'aveva tenuta d'occhio, finché un giorno, vedendola stendere la biancheria in terrazzo, era salita su quello attiguo, si era avvicinata al muro e le aveva detto il fatto suo, beffarda e ironica: "È proprio un peccato che tu sia tanto maleducata, non sei degna di frequentare la gente per bene", ma la ragazza aveva preferito rimanere calma e rifugiarsi nel silenzio.

Mentre i suoi occhi si soffermavano sul bazar, si rammentò che Sayyid Selim Alwan aveva chiesto la sua mano, e aveva alimentato per giorni interi i suoi sogni di ricchezza. Quanto si era rammaricata per quel matrimonio sfumato! Ma che differenza tra quei due uomini! Se Sayyid Selim con la sua ricchezza aveva saputo toccarle il cuore, l'altro invece glielo aveva quasi divelto. Tornò a guardare la bottega del barbiere, si ricordò di Abbas al-Helwu e si chiese che cosa avrebbe fatto, tornando un giorno e non trovando più tracce di lei. Ripensò al loro ultimo addio sulle scale, ma il suo cuore restò di pietra ed essa si stupì di avergli concesso il permesso di baciarla. Quindi volse le spalle alla finestra e andò verso il divano, più decisa che mai. La madre tornò a casa per mezzogiorno, pranzarono insieme e durante il pasto la donna le disse: "Ho in vista un matrimonio importante. Se tutto andrà bene, siamo sistemate".

Hamida chiese, indifferente, di cosa si trattasse, ma non prestò quasi attenzione alla risposta della madre, d'altra parte le aveva sentito dire la stessa cosa un mucchio di volte e tutte quelle speranze si erano sempre ridotte a poche lire e a un piatto di carne, anzi, per quanto la riguardava direttamente, soltanto a un piatto di carne. Quando la madre si sdraiò per dormire un po', Hamida si accoccolò sul divano a guardarla. Era il momento del commiato: forse non l'avrebbe mai più rivista. Per la prima volta si commosse ed ebbe uno slancio di affetto per quella donna che l'aveva raccolta, adottata e amata, che era stata l'unica madre che avesse mai conosciuto, e desiderò di poterle dare un bacio d'addio.

Venne il tramonto e Hamida si avvolse nel velo e si mise i sandali, con le mani che tremavano per l'emozione e il nervosismo e il cuore che batteva forte. Non c'era proprio modo di dire addio alla madre, ciò le dispiacque, e ancor più le dispiacque vederla tranquilla e ignara di quanto le riservava il futuro. Ma ormai aveva deciso. La guardò a lungo e le disse, andandosene:

"Stammi bene..."

La donna le rispose, accendendosi una sigaretta:

"Arrivederci, e non tardare..."

Hamida lasciò la casa col viso serio e l'aria preoccupata, attraversò il Vicolo senza voltarsi e si diresse dalla Sanadiqiyya alla Ghuriyya, poi girò verso Sikka al-Gadida, rallentando il passo. Esitante e in preda all'ansia, alzò gli occhi e vide l'uomo che attendeva allo stesso posto del giorno prima. Si sentì avvampare e sommergere da un'ondata di ribellione e di collera, ma riuscì a dominarsi in forza del profondo desiderio di vendicarsi che provava. Abbassò gli occhi e si chiese se egli le avrebbe rivolto ancora quel sorriso insolente. Quindi li rialzò nervosamente, ma lo vide tranquillo, serio e composto. I suoi occhi a mandorla esprimevano speranza e apprensione, così ella si calmò un po' e gli passò accanto, aspettandosi che le parlasse o le prendesse la mano come aveva fatto il giorno prima, ma lui finse di ignorarla.

L'uomo attese finché non la vide sparire dietro la curva, poi prese a seguirla lentamente. Lei capì che si era fatto prudente e consapevole della delicatezza del momento.

Continuò fin quasi alla fine di Sikka al-Gadida, lì si fermò bruscamente come se si fosse ricordata di qualcosa, e tornò sui suoi passi. Egli la seguì, agitato, e le chiese sussurrando:

"Perché torni indietro?"

Hamida esitò un poco, come se le risultasse difficile parlare:

"Le ragazze del laboratorio..."

Allora lui disse, soddisfatto:

"Andiamo verso al-Azhar, non ci vedrà nessuno".

Attraversarono la strada, un po' discosti l'uno dall'altra, e proseguirono per la via di al-Azhar in silenzio. Hamida capì di aver annunciato, con quelle parole, la sua resa definitiva. Giunsero in piazza Regina Farida senza aprir bocca, lì lei si fermò perché non sapeva in che direzione andare, e lo sentì chiamare un tassì. La macchina arrivò, l'uomo le aprì la portiera, e Hamida salì, varcando in quel momento il confine fra due vite. Appena l'auto si mise in movimento, egli disse con voce tremante e grande abilità:

"Dio solo sa quanto ho sofferto, Hamida! Non ho potuto dormire neppure un'ora. Non sai, cara, che cosa sia l'amore. Ma oggi sono felice, anzi quasi impazzisco dalla gioia. Dio, come posso creder ai miei occhi? Grazie, amore mio, grazie. Ti darò tutta la felicità che vorrai. Come saranno belli i diamanti attorno a questo collo", e lo accarezzò dolcemente, "e l'oro su queste braccia" e gliele baciò "come sarà affascinante il rossetto su queste labbra" e si chinò sulla bocca, ma ella si tirò indietro cosicché lui riuscì a baciarla solo su una guancia "e che deliziosa ritrosia!"

Restò tranquillo per un po' e poi riprese sorridendo:

"Di' addio alle fatiche, da oggi in poi la vita non ti darà più preoccupazioni. Persino i tuoi seni saranno sostenuti da un reggipetto di seta!"

Anche se le sue guance arrossivano, Hamida fu contenta di sentire quelle parole e non si arrabbiò, abbandonandosi a quell'auto veloce che fuggiva via dal passato. Il tassì si fermò davanti alla casa che sarebbe diventata il suo nuovo rifugio. Scesero e si diressero in fretta all'appartamento che, come il giorno prima, risuonava di voci dietro le porte chiuse ed essi entrarono in quella magnifica stanza, mentre lui diceva ridendo:

"Togliti quel velo, lo bruceremo insieme".

Arrossendo Hamida mormorò:

"Non ho portato altri vestiti..."

Ed egli gridò allegro:

"Hai fatto bene, non vogliamo nulla del passato".

La fece sedere e si mise a camminare su e giù per la stanza, poi si diresse verso una porta elegante, alla destra del grande specchio che si apriva su una comoda camera da letto, dicendo:

"La nostra stanza".

Ma essa, alterata, si affrettò a dire:

"No... No... Io dormirò qui".

Egli le rivolse uno sguardo penetrante, poi disse con un tono rassegnato:

"Dormirai tu nella stanza e io qui..."

Hamida era ben decisa a non essere una preda facile, non avrebbe ceduto senza aver prima soddisfatto la sua tenace voglia di resistere. Tutto ciò non sfuggì a quell'uomo astuto, che sorrise sarcastico mentre si mostrava accondiscendente, quindi le disse con gioia e quasi vantandosi:

"Ieri, mia cara, mi hai chiamato ruffiano, permettimi oggi di presentarmi nella mia vera veste. L'uomo che ti ama è un direttore di scuola e tu imparerai tutto a tempo debito".

25

Avvicinandosi al Vicolo, Hussein Kirsha si diceva: "È il momento in cui tutti sono al caffè, così mi vedranno senza dubbio e finiranno con l'informare mio padre del mio arrivo, caso mai la cosa gli sfuggisse". Era ormai scesa la notte, i negozi del Vicolo erano chiusi e silenziosi, le uniche voci erano quelle degli avventori del caffè. Il giovane camminava a passi pesanti, avvilito, scuro in volto. Lo seguivano un giovane della sua stessa età e una ragazza nel fiore degli anni. Indossava camicia e pantaloni e portava, come il ragazzo che lo seguiva, una grossa valigia, mentre la ragazza indossava un abito elegante, senza mantello né velo, e a giudicare dall'andatura pareva distinta e graziosa, anche se qualche tratto volgare tradiva la sua origine. Hussein si diresse alla casa di Sayyid Ridwan al-Husseini, senza voltarsi verso il caffè, entrò seguito dagli altri due e insieme salirono al terzo piano. Il ragazzo bussò alla porta dell'appartamento, mentre il viso gli si faceva ancor più scuro. Sentì un rumore di passi che si avvicinavano, quindi la porta si aprì e apparve sua madre che, non riuscendo a riconoscere l'ombra che le stava davanti per via del buio, chiese con voce roca:

"Chi è?"

Egli rispose piano:

"Hussein".

La donna gridò incredula:

"Hussein! Figliolo!"

Si precipitò verso di lui, lo abbracciò e lo baciò dicendo con calore:

"Sei tornato figlio mio! Dio sia lodato.... Dio sia lodato per averti fatto tornare in tempo e averti protetto dalle tentazioni del demonio. Entra in casa tua – aggiunse ridendo nervosamente – entra, traditore. Quante notti insonni mi hai fatto passare, mi hai proprio spezzato il cuore".

Il ragazzo entrò sempre imbronciato come se quella calorosa accoglienza non lo avesse neppure un poco distratto dai suoi pensieri e quando la madre fece per chiudere la porta, egli si mise in mezzo e indicò i due giovani che erano con lui dicendo:

"Ho della gente con me. Entrate. Mamma, questa è mia moglie e questo suo fratello".

La donna rimase stupefatta e nei suoi occhi apparve un'espressione di meraviglia e di contrarietà. Prese a guardare quei due con stupore, poi si accorse delle mani tese verso di lei, in segno di saluto, e si dominò salutando a sua volta e rivolgendosi meccanicamente al figlio: "Ti sei sposato Hussein! Benvenuta, moglie di mio figlio... Ti sei sposato senza dircelo? Come hai potuto celebrare le nozze senza i tuoi genitori che sono ancora al mondo?!" Infastidito Hussein disse:

"Il demonio ci sa fare! Ero arrabbiato, furente... È stato il destino".

La donna, staccata la lampada dal muro, li precedette in salotto, poi appoggiò la lampada sul davanzale della finestra chiusa e si fermò a osservare il volto della moglie di suo figlio, la quale disse in tono dispiaciuto:

"La vostra assenza ci ha molto rattristati, ma non potevamo fare altrimenti..."

Il fratello le fece eco e la donna, che non si era ancora riavuta dalla sorpresa, sorrise e mormorò:

"Siate i benvenuti".

Poi si voltò verso il figlio, afflitta per quella sua aria tetra, e notando che dalla sua bocca non era uscita neppure una parola affettuosa da quando era arrivato, gli disse in tono di rimprovero:

"Così, alla fine, ti sei ricordato di noi..."

Ma quello scosse il capo desolato e disse brevemente:

"Mi hanno congedato..."

La donna a quella nuova delusione, gridò:

"Congedato? Vuoi dire che ora sei senza lavoro?"

Lui stava per rispondere quando sentì bussare forte, allora scambiò uno sguardo di intesa con la madre, la quale lasciò la stanza seguita da lui, che si chiuse la porta alle spalle e, appena fuori, le disse:

"Questo è sicuramente mio padre..."

Ed essa ansiosa:

"Lo penso anch'io. Ti ha visto?... Voglio dire, vi ha visti passare?"

Ma il ragazzo, senza risponderle, si diresse alla porta e la aprì. Padron Kirsha entrò in fretta e appena vide il figlio, con gli occhi arrossati e il volto annebbiato di collera, disse:

"Allora sei proprio tu! Me l'avevano detto, ma non ci volevo credere... Perché sei tornato?"

Hussein disse a bassa voce:

"Ci sono estranei in casa. Andiamo in camera tua a parlare" e così dicendo si diresse svelto verso la stanza del padre che lo seguì borbottando. La donna li raggiunse, accese la lampada e disse al marito, con tono implorante, per avvertirlo:

"Nell'altra stanza ci sono la moglie di tuo figlio e suo fratello..."

L'uomo alzò le pesanti palpebre sorpreso e gridò:

"Che dici, donna? Davvero ti sei sposato?"

Hussein disapprovò che la madre gli avesse dato la notizia senza prepararlo, ma ormai non c'era più nulla da fare:

"Sì papà, mi sono sposato".

Il padre tacque un momento, digrignando i denti furioso, ma non pensò neppure per un istante di rimproverare il figlio di essersi sposato senza avvisarlo, poiché quel rimprovero sarebbe stato comunque una manifestazione di affetto, così decise di ignorare la notizia, e disse in collera: "È una faccenda che non mi riguarda. Dimmi invece, perché sei tornato in questa casa? Perché mi mostri ancora la tua faccia dopo che Dio me ne aveva liberato?"

Hussein stava in silenzio, a capo chino, imbronciato, e fu la madre a intervenire in tono conciliante:

"Lo hanno congedato".

Ancora una volta il giovane se la prese con lei per la sua precipitazione, ma il padre, ormai furibondo, si mise a gridare con voce tanto rude da indurre la donna a chiudere la porta:

"Ti hanno congedato? E allora? La mia casa non è un ricovero. Non ci disprezzavi e non ci deridevi? Perché torni ora? Sparisci dai miei occhi, torna alla tua vita 'pulita' e all'elettricità. Vattene".

La madre intervenne affabilmente:

"Calmati e invoca il Profeta" ma l'uomo si voltò verso di lei mostrandole i pugni minaccioso:

"Lo difendi, figlia del demonio? Siete entrambi dei diavoli che si meritano solo la frusta e l'inferno. Che vuoi, sciagurata? Vuoi che io dia rifugio a lui e alla sua famiglia? Ti hanno forse detto che sono un ruffiano che guadagna senza faticare? Non sapete che la polizia ci tiene d'occhio e che ieri hanno catturato quattro dei miei amici e domani potrebbe andare ancor peggio?"

La donna si armò di pazienza e disse nuovamente, con insolita dolcezza:

"Invoca il Profeta e abbi fede".

Ma quello gridò duramente:

"Domandagli cosa è venuto a fare".

E lei implorante:

"Nostro figlio aveva perduto il senno, il demonio lo aveva sedotto e traviato, ora sei tu la sua unica salvezza..."

Furioso e sarcastico, padron Kirsha riprese:

"Hai detto bene, maledetta, sono la sua unica salvezza. Quello con cui se la prende quando le cose gli vanno bene e da cui si rifugia quando gli vanno male!"

Quindi scrutò il figlio con uno sguardo duro e gli chiese sprezzante e ironico:

"E perché mai ti avrebbero congedato?"

La donna intuì che quelle parole e il loro tono promettevano bene, mentre Hussein rispondeva a bassa voce e in tono avvilito:

"Ne hanno congedati molti... dicono che la guerra sta per finire".

"Finisce sul campo di battaglia e comincerà in casa mia! Perché non vai a casa di tua moglie?"

Hussein gli rispose risentito:

"Non ha che suo fratello".

"E perché non vai da lui?"

"Hanno congedato anche lui".

Il padre disse con scherno:

"Bene, benvenuti! E naturalmente, per questa nobile famiglia colpita dalla disgrazia, hai trovato come rifugio solo questa casa di due stanze! Non hai messo da parte del denaro?"

Desolato e sospirando egli rispose:

"No".

"Bene. Hai condotto una vita principesca: elettricità, acqua, cabaret e poi sei tornato come hai cominciato: un mendicante".

Hussein disse alterato:

"Dicevano che la guerra non sarebbe finita, che Hitler avrebbe resistito decine di anni e poi avrebbe di nuovo attaccato".

"Ma non lo ha fatto ed è scomparso – in quel momento non si diceva ancora che fosse morto – lasciando gli scemi a mani vuote. E il fratello di tua moglie?"

"Stessa cosa".

"Bene... bene... Dio conservi tuo padre. Donna, bada di preparar loro bene la casa benché, misera com'è, non si addica al loro rango, ma vi porrò rimedio, facendo arrivare l'acqua e la corrente e, perché no, comprando la carrozza di Sayyid Alwan per mettergliela a disposizione...".

Hussein sbuffò dicendo:

"Basta papà, basta".

Ma egli lo guardò come per chieder scusa e disse ironico:

"Non volermene, ti ho contrariato? Che temperamento delicato... bisogna compatire chi ne ha passate tante. Controllati, padron Kirsha, e rivolgiti a loro come si conviene quando si parla con dei signori. Accomodatevi e mettetevi a vostro agio e tu, donna, disponi perché sua eccellenza sia servito e soddisfatto".

Hussein si trattenne e non disse una parola finché la tempesta non si fu calmata mentre sua madre tra sé ringraziava il cielo. In effetti padron Kirsha, pur con tutta la sua collera, la sua ironia, non aveva nessuna intenzione di cacciare il figlio e anche in quella brutta circostanza, dentro di sé era contento del suo ritorno e del suo matrimonio, per cui la smise e brontolò:

"Rimettiamoci a Dio, che mi aiuti con due come voi" poi rivolto al giovane continuò:

"Che progetti hai per il futuro?"

Quello capì che il peggio era passato:

"Spero di trovare un lavoro e poi ho sempre i gioielli di mia moglie".

La madre rizzò le orecchie a quella parola e gli chiese, quasi senza accorgersene:

"Glieli avevi comprati tu?"

Hussein rispose:

"Alcuni sì, altri glieli aveva regalati suo fratello".

Poi si voltò verso il padre e proseguì:

"Troverò un lavoro e anche Abduh se ne cercherà uno. Ad ogni modo, resterà da noi solo per qualche giorno".

La madre approfittò del momento di calma per chiedere al marito:

"Non vieni a salutare la famiglia di tuo figlio?"

E strizzò l'occhio di nascosto al giovane che, pur con la riluttanza propria del suo cattivo carattere, si unì all'invito:

"Non vieni a farmi onore davanti ai miei?"

L'uomo indugiò un istante, poi disse contrariato:

"Come vuoi che riconosca questo matrimonio che non ho benedetto?"

Ma non ricevendo risposta, si alzò sbuffando mentre la donna lo precedeva e gli apriva la porta. Tutti passarono nell'altra stanza dove si salutarono e padron Kirsha diede il benvenuto alla sposa e al cognato del figlio. I cuori restavano chiusi in se stessi, ma i volti manifestavano cortesia e gentilezza. Padron Kirsha aveva accettato il fatto compiuto, ma si chiedeva inquieto se aveva fatto bene e continuava ad essere risentito e contrariato. Durante la conversazione però, i suoi occhi assonnati furono attirati dal fratello della giovane ed egli lo esaminò accuratamente, sentendo per lui un improvviso interesse che gli fece scordare il cattivo umore. Era un bel ragazzo simpatico, ed egli si mise a conversare con lui e a lanciargli occhiate vivaci, mentre il suo animo si rasserenava e lui provava un brivido di gioia e di emozione. Il suo cuore si aprì a quella nuova famiglia e con animo ben diverso rinnovò il benvenuto e chiese gentilmente al figlio:

"Avete un po' di mobili, Hussein?"

Quello rispose:

"Una camera da letto sistemata presso dei vicini".

Il padre allora concluse in tono imperativo:

"Va' a prendere i tuoi mobili".

Hussein si appartò con sua madre. I due parlarono di varie cose, ma verso la fine della conversazione la donna disse improvvisamente, alzando la voce:

"Non sai cosa è successo? È scomparsa Hamida".

Con aria incredula il giovane le chiese:

"Come?"

E lei continuò, senza cercare di nascondere un certo compiacimento:

"Ieri è uscita come tutti i pomeriggi, ma non è tornata. Sua madre ha fatto il giro delle case dei vicini e dei conoscenti per cercarla, ma inutilmente, poi è andata al commissariato di al-Gamaliyya e all'ospedale di Qasr al-Ayni, senza trovarla".

"Cosa credi che le sia successo?"

La donna scosse il capo con aria scettica, poi disse sicura:

"Se ne è andata! Qualcuno l'ha sedotta, le ha fatto girare la testa e lei ha preso il volo con lui. Era bella ma non era una ragazza come si deve".

26

Hamida aprì gli occhi arrossati dal sonno e vide un soffitto sorprendentemente bianco al centro del quale era appesa una splendida lampada racchiusa in una sfera di cristallo rossa e trasparente. Rimase stupita, ma solo per un istante, quindi le tornarono alla mente i ricordi della sera precedente e i sogni della nuova vita. Si voltò verso la porta: era chiusa e la chiave era su un tavolo vicino al letto, dove l'aveva messa il giorno prima. Non aveva ceduto e aveva dormito da sola, mentre lui aveva passato la notte nell'altra stanza. Sorrise gettando indietro la morbida coperta, ma il suo vestito le parve spregevole e vergognoso in confronto a quel velluto e a quella seta. Che abisso la separava ormai dal suo passato! Dalle finestre chiuse filtravano i raggi del sole che illuminavano la stanza di una luce debole e pallida, ne dedusse che era mattino ormai avanzato, ma non si meravigliò di essersi svegliata così tardi, essendosi addormentata solo poco prima dell'alba. Sentì bussare leggermente, si voltò infastidita e rimase a fissare la porta senza muoversi e senza dire una parola, poi si alzò dal letto e si diresse alla toilette, dove rimase indecisa e perplessa tra tutti quegli specchi. Di nuovo bussarono più forte ed ella chiese:

"Chi è?"

Sentì la voce profonda di lui che le diceva:

"Buongiorno... non apri?"

Si guardò allo specchio e vide i suoi capelli arruffati, gli occhi arrossati, le palpebre pesanti... mio Dio, non c'era almeno un po' d'acqua per lavarsi il viso? Non poteva aspettare che si preparasse? Egli tornò a bussare con impazienza ma Hamida non vi prestò attenzione, ricordandosi di come era rimasta turbata quel giorno in cui l'aveva fermata la prima volta per la strada e lei non si era fatta bella. Oggi provava un'ansia ancora maggiore.

C'erano dei flaconi di profumo allineati sulla toilette, ma vedendoli per la prima volta, non sapeva come servirsene, allora prese un pettine di avorio e si mise a pettinarsi in fretta, si pulì il viso con un lembo del vestito e diede un'altra occhiata allo specchio, sospirando agitata ed irritata, quindi prese la chiave e si diresse verso la porta.

Era come oppressa dal timore ma infine alzò le spalle e aprì. Si trovò faccia a faccia con lui che le sorrise amabilmente e le disse con estrema dolcezza:

"Buongiorno Titti! Perché mi hai lasciato solo per tutto questo tempo? Oltre alla notte, vuoi passare anche il giorno lontano da me?"

Hamida si scostò senza parlare, e lui entrò continuando a sorridere:

"Perché non parli, Titti?"

Titti? Era un vezzeggiativo? Quando sua madre voleva essere tenera con lei la chiamava Hamidina, cos'era questo Titti? Lo guardò con aria di disapprovazione ed esclamò:

"Titti?"

Prendendole una mano fra le sue e coprendola di baci, egli rispose:

"È il tuo nuovo nome. Imparalo a memoria e dimentica Hamida, non esiste più. Il nome, amore mio, non è una cosa di poco conto, il nome è tutto. Devi sapere che il mondo è fatto solo di nomi..."

Era chiaro ch'egli considerava il suo nome alla stregua dei suoi abiti vecchi, qualcosa che doveva gettare e dimenticare, ma non ci trovò nulla di male poiché non le pareva conveniente chiamarsi, in via Sharif Pascià, come nel Vicolo del Mortaio. Oltre a ciò sentiva dentro di sé, e non senza una certa apprensione, che i legami col passato erano ormai rotti definitivamente, perché dunque avrebbe dovuto conservare il proprio nome? Magari avesse potuto cambiare le sue mani con mani nuove, belle come quelle di lui e sostituire la sua voce sgraziata con una dolce e melodiosa. Non capiva però come mai avesse scelto quello strano nome e non poté trattenersi dal disapprovarlo:

"È un nome buffo che non significa niente".

Ed egli ridendo:

"È bello proprio perché non significa niente, un nome senza senso può prendere tutti i significati possibili, anzi, è proprio uno di quei nomi originali che incantano gli Inglesi e gli Americani e che loro riescono a pronunciare meglio, con quelle lingue storte..."

Lei lo guardò perplessa e sospettosa pronta ad infuriarsi, ma egli le sorrise dolcemente e continuò:

"Cara Titti, abbi pazienza! Saprai tutto a suo tempo. Non credi che domani sarai una dama splendida e famosa? È il miracolo di questa casa. Oppure pensavi che oro e diamanti piovessero dal cielo? No, mia cara, al giorno d'oggi dal cielo non piovono che schegge, ed ora preparati a ricevere la sarta. Anzi, no... mi sono ricordato di una cosa importante: bisogna che ti accompagni a visitare la mia scuola. Sì, perché io sono il direttore, amore mio e non un ruffiano, come mi hai chiamato ieri. Vestiti dunque e infila i sandali".

Ciò detto, si diresse verso la toilette e tornò con un'ampolla azzurra con un vaporizzatore rosso, glielo puntò contro e le spruzzò addosso un liquido profumato. Sulle prime ella rabbrividì e urlò, ma poi si lasciò andare a quel piacere, meravigliata e divertita, quindi indossò il vestito e infilò i sandali che lui le porgeva. Prendendola sotto braccio, l'uomo le fece attraversare l'altra stanza, quindi il corridoio e insieme si diressero verso la prima porta sulla destra mentre egli l'avvertiva:

"Bada di non mostrarti timida e impaurita, so che sei audace e che non hai timore di nulla".

Quelle parole la riportarono in sé e lei gli rivolse uno sguardo duro, levando il capo altera. Egli sorrise e disse: "Questa è la prima classe: quella di danza araba".

Aprì la porta ed entrarono: era una stanza di media grandezza, elegante, con un parquet lucido, quasi priva di mobili, salvo alcune sedie allineate sul lato sinistro e un grande attaccapanni in un angolo. Due ragazze stavano sedute una accanto all'altra e nel centro della stanza c'era un giovane con una galabiyya bianca di seta leggera, stretta in vita da una cintura. Tutti si voltarono verso i nuovi venuti e sorrisero in segno di saluto.

Farag Ibrahim disse con tono energico e autorevole:

"Buongiorno.... questa è la mia amica Titti".

Le ragazze fecero un cenno di saluto e il giovane disse con voce effeminata:

"Benvenuta".

Titti restituì il saluto un po' imbarazzata, squadrando quel bizzarro individuo. Nonostante le apparenze, era un uomo ormai sulla quarantina, dai tratti comuni, strabico, truccato come una donna e coi capelli impomatati. Farag Ibrahim gli sorrise e lo presentò alla ragazza:

"Susu, maestro di danza..."

Come volendo presentarsi alla sua maniera, questi fece un cenno alle due ragazze che si misero a battere le mani a tempo ed egli cominciò a divincolarsi come un serpente, con una leggerezza e una flessuosità stupefacenti tanto da parer privo di ossa e legamenti: un pezzo di gomma caricato a molla. Tutto il suo corpo vibrava: le anche, la vita, il petto, il collo, le sopracciglia mentre lui guardava Hamida a scatti con aria languida, sorridendole impudente coi suoi denti d'oro. Poi, dopo un'ultima violenta scossa si rialzò e le ragazze smisero di battere·il tempo. Aveva voluto dare il benvenuto alla nuova arrivata a modo suo, offrendole un saggio della propria arte.

Poi si voltò verso Farag Ibrahim e chiese:

"È una nuova allieva?"

A sua volta questi si voltò verso Titti e disse:

"Penso di sì".

"Ha già danzato prima d'ora?"

"No".

Susu sorrise compiaciuto e disse:

"È meglio così. Se non sa ballare è come una pasta malleabile che modellerò come voglio. È molto difficile insegnare a quelle che hanno imparato senza regole".

Susu guardò Titti piegando il collo prima a destra poi a sinistra e le disse con voce sgradevole:

"Credi forse che la danza sia un gioco? Scusami tanto, carina, ma è l'arte suprema e chi la conosce assapora le delizie del paradiso in cambio dell'impegno che ci mette. Guarda".

E d'improvviso fece vibrare i fianchi a un ritmo sorprendente, poi si fermò e fiero di sé rivolse lo sguardo a Hamida chiedendole cortesemente:

"Non vuoi toglierti il vestito perché veda come sei fatta?"

Farag si affrettò ad intervenire:

"Non ora, non ora".

L'altro disse dispiaciuto:

"Ti vergogni di me, Titti...? Sono come una sorella! Non ti piace la mia danza?"

Lei lottava contro l'ansia e l'imbarazzo e cercava ostinatamente di mostrarsi fredda, tranquilla, indifferente, addirittura contenta. Così sorrise e rispose:

"Anzi, la trovo meravigliosa".

Quello batté le mani gioiosamente e disse:

"Sei una ragazza gentile. La vita passa presto e la cosa più bella che ci può regalare è una parola dolce. Possiamo essere sicuri che qualcosa duri? Uno si compra un barattolo di brillantina, senza sapere se servirà a lui o ai suoi eredi!"

Uscirono dalla stanza e, lungo il corridoio, si diressero verso quella accanto. Egli avvertì che lei lo stava guardando, ma fece finta di nulla e quando giunsero alla porta mormorò:

"La classe di danza occidentale..."

Hamida lo seguiva in silenzio. Sapeva che ormai tornare indietro era impossibile, che il passato era stato cancellato e che doveva abbandonarsi al suo destino, ma si chiese se davvero avrebbe raggiunto la felicità che desiderava.

La nuova stanza era simile alla precedente, ma più rumorosa, piena di vita e di movimento. Il grammofono diffondeva strani suoni, sorprendenti e sgradevoli per le sue orecchie. Le ragazze danzavano a coppie, sotto gli occhi di un giovane elegante che faceva loro, di quando in quando, delle osservazioni. I due uomini si salutarono mentre le ragazze continuavano a danzare, lanciando a Hamida dei pesanti sguardi indagatori. Anche lei guardava la pista da ballo e le ballerine, ammirando gli splendidi abiti e le fantastiche acconciature. Le sue apprensioni svanirono per lasciar posto a una violenta emozione e a un senso di dolorosa umiliazione. Alla fine prevalse l'entusiasmo, e lei si voltò verso l'uomo rimasto impassibile: nei suoi occhi brillava uno sguardo altero pieno di autorità e di forza.

Come attirato dai suoi occhi, lui si voltò d'improvviso verso di lei e sorrise chinandosi per chiederle:

"Ti piace?"

Dominando la propria agitazione, Hamida rispose semplicemente:

"Molto".

"Che tipo di danza preferisci?"

Essa sorrise e non rispose. Rimasero un poco in silenzio, quindi lasciarono la stanza e si diressero verso una terza porta.

Appena egli l'aprì, gli occhi incuriositi di Hamida si spalancarono sbalorditi e turbati. Al centro della stanza vide una donna nuda, in piedi. Per alcuni secondi non riuscì a staccarle gli occhi di dosso e non vide che lei.

La cosa strana era che quella era rimasta ferma al suo posto, come se non si fosse accorta del loro arrivo, anzi li guardava tranquillamente, quasi con noncuranza, mentre la sua bocca si apriva a un sorriso dolce come se volesse salutarli o, meglio, salutare lui. A quel punto, Hamida sentì delle voci e voltandosi si rese conto che la stanza era piena di gente. Sulla sinistra, c'era una fila di sedie occupate per metà da belle ragazze già nude o che si stavano spogliando e, vicino alla donna che stava in piedi al centro, un uomo, vestito con eleganza, appoggiava su una scarpa la punta di una bacchetta che teneva in mano. Farag Ibrahim sentì il suo stupore e cercò di dissiparlo dicendole:

"In questa classe si insegnano i rudimenti della lingua inglese".

Essa gli lanciò uno sguardo di disapprovazione, come per dirgli che non capiva.

Allora lui le fece cenno di aver pazienza e si rivolse all'uomo che si trovava nella stanza, dicendogli:

"Continuate pure la lezione, professore".

Con tono obbediente l'altro rispose:

"È un'interrogazione".

Alzò la bacchetta e toccò leggermente con la punta i capelli della ragazza nuda, la quale pronunciò una strana parola: "Hair", poi scese verso la fronte e lei disse "Front", quindi passò alle sopracciglia, agli occhi e alla bocca, a destra e a sinistra, in alto e in basso, e a quelle silenziose domande la ragazza rispondeva con strane parole che Hamida non aveva mai sentito prima. Sempre più meravigliata e imbarazzata, si chiese come quella donna potesse starsene nuda di fronte a tutta quella gente e come Farag potesse guardarla con tanta naturalezza.

Con il cuore in tumulto e il viso in fiamme, gli lanciò una rapida occhiata, mentre lui annuiva, soddisfatto della preparazione dell'allieva e diceva:

"Brava... davvero brava".

Poi, rivolto all'insegnante:

"Mostraci un po' di conversazione amorosa".

L'uomo mise da parte la bacchetta e cominciò a rivolgersi alla donna in inglese, lei rispondeva alle sue battute. I due continuarono per alcuni minuti senza incertezze finché Farag Ibrahim esclamò:

"Eccezionale...!" Quindi, indicando le ragazze sedute chiese:

"E le altre?"

L'insegnante rispose:

"Fanno progressi. Glielo dico sempre che una lingua non si

impara studiando ma con la pratica, la vera scuola sono i cabaret e le pensioni. Questa lezione serve solo a fissare le nozioni apprese con l'esperienza".

Guardando la ragazza, Farag rispose:

"Ben detto... ben detto".

Infine salutò con un cenno della testa, prese Hamida sotto braccio e insieme lasciarono la stanza. Attraversarono un'altra volta il lungo corridoio, dirigendosi verso la loro stanza. Il volto di lei era di pietra, la sua bocca sigillata, gli occhi rivelavano perplessità e smarrimento e lei cercava un pretesto per sfogarsi, senza uno scopo preciso, ma per dissipare quel turbamento e quella agitazione. Egli restò in silenzio finché non furono nella stanza, poi disse dolcemente: "Sono contento di averti mostrato la mia scuola e le varie classi. Forse il programma ti è sembrato difficile, ma hai potuto vedere con i tuoi occhi quanto siano brave le allieve, pur essendo tutte senza eccezione meno intelligenti e meno belle di te".

Lei lo guardò con aria risoluta di sfida e gli chiese freddamente:

"Vuoi che faccia come loro?"

Egli sorrise dolcemente e disse astutamente:

"Nessuno ti obbliga, la decisione spetta solo a te, ma io ho il dovere di darti ogni informazione e di consigliarti per il tuo bene. Fortunatamente ho trovato in te una compagna intelligente, che capisce tutto al volo, dotata di bellezza e ambizione. Se oggi sono io a incoraggiarti domani sarai tu a farlo con me. Ti conosco bene e leggo nel tuo cuore come in un libro aperto: posso dire con certezza che accetterai di imparare la danza e l'inglese, e che apprenderai tutto in brevissimo tempo. Fin dall'inizio sono stato franco e ho evitato di mentirti perché ti amo sinceramente e ho capito subito che non ti saresti lasciata ingannare. Fa' ciò che vuoi, amore: prova a danzare o lascia perdere, rimani o vattene, in ogni caso io non posso costringerti".

Queste parole non caddero nel vuoto, tranquillizzarono Hamida e le calmarono i nervi. Farag le si avvicinò, le prese una mano e si mise ad accarezzarla teneramente dicendo:

"Sei la cosa migliore che mi sia capitata. Come sei affascinante, come sei bella!"

Le rivolse uno sguardo intenso e incantatore; prese le mani di lei e le portò alla bocca, baciandole la punta delle dita, a due a due, mentre ella si lasciava andare, sentendo ad ogni tocco delle sue labbra una scossa che si rifletteva nel suo sguardo dolce e innamorato. Le sfuggì un sospiro ardente ed egli la prese tra le braccia stringendola piano piano al petto finché sentì la pressione dei suoi seni sul suo cuore, seni turgidi di una vergine, tanto sodi da affondare quasi nel suo petto.

Le accarezzò la schiena mentre lei nascondeva il suo viso contro di lui, poi le sussurrò:

"La tua bocca".

Essa alzò lentamente la testa, schiudendo un poco le labbra che si unirono alle sue in un lunghissimo bacio, mentre lei chiudeva gli occhi rapita. Farag la sollevò prendendola in braccio come un bambino e, dopo averle fatto volar via i sandali con un leggero colpo, si diresse lentamente verso il letto, sul quale la distese rimanendo chinato su di lei e guardando intensamente il suo viso arrossato. Essa aprì gli occhi e i loro sguardi si incontrarono. L'uomo le sorrise dolcemente, mentre lei continuava a guardarlo languida. Nonostante le apparenze, era padrone dei suoi nervi e la sua mente, più sveglia del suo cuore, seguiva senza esitazione il piano previsto. Si rialzò soffocando un sorriso scaltro e disse con l'aria di chi domina la propria passione:

"Piano... piano. L'ufficiale americano è disposto a pagare cinquanta lire per una vergine".

Stupefatta Hamida si voltò verso di lui e ben presto al posto dello sguardo languido nei suoi occhi apparve un'aria tagliente, dura e corrosiva. Si mise a sedere sul letto, poi scivolò svelta a terra e si rizzò davanti a lui come un serpente infuriato. Il suo istinto combattivo aveva ripreso il sopravvento, ed essa alzò una mano e lo colpì con forza ad una guancia con uno schiaffo sonoro. Egli rimase immobile per qualche secondo, poi un sorriso sprezzante si disegnò ad un angolo della sua bocca e repentinamente la colpì a sua volta su una guancia con estrema violenza, poi, prima che lei potesse riaversi, la colpì di nuovo, forte, sull'altra guancia. Essa impallidì, le sue labbra tremarono; fu scossa da un fremito e si avventò su di lui, ficcandogli le dita nel collo. L'uomo subì calmo l'attacco senza tentare di respingerlo, quindi la serrò tra le braccia fin quasi a stritolarla. Le mani di lei si distesero, lasciarono il suo collo e si aggrapparono alle sue spalle mentre essa alzava verso di lui il suo viso arrossato e la bocca tremante di desiderio...

27

Le tenebre avevano avvolto il Vicolo e tutto era sprofondato nel più assoluto silenzio. Perfino il caffè Kirsha aveva già chiuso i battenti e gli avventori se n'erano andati. Era l'ora in cui l'ombra di Zaita scivolava fuori dal forno per compiere il suo giro notturno. Attraversò il Vicolo diretto verso la Sanadiqiyya ma, voltando a sinistra in direzione della moschea di al-Hussein fu sul punto di scontrarsi con qualcuno che camminava in mezzo alla strada. Non appena il viso di quello fu illuminato dalla pallida luce delle stelle, Zaita esclamò:

"Dottor Bushi! E da dove vieni?"

L'altro rispose precipitosamente:

"Venivo da te".

"Hai dei clienti?"

L'altro rispose come in un soffio:

"Qualcosa di meglio: è morto Abd al-Hamid al-Talibi!"

Gli occhi di Zaita brillarono nelle tenebre e chiese interessato:

"Quando? L'han già sepolto?"

"Sì, stasera".

"Sai dove?"

"Tra Bab el-Nasr e la strada della montagna".

Zaita prese il dottor Bushi sotto un braccio e si mise a camminare con lui, chiedendogli:

"Non rischierai di perderti con questa oscurità?"

"No. Seguendo il corteo funebre, sono stato bene attento e ho imparato la strada. D'altra parte, è una strada che noi due conosciamo bene e che abbiamo fatto tante volte nel buio più totale".

"E i tuoi arnesi?"

"Sono in un posto sicuro, davanti alla moschea".

"È una tomba coperta?"

"All'entrata c'è una stanza coperta, ma la tomba si trova in un cortiletto a cielo aperto".

Non senza ironia l'altro gli chiese:

"Conoscevi il defunto?"

"Solo di vista. Vendeva farina nella Mubayyiada".

"E aveva una dentiera completa o soltanto qualche dente d'oro?"

"Una dentiera completa".

"Non temi che qualcuno dei suoi gliel'abbia tolta prima della sepoltura?"

"No. Sono persone timorate e non l'avrebbero mai fatto".

Scrollando il capo con aria dispiaciuta, Zaita disse:

"Purtroppo è finito il tempo in cui nelle tombe si mettevano anche i gioielli dei morti".

Il dottor Bushi sospirò:

"Purtroppo è finito davvero".

Nel buio completo, in silenzio assoluto, giunsero alla Gamaliyya, incrociarono due poliziotti, quindi si avvicinarono a Bab el-Nasr. Zaita estrasse dalla tasca mezza sigaretta, l'accese e cominciò a fumarla avidamente; allarmato dalla luce del fiammifero, il dottor Bushi disse nervosamente all'amico:

"Che idea mettersi a fumare in questo momento".

Ma Zaita non gli badò e disse, come continuando un discorso tra sé e sé:

"Dai vivi non c'è da aspettarsi nulla, e sono pochi anche i morti che servono a qualcosa".

Oltrepassata la porta, deviarono a destra per una strada costeggiata da tombe sui due lati, dominata da un cupo silenzio e da una completa desolazione. A un terzo del cammino, Zaita disse:

"Ecco la moschea".

Bushi si guardò attorno circospetto, quindi si avvicinò alla moschea evitando di fare il minimo rumore, tastò il terreno ai piedi del muro, vicino all'entrata, finché trovò una grossa pietra, la rimosse e da una buca estrasse una zappetta e un involto che conteneva una candela. Raggiunse il compagno, riprese a camminare insieme a lui, e intanto gli diceva sottovoce:

"Quella che cerchiamo è la quinta tomba prima della via del deserto".

Affrettarono il passo mentre il dottore osservava le tombe sulla sinistra, con il batticuore. Poi d'improvviso rallentò e bisbigliò:

"È questa".

Ma non si fermò e spinse l'amico avanti dicendo:

"Da questa parte il muro è alto e la strada è insicura. È meglio che giriamo dal lato del deserto e che scavalchiamo da dietro, dove la tomba si trova all'aria aperta".

L'altro non fece obiezioni e insieme avanzarono silenziosi fino alla strada del deserto, lì Zaita propose che si fermassero un poco a controllare la strada e così si sedettero fianco a fianco, ispezionando insieme il luogo. L'oscurità era totale e il posto deserto; dietro di loro erano disseminate tombe a perdita d'occhio e benché non fosse la prima impresa del genere, il dottor Bushi non riusciva a controllare i nervi né a calmare l'agitazione. Così continuava a scrutare le tenebre col cuore in gola e i nervi tesi, mentre Zaita sedeva al suo fianco impassibile, indifferente, padrone di sé, e quando fu sicuro che la via era libera, gli disse:

"Lascia qui gli attrezzi, precedimi fino al muro posteriore e aspettami lì".

Il dottore si alzò controvoglia e si infilò fra le tombe diretto verso il muro di cinta posteriore. Procedette a tentoni rasente la parete, rischiarato soltanto dalla luce delle stelle e contò i recinti finché arrivò al quinto. Si guardò furtivamente attorno e si accovacciò. Non vedeva nulla di sospetto e non sentiva alcun rumore, ma l'angoscia non lo abbandonava e l'impazienza aumentava. Poco dopo vide l'ombra di Zaita a un passo da lui, si alzò circospetto, ma l'altro, guardando il muro, gli disse bisbigliando:

"Mettiti giù, in modo che ti salga sulla schiena".

Il dottore si accovacciò, appoggiando le mani sulle ginocchia e Zaita gli salì sulla schiena, tastò il muro fino ad afferrarne l'orlo, vi si arrampicò agile e leggero, quindi gettò la zappa e la candela all'interno. Poi tese una mano al dottore e lo aiutò a scalare il muro a sua volta e insieme scesero dall'altra parte. Alla base del muro, si fermarono per riposarsi e intanto Zaita recuperò la zappa e l'involto con la candela. I loro occhi, ormai abituati all'oscurità e familiarizzati con la debole luce delle stelle, distinguevano abbastanza chiaramente il cortile e le due tombe vicine a poca distanza da loro. In fondo al cortile una stretta porta dava sulla strada che avevano percorso per giungere lì e ai lati dell'ingresso c'erano due camere funerarie. Zaita, indicando le tombe, chiese:

"Quale delle due?"

L'altro rispose con voce strozzata:

"Sulla tua destra".

Senza esitare, Zaita si diresse verso la tomba, seguito da Bushi che tremava come una foglia, si piegò, tastò il terreno trovandolo morbido e mosso di fresco e cominciò a lavorarci con la zappa cautamente e delicatamente, ammucchiando la terra tra le gambe divaricate. Quel tipo di operazione non gli era nuova ed egli continuò finché trovò le traversine che coprivano la buca. Si rimboccò la galabiyya stringendosela in vita, quindi si avvicinò alla prima traversina e facendo forza coi muscoli, la sollevò e la gettò di lato, con l'aiuto di Bushi. Fece lo stesso con la seconda e l'apertura così praticata diventò sufficiente perché potessero passarci entrambi. Scese quindi i gradini, mormorando all'altro: "Seguimi" e quello gli andò dietro atterrito, rabbrividendo. Seduto sul secondo gradino, il dottor Bushi accese la candela e la fissò sul gradino più in basso, poi chiuse gli occhi e si mise la testa tra le ginocchia. Si intrufolava nelle tombe controvoglia e spesso aveva chiesto a Zaita che gli facesse la grazia di lasciarlo fuori, ma l'altro aveva sempre preteso che partecipasse a tutte le fasi dell'operazione, godendo dentro di sé del tormento che gli infliggeva. La fiamma della candela illuminava la tomba e Zaita lanciò uno sguardo impassibile sui cadaveri avvolti nei sudari, allineati in fila a perdita d'occhio, simbolo del passare del tempo e della caducità di ogni cosa. Tutto ciò però non destava la minima emozione in Zaita che fissò lo sguardo sul sudario nuovo, all'entrata della tomba. Si accovacciò e con le mani fredde cercò la testa del morto, finché scoprì le sue labbra. Afferrò la dentiera e la strappò mettendosela in tasca con le dita sporche. Riavvolse la testa nel sudario e si diresse verso l'uscita dove il dottore stava ancora con la testa nascosta tra le ginocchia e la candela accesa sul gradino più in basso. Lo guardò con aria di scherno e mormorò:

"Svegliati".

Tremando, quello alzò la testa, raccolse la candela, la spense con un soffio poi risalì la scala come se fuggisse. Zaita lo seguiva, ma non avevano ancora raggiunto l'esterno quando sentì un grido acuto, e il dottor Bushi che urlava:

"Mi arrendo".

Restò impietrito, poi senza sapere cosa fare, ridiscese sentendosi gelare e continuò a indietreggiare finché non urtò un cadavere, allora fece un passo in avanti e si fermò senza trovare via di uscita. Pensò di stendersi tra i morti, ma prima di potersi muovere fu avvolto da un fascio di luce che lo costrinse a chiudere gli occhi mentre una voce potente con l'accento del Sud gridava:

"Sali o sparo".

Preso dalla disperazione, obbedì e salì i gradini come gli era stato ordinato, dimenticandosi in tasca la dentiera d'oro.

La notizia dell'arresto del dottor Bushi e di Zaita, colti sul fatto nella tomba dei Talibi, arrivò nel Vicolo solo il pomeriggio del giorno seguente. A sentirla, tutti furono colti dallo stupore e dal disappunto. La signor Saniyya Afifi, saputa la cosa, fu presa dal panico e si mise a gridare, si strappò la dentiera e la buttò via. In preda a una crisi di nervi, prese a percuotersi il volto finché cadde svenuta. A quelle grida, suo marito che stava facendo il bagno si spaventò, indossò la galabiyya ancora bagnato e corse da lei senza pensare ad altro.

28

Il buon Kamil stava seduto su una sedia, alla soglia del suo negozio, sprofondato nel sonno, col capo ciondoloni e lo scacciamosche in grembo, quando sentì qualcosa sulla testa pelata e si svegliò muovendo meccanicamente la mano per cacciare quello che riteneva un insetto. Si imbatté invece nella mano di un uomo e l'afferrò irritato, cominciando a lamentarsi e a brontolare. Alzò il capo per vedere chi fosse quello spiritoso che lo aveva svegliato da un sonno tanto piacevole e vide che si trattava di Abbas al-Helwu. Non poteva credere ai suoi occhi, lo guardò sbalordito, il suo viso paffuto avvampò di gioia, fece per alzarsi, ma il ragazzo non gliene diede il tempo, buttandosi tra le sue braccia. I due si abbracciarono calorosamente mentre al-Helwu esclamava emozionato:

"Come stai, Kamil?"

L'uomo rispose allegramente:

"Come stai tu, Abbas? Benvenuto. Mi sei mancato, maledetto". Kamil esaminava con attenzione il giovane sorridente in piedi di fronte a lui. Indossava una camicia bianca e pantaloni grigi, era a capo scoperto e ben pettinato, era elegante e aveva un bell'aspetto: a giudicare dal colorito del viso sembrava in buona salute. Kamil lo guardò con ammirazione e gli disse con la sua voce acuta:

"Santo cielo, sei magnifico Johnny!"

Abbas al-Helwu rise di vero cuore e disse:

"Thank you... da oggi lo Shaykh Darwish non sarà più l'unico a parlare inglese".

Il ragazzo lasciò vagare lo sguardo nel Vicolo che amava, i suoi occhi si fermarono sul suo vecchio negozio, dove il proprietario era intento a radere un cliente e rivolse a quel luogo una dolce occhiata di saluto, quindi levò il capo verso la finestra, la trovò ancora chiusa e si domandò se Hamida fosse in casa. Che avrebbe fatto se, aprendo la porta, se lo fosse trovato davanti? L'avrebbe certo guardato con grande stupore e gli occhi le si sarebbero riempiti di quella abbagliante bellezza. Sarebbe stato il più bel giorno della sua vita. Udì la voce di Kamil che gli chiedeva:

"Hai lasciato il lavoro?"

"No, ho una breve licenza".

"Non hai saputo quel che è successo al tuo amico Hussein Kirsha? È andato via e si è sposato, ma poi lo hanno congedato, così è tornato a casa, portandosi dietro la moglie e il cognato".

Al-Helwu parve dispiaciuto e disse:

"Che sfortuna! Ne stanno congedando molti, come l'ha presa padron Kirsha?"

L'altro fece una smorfia e disse:

"Continua a lamentarsi e a brontolare, ma il ragazzo si è sistemato in casa con la famiglia".

Tacque per mezzo minuto, poi si affrettò a dire come se si fosse ricordato di una cosa importante:

"E non hai saputo che il dottor Bushi e Zaita sono in prigione?" e gli raccontò come erano stati arrestati nella tomba dei Talibi, colti sul fatto mentre rubavano una dentiera d'oro. Al-Helwu rimase ammutolito, non tanto per Zaita che riteneva capace di qualsiasi cosa, ma per il dottor Bushi che non giudicava in grado di commettere una simile nefandezza. Si ricordò anche che gli aveva proposto di fargli una dentiera quando sarebbe tornato dal Tell el-Kebir ed ebbe un'espressione di disgusto. Il buon Kamil continuava dicendo:

"E si è anche sposata la signora Saniyya Afifi..." e sarebbe stato il momento di aggiungere: "E presto sarà il tuo turno" ma tacque improvvisamente, col cuore che gli batteva con violenza. Si rammentò di Hamida e nei giorni seguenti avrebbe rivissuto più volte quell'istante, stupito di come avesse potuto dimenticarla mentre era proprio a lei che avrebbe dovuto pensare fin dal primo momento. Al-Helwu però non si era accorto del suo cambiamento di tono e tutto preso dalla sua gioia e dalle sue speranze, indietreggiò un poco dicendogli:

"Torno subito".

L'uomo temette che potesse venire a sapere la cosa d'un colpo e gli chiese precipitosamente:

"Dove vai?"

Allontanandosi, l'altro rispose:

"Al caffè a salutare gli amici". Il buon Kamil si alzò faticosamente appoggiando le mani ai ginocchi e lo seguì barcollando.

Era pomeriggio e nel caffè c'erano solo padron Kirsha e lo Shaykh Darwish.

Abbas salutò Kirsha che gli diede il benvenuto e strinse la mano allo Shaykh che lo guardò sorridendo senza dire una parola. Il buon Kamil, imbarazzato e amareggiato, non sapeva come dargli la dolorosa notizia, così gli propose:

"Torneresti con me un momento al negozio?"

Abbas esitava tra la richiesta dell'amico e quella visita che attendeva impazientemente di poter fare da alcuni mesi, ma era molto affezionato a Kamil, e non trovò nulla di male a rimanere con lui ancora un po'. Così tornò al negozio, nascondendo il proprio disappunto sotto un cortese sorriso. Sedettero fianco a fianco e Abbas disse contento: "A Tell el-Kebir si fa una vita magnifica. Si lavora sempre, ma si guadagna bene. Io non spreco il denaro e mi accontento di una vita modesta, quasi uguale a quella che conducevo qui. Ho fumato hashish solo qualche volta, benché là ce ne sia a volontà, e guarda che cosa ho comprato". Estrasse dalla tasca dei pantaloni una scatoletta, l'aprì e gli mostrò una catenina d'oro con un piccolo cuore dicendo, mentre gli occhi gli luccicavano di gioia:

"È il regalo di fidanzamento per Hamida. Lo sai? Durante questa licenza firmeremo il contratto..."

Si aspettava che l'altro dicesse qualcosa, ma il buon Kamil rimase in silenzio e abbassò lo sguardo, imbarazzato. Il ragazzo lo guardò attentamente e solo allora si accorse del suo viso scuro e costernato. Il buon Kamil non era di quelli che sanno nascondere ciò che hanno dentro, gli si leggeva in faccia quello che pensava, così anche al-Helwu si rabbuiò e fu preso da un senso di angoscia mentre chiudeva la scatoletta e la rimetteva in tasca. Tornò a scrutare l'amico e la paura gli strinse il cuore. Temette che la sua gioia potesse essere offuscata da qualcosa che non riusciva nemmeno a immaginare, ma che intuiva nello sguardo dell'amico. La pena divenne tale che non poté più contenersi e gli chiese turbato:

"Che c'è Kamil? Non sei più lo stesso, che cosa ti angustia così? Perché non mi guardi?"

L'altro alzò il viso lentamente verso di lui guardandolo con occhi cupi e tristi. Aprì la bocca come per parlare, ma la lingua con gli obbedì. Al colmo dell'apprensione, Abbas intuì la tragedia e vide dissolversi gioia e speranze e infine si decise a gridare:

"Che c'è Kamil? Cosa vuoi dirmi? Si vede che nascondi qualcosa, non farmi morire con questa esitazione. Hamida? Dio mio, Hamida! Parlami, non mi torturare col tuo silenzio, di' tutto quello che hai da dire".

L'altro rispose con voce appena percettibile:

"Hamida non c'è. Non è più qui, è sparita. Nessuno sa nulla di lei".

Abbas lo ascoltò in preda al panico: quelle parole si incidevano una a una nella sua anima ma si sentiva confuso come colto da una febbre improvvisa e disse con la voce che gli tremava:

"Non capisco nulla. Che dici? Non è tornata, scomparsa? Che significa?"

Afflitto, il buon Kamil rispose:

"Fatti coraggio Abbas, Dio sa quanto mi dispiaccia per te, ma non c'è nulla da fare. Hamida è scomparsa, nessuno sa nulla di lei. È uscita, un pomeriggio, come al solito e non è tornata, l'hanno cercata nei posti che frequentava, ma senza successo. Abbiamo informato il commissariato di Gamaliyya e chiesto all'ospedale, ma non ne abbiamo trovato traccia".

Il volto di al-Helwu si rabbuiò ed egli restò un momento immobile e silenzioso senza parlare, senza muoversi e senza badare a nulla. Non c'era scampo. D'altra parte aveva avuto un presentimento e non si era sbagliato. Ma che stava dicendo quell'uomo? Hamida scomparsa: una persona può forse sparire come un ago o una moneta? Se gli avessero detto che era morta o che si era sposata, avrebbe potuto darsi pace e la disperazione sarebbe stata meno dura di quel dubbio e di quell'incertezza. Cosa poteva fare allora? D'improvviso si scosse, ebbe un fremito e guardando l'altro con occhi infuocati gridò:

"Hamida è scomparsa, e voi cosa avete fatto? Avete informato il commissariato e chiesto all'ospedale. Dio ve ne renda merito, e poi? Siete tornati al vostro lavoro come se niente fosse, buon Dio, come se tutto fosse finito. Tu sei tornato al tuo negozio e sua madre alla porta delle donne da maritare. Hamida è perduta, e io con lei. Ma almeno dimmi quello che sai della scomparsa: come è stato? E quando?" Il buon Kamil restò molto turbato nel vedere l'amico tanto irato e disse tristemente:

"È scomparsa da circa due mesi, è stata una cosa spaventosa

che ha lasciato tutti scossi. Dio solo sa quanti sforzi abbiamo fatto per cercarla, ma è stato tutto inutile".

Al giovane salì il sangue alla testa, strabuzzò gli occhi e disse come se parlasse a se stesso:

"Due mesi! Dio mio, dopo tutto questo tempo, come posso sperare di trovarla? Sarà morta, annegata, sarà stata rapita? Come potrò saperlo? Raccontami quel che dice la gente".

Il buon Kamil lo guardò con tristezza e compassione.

"Hanno fatto un sacco di supposizioni e poi hanno pensato che fosse rimasta vittima di un incidente ma ora non dicono più nulla".

Il ragazzo gemette:

"Certo... certo, non è figlia né parente di nessuno di loro, neppure sua madre è quella vera. Che le sarà accaduto? In questi due mesi, nei miei sogni sono stato il più felice degli uomini, vedi come uno può sognare la felicità mentre la sventura si avvicina, lo sveglia facendosi beffe di lui e stravolge il suo destino? Forse io mi stavo divertendo mentre lei veniva investita o si dibatteva in fondo al Nilo... Due mesi! Oh Hamida! Non c'è potenza né forza che in Dio".

Si alzò pestando i piedi a terra e disse, a disagio:

"Addio".

"Dove vai?"

"Andrò a trovare sua madre".

E dirigendosi piano verso la porta del negozio, ricordò che quando vi era entrato era fuori di sé dalla gioia mentre ora ne usciva distrutto. Si morse le labbra sopraffatto dal dolore e si fermò, girandosi verso l'amico che lo guardava con gli occhi pieni di lacrime, allora non riuscì più a trattenersi e quasi senza accorgersene corse ad abbracciarlo disperato singhiozzando come un bambino.

Davvero non gli venne alcun dubbio sul motivo reale della scomparsa di Hamida? Non fu preso dai sospetti che solitamente assalgono chi ama, in simili circostanze? In realtà un dubbio si era affacciato alla sua mente ma lui non aveva voluto prestargli attenzione. Fiducioso per natura, era portato senza alcun calcolo a pensar bene ed era di quei pochi che sono sempre pronti, per tendenza innata, a giustificare gli altri e a dare, delle azioni più detestabili, le migliori interpretazioni. L'amore non aveva cambiato questi tratti del suo carattere, li aveva anzi rafforzati soffocando in lui ogni gelosia e ogni sospetto. Amava Hamida intensamente e aveva in lei una fiducia totale, convinto che fosse la miglior ragazza del mondo, quand'anche un dubbio gli si fosse presentato si sarebbe affrettato a scacciarlo. Quel giorno stesso andò a trovare la madre, senza peraltro trarne alcun conforto: con voce rotta dal pianto ella gli ripeté ciò che gli aveva già detto il buon Kamil. Gli assicurò che la ragazza aveva continuato a pensare a lui e ad attendere impaziente il suo ritorno, riuscendo con quelle bugie soltanto a rattristarlo ancora di più. Al-Helwu la lasciò come era venuto, col cuore spezzato, la mente in subbuglio e l'animo tormentato. A passi pesanti uscì dal Vicolo mentre il tramonto tingeva d'oro l'aria. Proprio l'ora in cui poteva vederla, quando usciva per la sua passeggiata quotidiana. Camminava senza badare a chi gli stava attorno e se la immaginava avvolta nel velo nero, con quei grandi occhi che egli amava tanto. Si rammentò del loro ultimo addio sul pianerottolo e sospirò profondamente, triste e disperato: dove poteva essere in quel momento? Cosa faceva? Che ne era di lei? Era ancora viva, o giaceva in qualche fossa comune? Mio Dio, come aveva potuto il suo cuore intorpidirsi per tutto quel tempo e non avere né un dubbio né un presentimento? Come aveva potuto lasciarsi andare alla sicurezza dei sogni e al piacere dei desideri, dedicarsi al lavoro senza preoccuparsi di ciò che gli riservava il domani? Il luogo era affollato, egli si riscosse e dovette prestare attenzione alla strada: era il quartiere del Muski, pieno di gente e negozi che piacevano tanto a Hamida. Tutto era al suo posto, salvo lei: scomparsa, come se non fosse mai esistita. Gli venne voglia di piangere, ma questa volta si controllò. Gli aveva fatto bene piangere abbracciato al buon Kamil, gli aveva disteso i nervi lasciandogli una tristezza profonda ma calma, e ora doveva pensare al da farsi. Avrebbe potuto fare il giro dei commissariati e andare all'ospedale, ma a che sarebbe servito? Vagare per le strade del Cairo, chiamandola per nome? Bussare di porta in porta? Dio, si sentiva impotente, ma come sarebbe potuto tornare al Tell el-Kebir cercando di dimenticare tutto ciò che si lasciava alle spalle? E perché poi tornarci? Perché ostinarsi ancora a patire le pene della lontananza e faticare per mettere i soldi da parte? La vita senza Hamida era un pesante e inutile fardello. Dal suo cuore svanì ogni sentimento, salvo un languore che gli toglieva il respiro e un'apatia che soffocava ogni sensibilità. Si trovava in quel penoso stato in cui la vita appare vuota e desolata, circondata da un terribile muro di disperazione. Fino ad allora era vissuto senza farsi troppe domande, secondo le elementari leggi dell'esistenza e aveva trovato nell'amore l'essenza della vita e ciò che avrebbe potuto renderla perenne.

Perdendo Hamida aveva perduto ciò che lo teneva legato all'esistenza e vagava ora senza meta come un atomo perso nel vuoto. E se la vita non avesse la capacità di indurci ad aggrapparci ad essa anche nei momenti più bui, egli avrebbe posto fine ai suoi giorni.

Eccolo quindi proseguire il suo cammino, smarrito e senza meta, conscio di non avere più uno scopo.

Ma gli rimaneva un tenue filo di ragione e vedendo le ragazze del laboratorio che facevano ritorno dal lavoro, istintivamente si diresse verso di loro e le avvicinò. Stupite, esse si fermarono e lo riconobbero senza difficoltà, mentre egli le apostrofava con fare deciso:

"Buonasera, scusate se vi disturbo, ma non vi ricordate della vostra amica Hamida?"

Una rispose:

"Certo che ci ricordiamo tutte di lei, è scomparsa improvvisamente e non l'abbiamo più vista".

Con voce afflitta, egli riprese:

"E non sapete nulla della sua scomparsa?"

Un'altra gli rivolse uno sguardo astuto e gli disse:

"Non sappiamo niente di certo, se non quello che ho già detto a sua madre il giorno della sua scomparsa, quando venne da me a chiedermi di lei, e cioè che l'avevamo vista più volte passeggiare per il Muski in compagnia di un signore..."

Abbas ebbe un tremito all'angolo della bocca e la guardò stupefatto chiedendole:

"L'avete vista in compagnia di un uomo?"

Impressionate del suo aspetto, le ragazze smisero di guardarlo con malizia divertita, e si fecero serie, mentre quella che aveva parlato, riprese dolcemente:

"Sì, signore".

"E l'avete detto a sua madre?"

"Certo".

Egli ringraziò e proseguì il suo cammino, sicuro che avrebbero parlato di lui per tutto il resto della strada, probabilmente ridendo di quell'ingenuo andato a Tell el-Kebir a far fortuna per la sua amata che intanto aveva trovato un altro ed era fuggita con lui. Che stupido era stato, il buon Kamil e la madre di Hamida avevano avuto compassione di lui e gli avevano nascosto la verità, ma che altro avrebbero potuto fare? Ripresosi dallo sbigottimento si disse: "È proprio quello che mi aveva suggerito il cuore fin dal primo momento", ma non era sincero, poiché il sospetto lo aveva solo sfiorato, anche se ora, nello stato in cui si trovava, ricordava solo quel sospetto. Tuttavia un istante dopo si chiedeva torcendosi convulsamente le dita: "Dio mio, come posso pensare una cosa simile? Hamida è davvero fuggita con un uomo? Chi potrebbe crederlo?"

Non era dunque morta e non le era successo alcun incidente. Si erano sbagliati a cercarla ai commissariati e all'ospedale senza immaginare che se la dormiva, felice e contenta, tra le braccia dell'uomo che l'aveva rapita. Eppure Hamida gli aveva fatto una promessa, l'aveva dunque ingannato? Oppure era stato lui ad illudersi che gli volesse bene? E poi, come aveva conosciuto quell'uomo? Quando se ne era innamorata? Quale diabolica audacia l'aveva indotta a fuggire con lui?

Abbas era livido e gelato, il suo sguardo cupo di quando in quando veniva attraversato da un lampo furtivo. Alzò gli occhi verso le finestre ai due lati della strada domandandosi in quale di quelle case essa stesse in quel momento dormendo stretta al suo amante. Il suo smarrimento svanì, fu invaso da una rabbia ardente e da un odio feroce, e il cuore era stretto dalla gelosia. Ma più della gelosia era forte il disinganno, poiché se quella è dovuta all'orgoglio, di cui Abbas era privo, questo nasceva dal dileguarsi delle sue grandi speranze.

Senza che se ne rendesse conto, quell'esplosione di rabbia gli fece bene e lo strappò alla sua muta tristezza. Cominciò a pensare di potersi un giorno vendicare, magari sputandole in faccia il suo disprezzo. Poi l'idea della vendetta si impadronì completamente di lui: avrebbe voluto trafiggere quel cuore traditore con un coltello affilato. Adesso capiva perché Hamida insistesse tanto a uscire al tramonto e a esporsi ai lupi della strada.

Se invece di sposarlo, aveva preferito prostituirsi per quell'uomo, doveva proprio aver perso la ragione. A quel pensiero Abbas si morse le labbra per il dispiacere e per la collera e tornò sui suoi passi stanco di camminare e di star solo. La sua mano urtò nella tasca la scatoletta ed egli esplose in una risata aspra e sarcastica, che sembrava un grido di rabbia: peccato che non potesse strozzarla con quella catena d'oro! Si ricordò di come il suo cuore battesse di gioia mentre osservava i gioielli nella bottega dell'orefice e la debole brezza di quel ricordo diventò nel suo cuore tormentato un vento cocente.

29

Appena Sayyid Selim Alwan ebbe firmato il contratto che aveva sulla scrivania, il forestiero che sedeva di fronte a lui gli strinse la mano dicendogli:

"Complimenti Selim Bey. Avete fatto un buon affare".

Il Sayyid seguì l'uomo con lo sguardo finché non fu sparito oltre le porte del bazar. Era stato davvero un buon affare, almeno per lui che si era liberato del tè che aveva in magazzino e che il forestiero aveva acquistato in blocco. Aveva guadagnato parecchio e si era alleggerito di un peso, la sua salute infatti non gli permetteva più di sopportare le ansie del mercato nero. Si disse però, sarcastico e contrariato: "Un affare buono ma maledetto, ormai ogni cosa che faccio è maledetta".

In realtà del vecchio Sayyid non restava che un'ombra ed erano i nervi soprattutto a consumarlo, come se volessero ucciderlo. Il pensiero assillante della morte era diventato la sua principale preoccupazione.

L'esaurimento indeboliva la fede e piegava il coraggio che pure non gli mancavano. Pensava continuamente all'ora dell'agonia, di cui aveva avuto un amaro assaggio di recente, e riandava con la memoria a quella dei parenti che aveva visto morire: quel doloroso languore, quel respiro difficile, quel rantolo discontinuo, quell'appannarsi della vista e la vita che abbandona il corpo e l'anima che se ne va. Come si poteva accettare una cosa simile? L'uomo già impazzisce di dolore quando gli tolgono un'unghia, che mai sarà quando gli strapperanno l'anima e la vita? Le vere dimensioni di questa sofferenza le conosce solo chi muore, gli altri non ne percepiscono che le manifestazioni esteriori. La sua realtà, le sue ripercussioni nell'anima e nella carne dell'agonizzante rimangono un segreto che viene seppellito insieme a lui. Se chi muore potesse far provare agli altri il tormento della propria agonia, nessuno potrebbe più vivere una sola ora serena e la gente morirebbe di spavento prima che giungesse la propria fine.

Quanto aveva sperato che Dio gli concedesse di essere tra quei fortunati che muoiono per un colpo apoplettico! Muoiono mentre parlano o mentre mangiano, mentre camminano o stanno seduti come se si prendessero gioco dell'agonia, aspettandola con noncuranza e poi svignandosela di nascosto verso l'eternità. Ma Selim Alwan non poteva sperare una morte così, poiché già suo padre e suo nonno avevano fatto proprio la fine che egli temeva: una lunga agonia di mezza giornata, una lotta che imbianca le tempie. Chi avrebbe potuto credere che Sayyid Selim Alwan, uomo forte e felice, fosse caduto in preda a simili pensieri e timori? Eppure era così e l'agonia non era la sola cosa che lo terrorizzava. Pensava di continuo anche al sonno della morte e a lungo rifletteva e meditava su come doveva essere. L'immaginazione e la cultura tramandata dagli avi lo portavano a pensare che una parte di sé sarebbe sopravvissuta alla morte.

Così temeva che si sarebbe accorto di morire, che avrebbe sentito la fine ghermirlo e che avrebbe trovato nell'oscurità e nella desolazione della tomba, straniamento, scheletri, ossa, sudari, mancanza d'aria e di spazio oltre al probabile struggimento per la vita e la gente perduta. Tutto ciò lo rendeva depresso, teso e gli faceva venire i sudori freddi. Non parliamo poi della resurrezione, del giudizio e del castigo... che penoso cammino dalla morte al paradiso!

Così si aggrappava alla vita con la forza della disperazione, benché ormai le gioie fossero poche e non gli rimanesse altro da fare che rivedere conti e firmare documenti. Dopo la convalescenza, aveva preso l'abitudine di consultare il medico, il quale gli aveva assicurato che era completamente guarito dall'angina, ma gli aveva consigliato prudenza e moderazione. Più volte si era lamentato con lui di soffrire di insonnia e di essere assalito dall'angoscia, così quello gli aveva suggerito di rivolgersi a un neurologo da cui ormai si recava regolarmente come da cardiologi e altri specialisti, penetrando così in un mondo popolato di microbi e di sintomi misteriosi. Non aveva mai avuto fiducia nella medicina e nei dottori ma, provato com'era, aveva finito per crederci e forse questo era un effetto della sua nevrosi. La sua vita era diventata un inferno. Nel lavoro e nei rari momenti di serenità, quando le sue ansie gli davano tregua, si ingegnava a guastare i rapporti con quanti gli stavano attorno. Così, quando non era in guerra con se stesso lo era con gli altri. Gli impiegati del bazar avevano capito fin dal primo momento che il loro principale era diventato una persona strana e detestabile, il suo fiduciario aveva finito con l'andarsene, dopo venticinque anni di servizio, e chi restava lo faceva con riluttanza e a malincuore. La gente del Vicolo diceva che il Sayyid non era più completamente in sé e Husniyya, la fornaia, senza cercar di nascondere la sua malignità diceva:

"Sono stati quei piatti di farik, che Dio ce ne scampi!"

Un giorno il buon Kamil gli disse, animato dalle migliori intenzioni:

"Perché non mi ordinate un piatto di basbusa speciale, vi rimetterebbe in salute".

Ma quello si incollerì e lo assalì gridando:

"Vattene via, cornacchia! Ti ha dato di volta il cervello, scemo che non sei altro? Solo le bestie come te possono sempre avere lo stomaco in buono stato".

Dopo di ciò il buon Kamil non osò più rivolgergli la parola per nessuna ragione.

La moglie poi divenne facile preda della sua ira e del suo rancore, dato che lui non cessava di attribuire alla sua presunta invidia quanto gli era successo e le inveiva contro:

"Tutta l'invidia per la mia salute che ti tenevi dentro, finalmente è saltata fuori. Dovresti essere contenta, vipera".

Arrivò fino a dubitare che le fosse giunta notizia della sua decisione di sposare Hamida, perché queste notizie fanno presto a propagarsi all'insaputa dell'interessato e sono molti i volonterosi che vanno a riferirle a chi di dovere. Così cominciò a sospettare che la donna, presa dalla gelosia, gli avesse fatto una fattura per distruggere la sua salute fisica e mentale. Egli non era in grado di valutare ragionevolmente e di considerare con saggezza quel che gli passava per la testa, così ben presto il sospetto divenne certezza, e lo riempì di collera, di odio e di desiderio di vendetta. Allora si scatenò e prese ad ingiuriarla e a inveire contro di lei, che sopportava, sottomessa e paziente. Ma egli, non soddisfatto, continuava a provocarla e infine le disse, rude e sdegnato:

"Ne ho abbastanza di te e non ti nascondo che ho deciso di risposarmi e di tentare la sorte un'altra volta".

La donna gli credette e perse la testa, corse a cercar conforto dai figli, ai quali raccontò il proprio dramma. Quelli, presi alla sprovvista, rimasero sgomenti e si convinsero che il comportamento del padre stava prendendo una brutta piega, gravida di conseguenze, così un giorno lo andarono a trovare e gli consigliarono, per il suo bene, di liquidare i suoi affari e di pensare a riposarsi e a curarsi. Egli capì quali fossero i loro timori, che d'altra parte non gli erano nuovi, e si infuriò, aggredendoli con una brutalità inaudita, dicendo loro aspramente:

"La vita è mia e posso farne ciò che voglio. Continuerò a lavorare finché mi andrà di farlo, quindi risparmiatemi i vostri consigli interessati".

Rise sarcastico e continuò fissandoli con gli occhi spenti:

"Vostra madre non vi ha detto che voglio sposarmi un'altra volta? È la verità. Dato che lei ha deciso di farmi fuori, cercherò conforto in una donna che abbia un po' di comprensione e anche se il numero dei figli raddoppierà, sono abbastanza ricco per soddisfare tutti quanti". Li avvertì inoltre che non avrebbero dovuto più contare su di lui e che da quel momento ognuno si sarebbe mantenuto da solo, poi concluse irritato:

"Come vedete io ormai posso gustare solo medicine amare, non è giusto quindi che gli altri si godano il mio denaro".

Il maggiore gli disse:

"Come puoi parlare in questo modo ai tuoi figli che ti vogliono bene?"

Egli ribatté sarcastico:

"Di' piuttosto che siete figli di vostra madre".

Mantenne la sua promessa e i figli non ricevettero più un soldo da lui. Inoltre, per far condividere alla famiglia e specialmente alla moglie le sue stesse privazioni, proibì l'acquisto di quei cibi per cui un tempo era andata famosa la loro tavola e che gli erano stati vietati dopo la malattia. Del nuovo matrimonio parlava in continuazione poiché era un argomento che esasperava la moglie. I figli si consultarono e decisero concordemente di compatirlo e di rimanergli fedeli in quel brutto periodo. Il maggiore disse:

"Lasciamolo tranquillo fino a che Dio non decida per il meglio".

Ma l'avvocato aggiunse con una certa durezza:

"Santo cielo, se davvero intende risposarsi, tutte le nostre precauzioni non potranno impedire che caschi nelle mani di gente interessata".

La scomparsa di Hamida era stata per lui un duro colpo. Benché, dopo la malattia, non avesse pensato più a lei, la notizia lo aveva scosso e amareggiato. Aveva seguito con ansia le ricerche, e quando gli era giunta voce che fosse fuggita con uno sconosciuto ne era rimasto sconvolto ed era diventato intrattabile, al punto che per tutto il giorno nessuno aveva osato avvicinarlo. La sera poi era tornato a casa coi nervi a pezzi e un feroce mal di testa che gli aveva impedito di prender sonno prima dell'alba. Era furibondo con lei, si rodeva di rabbia e si augurava di vederla un giorno impiccata, con la lingua fuori e gli occhi strabuzzati. La notizia del ritorno di Abbas al-Helwu da Tell el-Kebir, stranamente lo calmò e volle mandarlo a chiamare. Gli parlò cortesemente e si informò della sua vita, evitando però di nominare la ragazza. Abbas lo ringraziò e incoraggiato da tanta benevolenza gli parlò a cuore aperto, mentre il Sayyid lo scrutava con occhi gelosi.

Pochi giorni dopo la fuga di Hamida, avvenne un fatto, di per sé forse insignificante, ma che divenne memorabile nel Vicolo. Un mattino, Sayyid Selim Alwan si stava dirigendo verso il bazar quando incontrò lo Shaykh Darwish che se ne andava per i fatti suoi. Un tempo il Sayyid era stato amico dello Shaykh Darwish e spesso lo aveva aiutato e gli aveva fatto dei regali, ma con la malattia aveva cominciato ad ignorarlo, come se non fosse mai esistito. Così quando si incontrarono presso la porta del bazar lo Shaykh Darwish disse come parlando a se stesso:

"Hamida è scomparsa".

Il Sayyid rimase sorpreso e non poté fare a meno di sbottare: "Che c'entro io con questo?"

Ma lo Shaykh Darwish continuava il suo discorso:

"E non solo è scomparsa, ma fuggita. E non è solamente fuggita, ma è fuggita con un uomo, questo in inglese si chiama elopement e si scrive..." ma prima che potesse terminare la frase l'altro esplose furente:

"Brutta giornata se comincia incontrando uno come te, pazzo che non sei altro. Sparisci e che Dio ti maledica".

Lo Shaykh restò impietrito, inchiodato al suolo, lo guardò come un bambino atterrito che qualcuno minaccia con un bastone e si mise a piangere, mentre il Sayyid tirava di lungo lasciandolo lì in lacrime. Piangeva sempre più forte, e i suoi gemiti furono uditi da padron Kirsha, dal buon Kamil e dal vecchio barbiere che si precipitarono da lui, chiedendogli che cosa fosse successo, quindi lo condussero al caffè e lo fecero sedere al suo posto cercando di calmarlo. Padron Kirsha gli fece portare un bicchiere d'acqua e gli disse con compassione, battendogli una mano sulle spalle:

"Abbiate fede, Shaykh Darwish. Dio nostro preservaci dal male! Se piange è un brutto segno... Signore sii buono con noi". Ma lo Shaykh piangeva sempre più forte. Serrava convulsamente le labbra, dava strattoni violenti alla cravatta e pestava i piedi per terra. Si aprirono alcune finestre e qualcuno si affacciò stupito, arrivò anche Husniyya la fornaia mentre i singhiozzi dello Shaykh raggiungevano le orecchie di Sayyid Selim Alwan, nel bazar, che ascoltava infuriato, chiedendosi quando sarebbero cessati. Provò a non prestarvi attenzione, ma quel pianto continuava a tormentarlo, gli sembrava che il mondo intero piangesse e si lamentasse. Finalmente la sua ira si placò, ma quelle lacrime gli avevano toccato il cuore che adesso vibrava di apprensione e dolore. Ah, perché non era stato capace di dominarsi, invece di assalire quel sant'uomo! Magari non l'avesse incontrato! Che cosa gli sarebbe costato ignorarlo e lasciare che se ne andasse in pace? Sospirò con rammarico e prese a dirsi che, malato com'era, avrebbe fatto meglio a tenersi buono il Signore, piuttosto che offendere i suoi santi. Così, vincendo il proprio orgoglio, si alzò, uscì dal bazar e si diresse al caffè Kirsha. Incurante degli sguardi sorpresi che lo seguivano andò dallo Shaykh che piangeva, gli posò affettuosamente una mano sulla spalla e gli disse in tono dispiaciuto di scusa: "Perdonami, Shaykh Darwish".

30

Abbas al-Helwu se ne stava seduto, solo, in casa di Kamil quando sentì bussare con forza alla porta, andò ad aprire e si trovò di fronte Hussein Kirsha. Questi indossava camicia e pantaloni, i suoi occhietti brillavano come al solito e apostrofò l'amico dicendogli:

"Sei qui da due giorni e non sei venuto ancora a trovarmi! Come stai?"

Abbas gli tese la mano sorridendo tristemente:

"Come stai tu, Hussein? Non volermene, sono stanco e abbattuto e ho dimenticato gli amici. Vieni, facciamo due passi insieme".

E uscirono. Abbas aveva passato la notte in bianco e aveva riflettuto per tutta la giornata tanto che ora si sentiva le palpebre pesanti. Del risentimento del giorno prima non rimaneva più nulla, l'ira e l'agitazione febbrile si erano calmate. I propositi di vendetta erano svaniti ed egli era caduto in uno stato di profonda tristezza e di disperazione al quale si abbandonava, soffocando altri sentimenti che non gli erano congeniali.

Hussein gli chiese:

"Non hai saputo che subito dopo la tua partenza me ne sono andato di casa?"

"Davvero?"

"Mi sono sposato, e ho cominciato a fare una bella vita..."

Sforzandosi di mostrare qualche interesse per quanto l'altro gli diceva al-Helwu rispose:

"Dio sia lodato! Bene, complimenti".

Avevano già superato la Ghuriyya quando Hussein sbottò adirato, pestando un piede in terra:

"Che disdetta però! Mi hanno congedato e sono dovuto tornare per forza nel Vicolo. Hanno congedato anche te?"

Il giovane rispose debolmente:

"No, ho avuto una breve licenza".

In preda all'invidia, l'altro rise freddamente e disse:

"Sono io che ti ho spinto a far questo lavoro, e tu, che non volevi, ora ne godi ancora i vantaggi mentre io me ne vado in giro disoccupato".

Abbas conosceva meglio di chiunque altro il carattere astioso dell'amico, così disse in tono rassegnato:

"Ad ogni modo non ne avremo per molto a quanto dicono".

Hussein parve rasserenarsi e proseguì dispiaciuto:

"Chi avrebbe mai detto che la guerra sarebbe finita tanto presto?"

Abbas scosse il capo senza dire una parola, che la guerra continuasse o finisse, che il lavoro durasse o meno, per lui era lo stesso e non gliene importava nulla. I discorsi dell'amico lo infastidivano, ma preferiva sopportarli piuttosto che star solo coi suoi pensieri e d'altra parte sopportarlo, come aveva ormai l'abitudine di fare, era un modo di tenerlo buono. Hussein continuava:

"Come ha potuto finire tanto in fretta? Speravamo che Hitler non avrebbe mai smesso, ma la nostra sfortuna ha deciso il contrario".

"Dici bene".

"Siamo dei miserabili. Un paese, gente miserabile. Non è triste riuscire ad avere qualcosa di buono solo grazie a una guerra sanguinosa, che fa strage in tutto il mondo? Soltanto il diavolo può avere pietà di noi".

Tacque un momento mentre, ormai al calar della notte, si facevano strada fra la folla di Sikka al-Gadida, poi riprese sospirando contrariato:

"Quanto avrei voluto essere un combattente! Immagina la vita di un soldato coraggioso che si getta nel conflitto e passa di vittoria in vittoria a bordo di aerei e carri armati. Attacca, uccide, fa scappare le donne, è pieno di soldi, si ubriaca ed è al di sopra di ogni legge. Non ti piacerebbe essere un soldato?"

In realtà, quando sentiva l'allarme, ad Abbas tremavano le ginocchia ed era sempre tra i primi a correre nel rifugio, come avrebbe potuto augurarsi di essere un combattente? Eppure avrebbe veramente desiderato di essere un rude soldato assetato di sangue per potersi più facilmente vendicare di quanti gli avevano fatto del male ed avevano infranto il suo sogno di felicità e di tranquillità. Con la sua solita aria distaccata rispose:

"A chi non piacerebbe?"

Poi si guardò intorno e la sua mente si affollò di pensieri. Come avrebbe potuto cancellare i ricordi che gli suscitava quella strada? Il suolo portava ancora l'orma dei dolci passi di lei e l'aria era ancora impregnata del suo respiro. Era come se la vedesse camminare con il suo incedere regale e seducente, possibile che fosse tempo di dimenticare tutto questo? Aggrottò la fronte e si rimproverò di nutrir tenerezza verso chi non la meritava. Serrò le labbra e il suo sguardo si fece duro e severo. La ribellione del giorno prima ebbe un ritorno di fiamma: doveva respingere e scacciare dalla mente chi lo aveva tradito, non doveva più consumarsi di tristezza e neppure di rabbia per una che dormiva beatamente tra le braccia del suo rivale. Il tradimento è un duro colpo, una rovina totale; chi vede calpestato il proprio sentimento finisce in preda all'umiliazione e allo sconforto.

Fu richiamato alla realtà dalla voce di Hussein che dandogli di gomito, esclamò:

"Il quartiere ebraico!"

Poi, fermandolo, gli chiese:

"Non conosci il cabaret Vita? Non hai preso l'abitudine di bere a Tell el-Kebir?"

Abbas rispose, laconico, di no.

"Come hai fatto a frequentare degli Inglesi senza bere? Sei proprio un pecorone... il vino rimette in sesto, fa bene al cervello, vieni!"

Lo prese sottobraccio ed entrò con lui nel quartiere ebraico. Il cabaret Vita era poco distante, sul lato sinistro, somigliava a un negozio di media grandezza, una stanza quadrata con un bancone di marmo sulla destra, dietro il quale, in piedi, c'era il signor Vita. Su una lunga mensola alle sue spalle, stavano allineate le bottiglie e, in fondo, delle grandi botti. Al banco, pieno di bicchieri, si affollavano molti avventori del posto: cocchieri, operai, scalzi e stracciati come mendicanti. Nel cabaret, c'erano anche alcuni tavolini ai quali sedeva l'élite di quella plebe, gente che non voleva stare in piedi per distinguersi, o perché ormai completamente ubriaca. Hussein vide un tavolo libero in fondo alla sala e vi guidò il compagno. Si sedettero, mentre Abbas si guardava intorno nel baccano, taciturno e agitato. Il suo sguardo si fissò su un ragazzo di circa quattordici anni, basso ed enormemente grasso, col volto e l'abito infangati, scalzo, pigiato tra gli altri avventori, che sorseggiava un bicchiere traboccante e dondolava la testa ubriaco. Abbas sgranò gli occhi, Hussein se ne accorse e con una smorfia disse ironico:

"È Aukal, lo strillone. Di giorno vende giornali e di notte si ubriaca. È solo un ragazzo, ma ci sono pochi uomini come lui. Capisci, razza di stupido?"

Poi aggiunse chinandosi verso di lui:

"Un bicchiere di vino a una piastra e mezzo è una delizia per i disoccupati come me, ma solo un mese fa bevevo whisky al bar Finch: tutto cambia a questo mondo, pazienza!"

Ordinò due bicchieri, il padrone li portò e li posò sul tavolo insieme a un piatto di lupini. Abbas guardò il bicchiere, angosciato, diviso fra il timore di quello che avrebbe potuto dire il suo amico e l'apprensione per quella nuova esperienza:

Hussein afferrò il bicchiere dicendogli con scherno:

"Hai paura? Lascia che il vino ti ammazzi... quando le cose vanno male non hai più nulla da guadagnare né da perdere. Alla salute".

Toccò il bicchiere di Abbas col suo e lo vuotò d'un colpo con indifferenza. Abbas bevve un sorso ma allontanò il bicchiere dalla bocca con disgusto, aveva sentito una lingua di fuoco scendergli in gola, il suo volto si era contratto come un giocattolo di gomma schiacciato dalle dita di un bambino. Protestò:

"È atroce! È amaro e brucia".

Hussein, divertito, lo rimproverò con aria di superiorità:

"Coraggio bamboccio, la vita è ben più amara di questo e ha ben peggiori conseguenze..."

Gli avvicinò il bicchiere alle labbra dicendo:

"Bevi o ti si verserà sulla camicia".

L'altro lo trangugiò fino in fondo, quindi sbuffò di disgusto mentre sentiva un'ondata di calore salire dalle viscere in tutto il corpo con sorprendente rapidità. Dimenticò quel sapore orrendo, rapito da quella sensazione che ora gli scorreva nelle vene e che, quando arrivò alla testa, gli fece sembrare il fardello della vita più leggero, mentre Hussein diceva divertito:

"Oggi dovrai accontentarti solo di un paio di bicchieri".

Né chiese un altro anche per sé e continuò a raccontare:

"Ora sto da mio padre, con mia moglie e suo fratello, ma lui ha trovato un lavoro al cantiere, così ci lascerà oggi o domani. Mio padre mi propone di lavorare nel caffè per tre lire al mese, il che significa sgobbare dall'alba a mezzanotte per niente! Ma quel mezzo pazzo fumatore di hashish non intende ragione. Come vedi il mondo mi si è messo contro e mi fa imbestialire: se non posso avere la vita che voglio, che vadano tutti in malora".

Abbas, che cominciava a provare una sensazione di sollievo dopo le preoccupazioni che lo avevano angustiato per tutto il giorno, gli chiese:

"Non hai messo un po' di soldi da parte?"

Hussein rispose contrariato:

"Neppure un centesimo. Stavo in un bell'appartamento ad al-Wayliyya, con l'acqua corrente e l'energia elettrica. Avevo una domestica che mi chiamava rispettosamente 'signore', andavo al cinema e al Teatro Nazionale. Tanto guadagnavo, tanto spendevo. Questa è la vita. Se la nostra esistenza se ne va, perché dovrebbero restare i soldi? Ma bisognerebbe avere soldi per tutta la vita, altrimenti buonanotte. Invece io ora, a parte i gioielli di mia moglie, ho solo qualche lira..."

Ordinò un terzo bicchiere e continuò preoccupato:

"E quel che è peggio, mia moglie ha avuto le nausee la settimana scorsa..."

Abbas si sforzò di mostrarsi interessato:

"Poverina".

"Poverina sì, sarà perché è incinta, come dice mia madre, ma a me sembra che la nausea ce l'abbia il bambino, disgustato dalla vita che lo attende e che l'abbia fatta venire anche alla madre..."

Parlava tanto in fretta e sottovoce che Abbas non riusciva a seguirlo, così non prestava più interesse ai suoi discorsi; era stato bene per un'ora intera, ma poi gli era venuta un'improvvisa malinconia. Notando la sua aria assorta e triste l'altro disse indispettito:

"Cos'hai? Tu non mi stai ascoltando".

Abbas gli disse con voce triste:

"Ordinami un altro bicchiere".

Hussein lo fece con piacere, poi guardò sospettoso l'amico e disse:

"So perché sei tanto turbato".

Il cuore di Abbas fece un balzo ed egli si affrettò a dire:

"Non è niente, continua pure, ti ascolto".

Hussein insisté con aria di disapprovazione:

"Hamida..."

Il cuore di Abbas si mise a battere a precipizio. Come se avesse tranguggiato un altro bicchiere, gli si rimescolò il sangue e si sentì invadere da tenerezza, ira e tristezza insieme:

"Certo: Hamida. È fuggita, un uomo l'ha portata via. È un'onta, una disgrazia!"

"Non te la prendere troppo, stupido, sono proprio tanto felici quelli che non sono stati abbandonati?"

Ancora più emozionato, il giovane disse senza neppure rendersene conto:

"Cosa farà ora?"

Hussein rise sarcastico e disse:

"Farà quello che può fare qualsiasi donna fuggita con un uomo..."

"Ti prendi gioco del mio dolore".

"È stupido soffrire così. Dimmi, quando hai saputo della sua fuga? Ieri sera? Dovresti già averla dimenticata".

A quel punto Aukal, il ragazzo alcolizzato che vendeva i giornali, creò un diversivo attirando l'attenzione di tutti. Ormai ubriaco, si era diretto vacillando fino alla soglia del cabaret, si era guardato attorno con lo sguardo annebbiato, e gettando indietro il capo con fierezza aveva gridato con voce avvinazzata:

"Sono il migliore di tutti! Bevo finché ne ho voglia e poi me ne vado dalla mia bella, qualcuno di voi ha qualcosa in contrario? *Ahram, Masrii, al-Baakuka...*[1]"

E scomparve, seguito da un'ondata di risate. Hussein Kirsha invece rimase imbronciato e furente, con lo sguardo torvo e tirò uno sputo nel punto dove si trovava il ragazzo, ingiurandolo e maledicendolo. La più piccola provocazione, anche fatta per scherzo, lo mandava su tutte le furie e risvegliava la sua aggressività repressa. Se avesse avuto il ragazzo a portata di mano, lo avrebbe colpito con un pugno, con un calcio, o l'avrebbe preso per il colletto. Rivolgendosi ad Abbas che stava mandando giù il secondo bicchiere, disse stizzito come se avesse scordato ciò di cui stavano parlando:

"È così la vita, un giocattolo di legno, eppure dobbiamo vivere, capisci?"

Ma Abbas non gli badava, ripeteva tra sé: "Hamida non ritornerà, è scomparsa per sempre dalla mia vita. D'altra parte a che servirebbe se tornasse? Se un giorno la incontrerò le sputerò in faccia, e sarà peggio che ucciderla. Quanto a quell'uomo maledetto, gli torcerò il collo".

Hussein continuava:

"Avevo lasciato il Vicolo e il diavolo mi ci ha riportato, il modo migliore per liberarmene, sarebbe dargli fuoco".

[1] Nomi di giornali del Cairo.

Abbas disse tristemente:

"Il nostro Vicolo è bello e io desideravo solo di poterci vivere un giorno a lungo e felice".

"Sei proprio un pecorone: si potrebbe sgozzarti per la festa del sacrificio. Perché piangi? Hai un lavoro, un po' di soldi, e domani potrai averne ancora di più, di cosa ti lamenti dunque?"

Indispettito Abbas rispose:

"Ma se ti lamenti più di me e non sei mai stato riconoscente al Signore in vita tua".

Hussein gli rivolse uno sguardo duro che lo indusse a cambiar tono:

"Non ce l'ho con te, ognuno la vede a modo suo..."

Hussein scoppiò in una risata che fece tremare il locale e già mezzo brillo disse:

"Farei meglio a fare l'oste, invece di lavorare nel caffè al posto di mio padre. Qui si guadagna molto, senza contare che chi lo vende, ha vino a volontà".

Abbas sorrise e si fece ancora più prudente nel parlare al suo collerico amico, che era in preda ai fumi dell'alcool e invece di dimenticare le preoccupazioni, le vedeva raddoppiate. Hussein aveva cominciato a gridare:

"Che idea! Prenderò la cittadinanza inglese. In Inghilterra sono tutti uguali, non c'è alcuna differenza fra un pascià e il figlio di uno spazzino, e il figlio di un barista può diventare primo ministro".

Contagiato dalla stessa ebbrezza, Abbas disse con entusiasmo:

"Buona idea! Anch'io prenderò la cittadinanza inglese".

Ma Hussein storse la bocca e disse sarcastico:

"È impossibile, sei un rammollito. Ti andrebbe meglio quella italiana, comunque potremmo imbarcarci sulla stessa nave... andiamo".

Si alzarono, pagarono il conto e lasciarono il cabaret mentre Abbas si domandava:

"Ma dove stiamo andando?"

31

L'unica cosa che le rimaneva della vita passata erano le passeggiate al tramonto, ma in quel momento, essa indugiava davanti al grande specchio.

Si era già vestita e stava truccandosi. Era molto cambiata: sembrava nata negli agi e cresciuta tra il lusso. In testa aveva un turbante bianco, che copriva la treccia dei capelli curati e profumati. Le labbra e le guance erano dipinte di rosso, ma il resto del viso conservava il colorito naturale: molte esperienze avevano dimostrato che la sua carnagione abbronzata risultava più affascinante per i soldati alleati così com'era. Le palpebre erano coperte di kohl e le ciglia, separate come fili di seta, erano arricciate verso l'alto, le guance erano ombreggiate di viola e al posto delle sopracciglia una mano esperta aveva disegnato due lunghe mezzelune. Due catenine di platino, ornate di perle, pendevano dai suoi orecchi, al polso aveva un orologio d'oro e, in cima al turbante, una spilla a forma di mezzaluna. L'abito bianco si apriva in alto su una camicia rosa e in basso su calze grigie di seta pura che indossava solo perché erano molto care; le ascelle, le mani e il collo profumavano: era davvero cambiata!

All'inizio aveva scelto quella strada di sua spontanea volontà, ma poi, con l'esperienza e le difficoltà, all'orizzonte si erano profilate non solo gioie luminose ma anche amari disinganni. Al punto cruciale, si era sentita agitata e presa dall'incertezza.

Fin dal primo giorno aveva capito cosa volevano da lei e si era ribellata, non tanto nella speranza di spezzare la volontà granitica del suo amante, quanto per un moto d'orgoglio e per il suo spirito combattivo, ma poi aveva finito col cedere. Lo aveva fatto deliberatamente, avendo compreso chiaramente, grazie all'eloquenza di Farag Ibrahim, che per sguazzare nell'oro bisogna rotolarsi nel fango. In fondo non le importava e si era dedicata a quella nuova vita con entusiasmo, gioia e impegno, confermando pienamente quello che si era detto il suo amante, il giorno in cui l'aveva riportata a casa in tassì: "Una puttana nata". Le sue attitudini naturali non tardarono a manifestarsi e in breve tempo diventò molto abile a truccarsi e a farsi bella, anche se sulle prime l'avevano presa in giro per il cattivo gusto. Imparava in fretta e imitava le altre alla perfezione, ma sceglieva male i colori dei vestiti e i gioielli che le piacevano erano decisamente volgari.

Se l'avessero lasciata fare di testa sua, sotto quel trucco pesante e coperta di gioielli com'era, avrebbe avuto un'aria ancor più equivoca.

Aveva imparato i due tipi di danza e aveva mostrato una certa predisposizione nello studio dei rudimenti della lingua inglese. Non c'era da meravigliarsi quindi che avesse successo e che i soldati spasimassero per lei e la coprissero di denaro. Era diventata una perla senza pari in quella vita dissoluta e non essendo mai stata ingenua si consolava pensando di averci solo guadagnato e di non aver perso nulla. Non era certo la brava ragazza che si cruccia vedendo sfumare ogni speranza di vita onesta, né una virtuosa che piange sull'onore perduto. Non conservava del passato nessun buon ricordo in grado di commuoverla, così si abbandonava senza rimorsi a quella vita che amava. Eppure molte ragazze nella sua condizione vivevano nel tormento: alcune si dibattevano fra l'ambizione, la pena e la disperazione, altre vi erano costrette per sfamare la famiglia e il sorriso delle labbra tinte nascondeva cuori spezzati che si struggevano per una vita onesta. A lei invece quella vita piaceva e i suoi begli occhi luccicavano compiaciuti e soddisfatti. Non aveva forse realizzato i suoi sogni? Abiti, gioielli, oro e corteggiatori stavano a dimostrarlo, ma guai a lasciarsi ingannare dalle apparenze che incantavano gli ammiratori.

Non c'era nulla di strano quindi che il Vicolo del Mortaio le apparisse ora come la prigione agli occhi di uno schiavo evaso. Un giorno, ripensando all'avversione del suo amante per il matrimonio, si chiese se davvero avrebbe preferito sposarlo e senza esitazione si rispose di no. Se fosse successo, sarebbe stata rinchiusa in casa e costretta al ruolo di moglie, di serva e di madre e a tutti quei doveri per i quali non era fatta, lo sapeva con la certezza dell'esperienza. No, era troppo superiore, troppo intelligente e mirava troppo lontano per tutto ciò. Ma non era neppure una donna passionale, schiava dei sensi, tutt'altro. Non apparteneva a quel tipo di donne soggiogate dalla passione e che farebbero qualsiasi cosa per soddisfarla, aveva bisogno soprattutto di apparire, di aggredire e di combattere. Persino l'amore per quell'uomo a cui era sinceramente legata, si manifestava a volte con pugni e schiaffi. Si rendeva conto della propria stranezza, di qualcosa che le mancava, e questo era uno dei suoi rovelli, ma era anche uno dei motivi che la legavano al suo amante in un rapporto che non le risparmiava amarezze e la metteva a dura prova.

Ruminava il suo cruccio mentre si truccava, quando avvertì il rumore dei suoi passi e lo vide riflesso nello specchio entrare nella stanza con un viso duro e serio, non certo da tenero amante. Lo sguardo di Hamida si incupì e il suo cuore si strinse, non era l'uomo che aveva conosciuto: questo era il suo cruccio. Se fosse successo dopo molto tempo, forse lo choc sarebbe stato meno forte, invece la delusione era arrivata subito, nell'ebbrezza dei primi giorni e le aveva impedito di godersi la propria felicità, di abbandonarsi ai sogni e alle speranze per più di dieci giorni.

Il maestro aveva preso subito il posto dell'amante e poco a poco si era rivelato l'uomo duro e brutale che vendeva l'onore delle donne.

In realtà egli non sapeva cosa fosse l'amore, ed era strano che tutta la sua vita poggiasse su un sentimento che non gli aveva mai toccato il cuore. Quando una preda cadeva nella rete, il suo sistema era quello di recitare la parte dell'innamorato, che sosteneva alla perfezione grazie alla gran pratica e aiutato dalla sua virilità. Ma quando la vittima gli cadeva nelle braccia ne godeva solo per poco, gli bastava esser sicuro di dominarla e di tenerla legata con l'attaccamento che le aveva ispirato, il denaro e le minacce. Una volta ottenuto il suo scopo, si rivelava quel che era in realtà: il trafficante di donne prendeva il posto dell'amante. Hamida aveva attribuito l'affievolirsi del suo amore per lei all'ambiente saturo di donne nel quale viveva e cominciò a desiderare ardentemente di averlo tutto per sé. Era combattuta tra amore, gelosia, e ira. Tali erano i suoi sentimenti mentre lo guardava riflesso nello specchio impietrita, ribelle e tesa. In quanto a Farag, le domandò, sbrigativo:

"Hai finito mia cara?"

Hamida non gli badò, aveva deciso di non rispondergli, non sopportando più le continue osservazioni sul lavoro e ricordando dispiaciuta il tempo in cui le parlava di amore e di ammirazione, mentre ora sulle sue labbra c'erano solo lavoro e guadagno. Proprio quel lavoro le impediva di staccarsi da lui. Era piena di rabbia, ma a che serviva? Aveva perduto la libertà nel cui nome aveva accettato qualsiasi bassezza. Certo, per strada o al cabaret si sentiva forte e dominatrice, ma quando lo vedeva o pensava a lui, si sentiva schiava e umiliata. Se si fosse fidata di lui, tutto sarebbe stato facile, ma le cose non stavano così e nel suo smarrimento non sapeva far altro che infuriarsi. Farag Ibrahim intuiva il suo stato d'animo, ma voleva abituarla alla sua freddezza, per farle accettare più facilmente una prevedibile rottura. Un'altra donna, avrebbe potuto lasciarla senza pensarci su, ma a lei preferiva far bere il calice della disperazione goccia a goccia. Perseverò paziente per un mese intero, finché fu pronto a darle il colpo finale, così le disse senza alcuna emozione:

"Su cara, il tempo è denaro".

Lei si voltò di scatto verso di lui e disse stizzita:

"Quando la smetterai con questo tono?"

"E tu quando la smetterai con queste tue risposte secche?"

Con la voce fremente di collera essa riprese:

"Ah, è così che mi parli adesso!"

Lui ribatté con fare annoiato:

"Oh, ricominciamo con questi spiacevoli discorsi? È così che mi parli, non mi ami, se tu mi amassi non mi tratteresti come una merce... A che serve? Dovrei ripeterti dal mattino alla sera che ti amo? Devo dirtelo ogni volta che ti vedo? Dobbiamo parlare di amore e trascurare il lavoro e i doveri? Vorrei che tu avessi tanto cervello quanto hai rabbia. Vorrei che ti dedicassi completamente come faccio io al nostro grande progetto, anteponendolo all'amore e a qualsiasi altra cosa..."

Pallida di collera, essa ascoltò quel discorso freddo e distaccato, quel raggiro privo di qualsiasi sentimento.

Da quando Farag si mostrava freddo, aveva dovuto sopportare molti discorsi del genere. Si ricordava di come avesse cominciato astutamente a criticarla, prendendo di mira le sue mani, incitandola a curarle di più: "Lasciati crescere le unghie e fatti mettere lo smalto dalla manicure. Le mani sono un punto debole della tua bellezza". Un'altra volta, per vendicarsi di una lunga discussione le aveva detto:

"Bada, c'è un altro punto debole al quale non hai mai fatto

caso: la voce, mia cara. Grida pure se vuoi, ma con la bocca e non con la gola. Hai una voce rauca e volgare, se non la controlli diventerà orribile e chi la sente capirà che vieni dal Vicolo anche se tu abitassi a Imad el-Din".

Proprio così aveva detto quello scellerato, ferendola nel suo orgoglio. Quando poi Hamida abbordava l'argomento amore si mostrava ad un tempo tenero e astuto, ma col passare dei giorni abbandonò quella dolcezza simulata e arrivò a dirle, annoiato:

"L'amore è un gioco e noi siamo persone serie".

Oppure con indifferenza:

"Su, al lavoro, parlar d'amore è fiato sprecato".

Che andasse in malora, quanti brutti ricordi! Hamida lo aveva guardato con durezza e gli aveva detto astiosa:

"Non puoi parlarmi così: perché mi parli sempre di lavoro? Lo trascuro forse? Sai che valgo di più delle altre e che sono più brava. Col da fare che mi do, guadagni più con me che con molte altre messe insieme, smetti dunque di parlarmi in questo modo ripugnante, ne ho abbastanza dei tuoi raggiri. Dimmelo chiaramente: mi ami ancora?"

Egli fu sul punto di darle una risposta secca. Non l'aveva forse preparata a sufficienza? Rifletté in fretta, ansioso, senza distogliere i suoi occhi a mandorla dal viso scuro di lei, ma esitò e preferì lasciare le cose tranquille per un po', così disse con garbo:

"Come immaginavo, è il solito ritornello".

Allora essa esplose gridando:

"Rispondimi chiaramente, pensi forse che morirei di dolore senza il tuo amore?"

Non era il momento adatto. Forse, se gli avesse posto quella domanda la sera appena tornata o al mattino quando avevano tutto il tempo per discutere, lui avrebbe risposto chiaramente, ma una risposta franca in quel momento avrebbe mandato in fumo il guadagno di una giornata, perciò sorrise e disse con calma:

"Ti amo, mia cara".

Niente è più brutto di una parola d'amore pronunciata freddamente da una bocca annoiata. Hamida, sopraffatta dal dispiacere, si sentì pronta ad accettare qualsiasi cosa purché tornasse tra le sue braccia, disposta a dare anche la vita per quell'amore. Ma fu questione di un istante: si riprese e il suo cuore si riempì di odio, così gli si avvicinò, mentre i suoi occhi brillavano come il diamante che aveva incastonato sul turbante, decisa a sfidarlo fino in fondo:

"Davvero mi ami? Allora sposiamoci".

Lui la guardò incredulo, con gli occhi sgranati per lo stupore. In realtà essa non parlava sul serio, voleva solo metterlo alla prova. Le chiese:

"Il matrimonio cambierà qualcosa fra noi?"

"Certo. Sposiamoci e lasciamo questa vita".

Farag perse la pazienza, decise di finirla e di parlarle con franchezza, a costo di perdere il guadagno della notte. Sghignazzò sprezzante:

"Ottima idea! Hai ragione mia cara, sposiamoci e viviamo onestamente. Ibrahim Farag, sua moglie e i suoi figli. Spiegami però prima cos'è il matrimonio, io l'ho dimenticato insieme a tutte le altre buone usanze. Aspetta, lascia che ci pensi un po'... il matrimonio se mi ricordo bene è un affare serio, ci sono un uomo, una donna, un funzionario, un certificato religioso e un sacco di riti... ma quando hai imparato tutte queste cose, Farag Ibrahim? All'asilo o a scuola? La gente segue ancora questa usanza o l'ha abbandonata? Dimmi, cara, la gente si sposa ancora?"

Essa tremava di rabbia e il suo cuore era triste e disperato. Vedendolo ridere beffardo e indifferente, perse le staffe e si gettò su di lui piantandogli le unghie nel collo. Egli non fu sorpreso da quello scatto repentino e lo fronteggiò con calma, le afferrò le braccia e se le staccò dal collo senza smettere di sorridere. La rabbia di Hamida aumentò, essa alzò una mano e lo schiaffeggiò improvvisamente con tutta la forza di cui era capace. Sul viso di Farag il sorriso lasciò il posto a un'espressione di minaccia alla quale ella rispose con spavalderia, aspettando impaziente che scoppiasse la tempesta. Il piacere della lotta che si annunciava le faceva quasi dimenticare le pene, i suoi sogni isterici le facevano sperare una felice conclusione di quello scontro. Farag invece valutava le conseguenze che avrebbe avuto lasciarsi andare alla collera, capiva che rispondendole sullo stesso tono avrebbe rafforzato quel legame che intendeva spezzare, aumentando l'attaccamento di Hamida per lui, così si dominò e riuscì a frenare la collera. Decise di rompere con lei ritirandosi senza difendersi: fece un passo indietro e se ne andò dicendo tranquillamente:

"Al lavoro, mia cara".

Incredula, essa lanciò verso la porta uno sguardo smarrito e carico di angoscia, e subito capì perché se n'era andato. Il suo cuore indovinava la dura realtà e un desiderio violento di uccidere esplose in lei, non come un atto di difesa di un debole, ma come una forza devastatrice in cui metteva tutta se stessa. Con quell'uomo aveva imparato a conoscersi sotto molti aspetti, ma ora le si era svelato il lato peggiore del suo carattere. Davvero avrebbe rischiato la vita per ucciderlo, lei che per vivere aveva accettato tutto? Si sentiva avvilita, ansiosa e spaventata, ma ardeva dal desiderio di vendicarsi. Prima di tutto doveva lasciare quella casa, per sfuggire all'inferno di quei pensieri e trovare un modo di sistemare le cose. Si avvicinò lentamente alla porta, ma pensò che stava per lasciare quella stanza, la loro stanza, per sempre e allora si voltò per darle un addio. In quell'istante decisivo, si sentì il cuore in gola: Dio mio, come poteva finire tutto così in fretta? Lo specchio nel quale si era guardata gioiosa, il morbido letto, nido d'amore e di sogni, e il divano sul quale lui la baciava e l'abbracciava, perfezionando la sua istruzione e infine il tavolo con la loro foto in abito da sera. Voltò le spalle a tutti quei ricordi e lasciò la stanza. Per strada, l'aria tiepida l'avvolse, ma lei respirava a fatica e intanto pensava:

"Troverò ben il modo di ucciderlo!"

Che volesse farlo non c'erano dubbi, ma non voleva pagare un prezzo troppo alto, sacrificare la vita che vale più di tutto, più dell'amore stesso. Era rimasta profondamente ferita, ma non era il tipo di donna che muore d'amore, un ferito continua a vivere anche se sanguina e può ancora godersi una vita dorata, gioiosa, aggressiva e combattiva. La sua delusione si placò un poco, vide una carrozzella e fece cenno al conducente, salì e sentì il bisogno di riposarsi e di prendere un po' d'aria, così disse:

"Prima in piazza dell'Opera e poi faremo ritorno per via Fu'ad I, ma lentamente per favore".

Si sedette al centro del sedile, appoggiandosi ai cuscini e incrociando le gambe, tanto che il vestito di seta di scostò, rivelando le cosce. Estrasse dalla borsa un pacchetto di sigarette, ne accese una e si mise a fumare avidamente, senza far caso agli sguardi che attirava.

Era immersa nei suoi pensieri, avrebbe voluto liberarsi il cuore da quelle sofferenze e nello stesso tempo essere meno attaccata alla vita. Si consolava con la speranza di gioie future, ma non le veniva neppure in mente che un nuovo amore avrebbe potuto farle dimenticare quello perduto: ce l'aveva con l'amore stesso. Chi perde un grande amore non immagina di poter avere la gioia di trovarne un altro. Guardò la strada, mentre la vettura girava attorno all'Opera, vide da lontano la piazza Regina Farida e volò col pensiero verso Sikka al-Gadida, la Sanadiqiyya e il Vicolo, mentre ai suoi occhi apparivano ombre confuse di donne e di uomini ed essa si domandava se avrebbero potuto riconoscerla vestita così e se sotto le spoglie di Titti qualcuno di loro avrebbe saputo scoprire Hamida. Ma che importava? Non aveva né padre né madre. Con indifferenza finì la sigaretta, gettò il mozzicone e si mise ad osservare compiaciuta la strada, finché girarono in via Sharif per dirigersi verso il cabaret dov'era diretta. In quell'istante, una voce che sembrava uscire da una tomba la chiamò. Si voltò spaventata e vide Abbas al-Helwu trafelato, a un passo da lei.

32

Istintivamente gridò:

"Abbas!"

Il giovane ansimava, perché l'aveva rincorsa a lungo fin da piazza dell'Opera, si era gettato in quell'inseguimento senza badare a nulla, urtando gruppi di persone, incurante delle ingiurie e delle maledizioni. Stava gironzolando senza meta sotto braccio a Hussein Kirsha dopo aver lasciato il cabaret, ed era finito con lui in piazza dell'Opera. Hussein aveva visto la carrozzella e la ragazza che vi era seduta: senza riconoscerla, aveva alzato le sopracciglia in segno di ammirazione e l'aveva indicata all'amico. Abbas a sua volta aveva guardato la vettura che si avvicinava attraverso la piazza, il suo sguardo si era posato su quella ragazza assorta nei propri pensieri ed egli non era più riuscito a toglierle gli occhi di dosso. Lo attirava una forza segreta, qualcosa in quel volto e in quella figura, una somiglianza, una sottile somiglianza, avvertita più dal cuore che dagli occhi, ed egli fu preso da un tremito che lo scosse dal suo torpore, mentre si domandava se davvero fosse lei.

La macchina aveva girato ed ora si allontanava verso il giardino di Ezbekiyya, così si era messo a correrle dietro senza pensarci su, mentre l'amico gli gridava qualcosa, infuriato. All'imbocco della via Fu'ad I il traffico lo aveva bloccato un istante, ma egli non l'aveva persa di vista e mentre stava per entrare nel cabaret, l'aveva chiamata. Quando lei si era voltata e aveva gridato il suo nome, egli fu certo dei suoi presentimenti. Le stava di fronte, ansimante e incredulo. Sulle prime Hamida restò stupita e imbarazzata, ma temendo di poter attirare l'attenzione di qualcuno, cercò di dominarsi, gli fece un cenno e girò in una via secondaria, mentre lui la seguiva. Entrò nella prima porta a sinistra, in un negozio di fiori. La padrona che la conosceva, poiché la vedeva spesso, la salutò, lei ricambiò il saluto e si diresse con lui in fondo al negozio, al riparo dagli sguardi. La fiorista capì che Hamida voleva appartarsi e tornò a sedersi dietro la vetrina, indifferente, come se nessuno fosse entrato. Erano uno di fronte all'altra. Abbas si sentiva agitato e confuso, tremava per l'emozione, senza sapere che cosa l'aveva spinto a quella folle rincorsa. Che cosa si aspettava strappandole quell'incontro? Aveva la testa vuota e non sapeva che fare. Durante la corsa, la disperazione gli aveva offuscato la vista, tanto che quasi non distingueva la strada. Aveva corso senza sapere esattamente cosa intendesse fare e quando essa aveva gridato il suo nome aveva finito per perdere quel poco di lucidità che gli rimaneva e l'aveva seguita nel negozio come un sonnambulo.

A poco a poco si riprese dallo sforzo e dall'agitazione e cominciò a distinguere la donna che gli stava davanti con quegli abiti nuovi e quella strana pettinatura, cercando in lei invano qualcosa della ragazza che aveva amato. Distolse lo sguardo esausto e il suo cuore piombò nella disperazione. Non era tanto ingenuo da non capire ciò che stava vedendo. Le dicerie del Vicolo lo avevano preparato a qualcosa di tremendo, ma quello che aveva davanti agli occhi era molto peggio. Il suo cuore addolorato avvertì il senso della vanità di ogni cosa, ma non diede sfogo alla rabbia che lo aveva divorato per giorni e notti. Non aveva più alcuna intenzione né di assalirla né di sputarle addosso. Hamida lo guardava imbarazzata e indecisa, si sentiva intimorita di fronte al testimone di un passato che detestava, ma non provava alcun sentimento, né alcun senso di colpa verso di lui, era solo seccata e malediceva la cattiva sorte che glielo aveva fatto incontrare. Il silenzio si era fatto insopportabile per entrambi, così Abbas disse con voce roca e tremante:

"Hamida! Sei proprio tu! Dio mio, come posso credere ai miei occhi? Come hai potuto lasciare la tua casa e tua madre per diventare così?"

Senza dissimulare il proprio imbarazzo, essa rispose:

"Non chiedermi nulla, non ho niente da dire, Dio ha voluto così e basta".

Ma il suo atteggiamento e le sue parole ebbero l'effetto contrario a quello che si attendeva provocando la collera e l'indignazione di Abbas che riempì il negozio delle sue grida:

"Bugiarda! Svergognata!... Uno della tua stessa razza ti ha sedotta e sei fuggita con lui lasciandoti dietro una pessima reputazione ed ora eccoti qua combinata in questo modo scandaloso..."

Quell'improvviso scatto di rabbia fu una provocazione per il brutto carattere della ragazza che andò su tutte le furie, ogni senso di imbarazzo e di timore l'abbandonarono e la sua collera andò ad aggiungersi al risentimento e alla delusione recenti. Il suo volto si fece scuro ed ella gridò fuori di sé:

"Taci... smettila di gridare come un pazzo, credi di spaventarmi con le tue urla? Si può sapere cosa vuoi da me? Non hai alcun diritto su di me, quindi sparisci".

L'ira di Abbas si era spenta prima ancora che lei avesse finito di parlare. La fissò stupito e mormorò con la voce che gli tremava:

"Come puoi parlare così? Non sono forse... non sei forse la mia fidanzata?"

Soddisfatta del suo cambiamento di tono lei rispose inquieta, senza gridare:

"A che serve ora parlare del passato? È tutto finito".

"Sì, ma noi due... non avevi accettato di sposarmi? Non me ne sono andato tanto lontano per la nostra felicità?" Hamida non provava né imbarazzo né dispiacere, si domandava solo impaziente quando lui l'avrebbe finita, quando avrebbe capito e se ne sarebbe andato. Così rispose annoiata:

"Avrei voluto, ma il destino ha deciso altrimenti". Abbas aveva notato la sua agitazione, ma si ostinava a parlare, a chiedere spiegazioni e vedendola più calma, riprese coraggio e continuò in tono disperato:

"Che hai fatto di te stessa? Come hai potuto ridurti in questo stato? Cosa ti ha potuta rendere cieca fino a questo punto?" E inasprendo il tono concluse: "E chi è quel criminale che ti ha strappata dalla vita onesta per gettarti nella vergogna?"

Con il viso scuro e al colmo dell'impazienza, essa rispose insofferente:

"È la mia vita e al punto in cui sono arrivata non c'è modo di tornare indietro. Ormai siamo due estranei e non ci conosciamo più. Io non posso più tornare indietro e, qualsiasi cosa tu dica, non cambierebbe nulla. Bada a come parli perché non sono in vena di mostrarmi tollerante o di scusarti. Riconosco di essere impotente di fronte al mio destino, ma non sopporto che qualcuno venga con la sua rabbia e i suoi rimproveri ad aumentare la mia pena. Dimenticami, disprezzami pure quanto vuoi, ma lasciami in pace".

Quella non era più la sua ragazza. Dov'era l'Hamida che aveva amato e che lo aveva amato? Che strano. Non gli aveva voluto bene davvero? Le loro labbra non si erano unite sulle scale, quella sera? Non aveva pregato per lui il giorno che si erano lasciati, promettendogli che avrebbe invocato al-Hussein in suo favore? Chi era questa ragazza? Non si sentiva in colpa? Il ricordo della tenerezza di un tempo non riusciva a commuoverla? Se non avesse temuto la sua reazione, l'avrebbe assalita di nuovo; sospirò reprimendo la collera e disse:

"Sono confuso, più ti ascolto e più resto confuso. Sono tornato ieri da Tell el-Kebir e ho ricevuto all'improvviso questa notizia. E sai perché ero tornato?"

Le mostrò la scatoletta con la collana e continuò:

"Per portarti questo regalo e concludere il contratto di matrimonio prima di tornare laggiù".

Guardò la scatola in silenzio, ma poi vide la spilla di diamanti e gli orecchini di perle, così se la rimise in tasca, al colmo dell'imbarazzo e le chiese aspramente:

"Non ti dispiace di esserti ridotta così?"

Gli occhi di lei brillarono, provò una sensazione confusa, una specie di consapevolezza febbrile e disse desolata:

"Tu non sai quanto io sia infelice".

Egli spalancò gli occhi stupito e sospettoso e al colmo della pena le disse:

"Perché hai prestato ascolto al demonio, perché hai disprezzato la vita onesta e hai distrutto le nostre speranze?" La sua voce divenne quasi un rantolo: "Per un maledetto delinquente? È imperdonabile".

Ancora turbata, Hamida continuò:

"Ne sto pagando il prezzo col mio sangue e la mia carne".

Egli restò ancora più stupito e nello stesso tempo oscuramente soddisfatto per la pena che essa ammetteva, ma il cambiamento di umore della ragazza non era casuale, i pensieri si susseguivano a folle velocità nella testa di Hamida e per un'ispirazione diabolica essa immaginò di aizzare Abbas contro l'uomo che le aveva spezzato il cuore con tanta durezza e si era preso gioco di lei. Sperò di potersene servire come uno strumento di vendetta, nascondendosi dietro la sua infelicità, così addolcì lo sguardo e disse a bassa voce:

"Sono una povera infelice, Abbas. Non volermene per quello che ho detto, sono sconvolta. Pensate tutti che io me la goda, ma in realtà sono una povera infelice. Hai detto bene, il demonio, quel maledetto, mi ha ingannata e non so come abbia potuto cedergli. Comunque l'ho fatto e non pretendo di chiederti perdono, so di essere colpevole e sto pagando la mia colpa. Scusami se le tue giuste parole mi hanno fatto arrabbiare, il tuo animo nobile può disprezzarmi quanto vuole e godere della mia disgrazia, sono solo un misero giocattolo in mano a un uomo senza pietà che mi ha gettata sulla strada e si approfitta della mia miseria dopo avermi rapito ciò che avevo di più prezioso. Io lo odio, lo odio per il male che mi ha fatto, e spero soltanto di potergli sfuggire".

A quelle parole Abbas rimase sconvolto e fu impressionato dallo sguardo di pena che leggeva negli occhi di lei. Dimenticò la donna infuriata che qualche istante prima stava per aggredirlo, e il suo orgoglio lo indusse a gridare adirato: "Che sciagura, Hamida! Tu sei infelice ed io disperato. Entrambi soffriamo a causa di quel delinquente. Non posso dimenticare quello che hai fatto e che ci dividerà per sempre, ma mentre noi soffriamo il principale responsabile se ne sta felice e beato a godere della nostra disgrazia e io non mi darò pace finché non gli avrò rotto la testa".

Soddisfatta, Hamida abbassò gli occhi per non tradirsi: c'era cascato prima di quel che sperava. In particolare, le aveva fatto piacere sentirgli dire "Questo ci separerà per sempre", significava che poteva star tranquilla, non sarebbe arrivato a perdonarla e a volerla ancora. Sentì che intanto Abbas continuava accigliato e sconvolto:

"Non mi darò pace finché non gli avrò rotto la testa e spezzato le ossa. Non posso dimenticare che sei fuggita con lui e che vi hanno visti insieme, non abbiamo speranza di riunirci e ho perduto per sempre la Hamida che amavo, ma chi ha provocato tutto questo la deve pagare. Dimmi dove posso trovarlo".

Hamida, senza che la lingua riuscisse a tener dietro ai suoi pensieri, rispose:

"Oggi non avrai modo di trovarlo, vieni domenica a mezzogiorno se vuoi, e lo troverai nel cabaret, all'entrata di questa via. Sarà il solo egiziano e comunque, se non lo riconoscessi, te lo indicherò... ma che intenzioni hai?"

Quest'ultima frase esprimeva apprensione per le possibili conseguenze di un suo gesto ma egli, fuori di sé per la rabbia e la disperazione, rispose:

"Gli spaccherò la testa a quel vile ruffiano".

Hamida lo scrutava attentamente, chiedendosi se fosse davvero capace di uccidere. Capì che lo era, ma preferì augurarsi che si limitasse a fare uno scandalo e finisse al massimo dietro le sbarre, così sarebbe stata vendicata e si sarebbe liberata anche di lui. Soddisfatta da quella prospettiva, non si diede altro pensiero, anche se desiderava sinceramente che Abbas non avesse guai troppo seri e sperava che la potesse vendicare senza diventare una vittima. Lo mise in guardia:

"Non lasciarti trascinare dalla vendetta a disprezzo di te stesso. Colpiscilo, disonoralo pubblicamente, trascinalo alla polizia perché sia giudicato, lui e il suo operato..."

Ma Abbas non l'ascoltava e ripeteva tra sé: "Non è giusto che noi soffriamo e che nessuno paghi. È finita per noi, ma come potrebbe quel ruffiano vivere tranquillo e ridersene di quello che ci ha fatto? Gli romperò il collo, lo strozzerò".

Quindi, a voce alta, rivolto a lei:

"Che ne sarà di te, quando quel demonio sarà scomparso dal tuo cammino?"

Essa temette le conseguenze di una simile domanda, preoccupata che egli potesse tornare alla carica, così rispose calma e risoluta:

"Taglierò i ponti col passato, venderò i miei gioielli e mi troverò un lavoro onesto, lontano da qui".

Egli tacque a lungo, riflettendo tristemente, in preda a mille angosce, finché a capo chino, disse con voce quasi impercettibile:

"Il mio cuore non può perdonare, non può... Ma non aver fretta di sparire un'altra volta, aspetta di vedere come finirà questa faccenda..."

Quel tono indulgente mise Hamida in allarme: avrebbe preferito vederli morti entrambi, lui e il suo rivale, piuttosto che vederlo tornare da lei a braccia aperte, ma non poteva certo dirgli una cosa simile. Non le sarebbe stato difficile scomparire, una volta vendicata come desiderava. Né sarebbe stato difficile partire per Alessandria di cui Ibrahim Farag le aveva tanto parlato e godersi una vita libera senza costrizioni né seccatori. Così pensò bene di rispondergli con lo stesso tono dolce:

"Come vuoi, Abbas".

Anche se profondamente amareggiato e ansioso di vendicarsi, il giovane continuava a sentirsi indeciso perché provava ancora affetto per lei.

33

Era un giorno di addii e di felicità, per gli abitanti del Vicolo, accomunati dalla venerazione per Sayyid Ridwan al-Husseini. Egli aveva chiesto a Dio la grazia di poter fare quell'anno il pellegrinaggio alla Mecca e il Signore gliela aveva concessa. Tutti sapevano che nel pomeriggio, a Dio piacendo, sarebbe partito per Suez, diretto ai luoghi santi, e la sua casa si era riempita di vecchi amici e di devoti, venuti a salutarlo e a festeggiarlo nella sua modesta stanza che per lunghi anni aveva ospitato lunghe veglie di meditazione. Tra le volute di fumo e dell'incenso non si faceva che parlare del pellegrinaggio, si riandava con la memoria al passato, si rammentavano le antiche tradizioni, si citavano i detti del Profeta e si recitavano bei versi di poesia. Uno dei presenti cantilenò con voce melodiosa alcuni versetti del Corano, infine tutti tacquero per ascoltare il lungo discorso col quale Sayyid Ridwan esprimeva tutta la dolcezza e la bontà del suo animo. Allorché poi uno degli amici gli augurò buon viaggio e felice ritorno, il suo volto si illuminò di un sorriso ed egli rispose amabilmente:

"Fratello, non mi parlare del ritorno. Se uno si reca alla casa di Dio, conservando la nostalgia per il proprio paese, si merita che il Signore annulli la sua ricompensa, vanifichi le sue invocazioni e gli faccia mancare lo scopo. Potrò pensare al ritorno quando sarò di nuovo in Egitto, augurandomi di poter fare, con il permesso di Dio, il pellegrinaggio una seconda volta. Potessi restare fino alla fine dei miei giorni in quei luoghi santi, nella terra calpestata dal Profeta, respirare l'aria che ha sentito il battito delle ali degli angeli e vedere le dimore dove è risuonata la rivelazione celeste che innalzava gli abitanti della terra fino al cielo. Laggiù si pensa solo all'eternità e il cuore vibra solo d'amore per Dio, là si trova rimedio e guarigione. Fratello, muoio dal desiderio di vedere la Mecca, di contemplare i suoi cieli, di udire intorno a me il sussurro dei secoli, di camminare per le sue strade, raccogliermi nei suoi santuari, spegnere la mia sete alla fonte di Zamzam, percorrere la strada aperta dal Profeta nell'Egira, come si fa ininterrottamente da milletrecento anni, ritemprare il cuore visitando la sua tomba e pregando nel nobile giardino. Sono tante le cose che desidero, non c'è tempo per esprimerle e non si possono neppure immaginare le occasioni che avrò di avvicinarmi a Dio e di essere felice. Fratelli, immagino la gioia di camminare per le strade della Mecca, recitando i versetti del Corano così come furono rivelati la prima volta, come una lezione dell'Altissimo. Penso alla felicità di prosternarmi nel giardino, immaginando il volto amato del Profeta, la consolazione di pregare, là dove fu Abramo, per chiedere perdono dei miei peccati, l'invocazione alla fonte di Zamzam, per placare la mia sete. Non mi parlare quindi di ritorno e prega perché Dio esaudisca i miei voti".

L'altro rispose:

"Dio ti conceda ciò che desideri e ti accordi vita e salute".

Accarezzandosi la barba e guardandolo con occhi gioiosi e ardenti, il Sayyid riprese a parlare:

"È un bell'augurio, il mio amore per l'aldilà infatti non mi spinge a ritirarmi dal mondo né a disprezzare la vita, anzi voi stessi avete potuto spesso constatare quanto io l'ami e ne sia contento. D'altra parte, come potrebbe essere altrimenti, visto che è un dono di Dio? Chi l'ha riempita di cose grandi e belle? Riflettiamoci e rendiamo grazia a Dio. Per questo io l'amo, ne amo i colori e le voci, le notti e i giorni, le gioie e i dolori, gli esseri animati e le cose, essa è un bene assoluto e il male è solo una incapacità patologica di comprendere il bene nei suoi lati nascosti. Per questo vi dico che l'amore per la vita conta quanto l'amore per l'eternità, per questo mi spaventano le lacrime, i lamenti, l'ira, il malanimo e l'odio che il mondo deve sopportare, ma soprattutto mi spaventano i poveretti che disprezzano la vita. Preferirebbero forse non essere nati? Ma se non ci fossero, come potrebbero amare? Come possono essere tentati di opporsi alla sapienza divina? Ahimè, quando mi morì un figlio, anch'io annientato dalla tristezza e dal dolore mi son chiesto perché Dio non lasciasse il mio bambino vivere e godere la sua parte di gioia. Ma

Egli mi ha illuminato e mi son detto: non è forse il Signore che lo ha creato, perché dunque non può riprenderselo quando vuole? Se avesse voluto farlo vivere lo avrebbe lasciato al mondo, invece se l'è ripreso. Tutto ciò che fa è saggio e la saggezza è bene, quindi il Signore ha voluto il bene del bambino e il mio; così la letizia di aver capito la saggezza divina ha sconfitto la mia tristezza. Il mio cuore diceva: Signore, hai voluto mettermi alla prova ed ecco sostengo il tuo esame, saldo nella fede, ispirato dalla tua saggezza, grazie Signore. Così ho preso l'abitudine di ringraziare Dio dal profondo del cuore, ogni volta che una disgrazia mi colpiva. Sapevo che Egli mi metteva alla prova e mi concedeva la sua attenzione, accrescendo ad ogni nuovo dolore le grazie della pace e della fede. Capivo la vastità della Sua saggezza, il bene che vi era celato e quindi la riconoscenza che merita. Le disgrazie mi hanno legato indissolubilmente a Lui che mi faceva oggetto delle sue premure e che mi spaventava con un dolore apparente, solo per raddoppiare la mia vera felicità.

A volte mettiamo alla prova la persona amata opponendole resistenza, si tratta di un'astuzia dell'amore e la si accetta con gioia. Ecco perché sono sempre più convinto che gli infelici in questo mondo sono coloro che Dio ama, i suoi prediletti, a cui concede il Suo amore, che osserva da vicino per vedere se ne sono degni e se meritano la Sua misericordia. Sia lodato il Signore, grazie a Lui ho potuto aiutare coloro che credevano di dover confortare me". Sereno e lieto si portò una mano al petto, sentendosi, nell'esprimere quanto aveva nel cuore, come un cantante che dà prova di virtuosismo. Così, con slancio e con calore proseguì: "I più pensano che le tribolazioni patite da innocenti siano segno di una giustizia vendicativa che non capiscono. Dicono per esempio che la morte di un figlio è la punizione di una colpa commessa da te o dai tuoi avi, io invece penso che Dio sia troppo giusto e misericordioso per prendersela con un innocente piuttosto che col colpevole. A prova delle loro tesi, dicono che Dio stesso si è definito duro e vendicatore, ma l'Altissimo non ha bisogno di vendicarsi e se ha voluto definirsi così, lo ha fatto solo per mettere in guardia l'uomo dall'imitarlo. Se avessi scoperto dietro le mie disgrazie un castigo meritato, una colpa punita con la morte dei miei figli, mi sarei ribellato e sarei stato inconsolabile: un innocente che paga lo sbaglio di un peccatore... dove finirebbero la misericordia e il perdono? Quale saggezza, quale bene e quale gioia avrei potuto scoprire dietro la mia disgrazia?"

Il discorso del Sayyid Ridwan non trovava tutti i presenti

d'accordo: alcuni si attenevano alla lettera del Testo, altri lo interpretavano allegoricamente, altri ancora paragonavano la vendetta alla misericordia. Molti erano più eloquenti e più dotti di lui, che non era avvezzo alle discussioni e desiderava soltanto esprimere la gioia che aveva nel cuore. Sorrideva con l'innocenza di un bambino, e con gli occhi lucenti, le guance accese, riprese a parlare in tono dolce e appassionato:

"Scusate signori, io amo la vita e amo me stesso, non come qualcosa che riguarda solo me, ma come qualcosa che fa parte dell'umanità, un palpito dell'esistenza, una creatura di Dio, una prova della Sua saggezza; e amo tutti gli uomini, compresi i peggiori criminali. Non sono forse un esempio del doloroso sforzo della vita che si perfeziona? Le loro tenebre non ricevono i raggi splendenti del bene? Lasciate che vi confidi un segreto: sapete cosa mi ha spinto a compiere il pellegrinaggio quest'anno?"

Tacque un momento, mentre i suoi occhi puri irradiavano una luce gioiosa, quindi riprese, rispondendo agli sguardi interrogativi degli astanti:

"Non nego che compiere il pellegrinaggio fosse un mio antico desiderio, ma Dio ha voluto che lo rimandassi, anno dopo anno, tanto che il desiderio di amare aveva finito con l'essere più grande dell'amore stesso, perché come sapete, il desiderio della devozione è dolce quanto la devozione realizzata. Ma poi nel nostro Vicolo è successo quel che è successo: il demonio ha accecato due uomini e una giovane nostri vicini, portando i primi a depredare una tomba e facendoli finire in prigione e trascinando la seconda nell'abisso delle passioni e nel fango della dissolutezza. Il mio cuore ne è rimasto scosso e non vi nascondo che mi sono sentito in colpa, perché uno di quei due uomini viveva di briciole e ha forse saccheggiato quella tomba per trovare tra le ossa imputridite qualcosa per potersi sfamare, come un cane randagio che cerca da mangiare tra la spazzatura. La sua fame mi ha ricordato il mio corpo ben pasciuto, il mio viso roseo, e me ne sono vergognato e ho pianto. Ho provato disgusto per me stesso e mi sono rimproverato, chiedendomi che cosa avessi fatto, dopo aver ricevuto tanto dal Signore, per evitare quella infelicità o almeno per alleggerirla. Non avevo lasciato i miei vicini in balìa del demonio, disinteressandomi di loro e pensando solo alla mia tranquillità? Un uomo onesto con le sue omissioni non aiuta forse il diavolo senza saperlo? Così la mia coscienza tormentata mi ha spinto a realizzare il mio antico proposito di partire per i luoghi santi a chiedere perdono dei miei peccati. Se Dio vorrà che io torni, sarò di nuovo qui, purificato, e con tutto me stesso mi metterò a servizio del bene nel vasto regno di Dio".

Gli amici invocarono su di lui la benedizione del Cielo con sincerità e affetto, quindi ripresero allegramente a conversare.

Lasciando la sua casa, Sayyid Ridwan volle passare dal caffè Kirsha a salutare tutti. Sedette al suo posto circondato dal padrone, dal buon Kamil, dallo Shaykh Darwish, da Abbas e da Hussein Kirsha. Anche Husniyya, la fornaia, venne a baciargli la mano.

Disse:

"Il pellegrinaggio è un obbligo per tutti coloro che possono e devono compierlo per se stessi e per tutti quelli che ne sono impediti da seri motivi".

Il buon Kamil intervenne con la sua voce infantile:

"Che la salute vi accompagni e che possiate ricordarvi di portarci un rosario da Medina".

L'altro sorrise e rispose:

"Non farò certo come chi ti ha promesso un sudario e poi ti ha preso in giro".

Il buon Kamil rise e avrebbe voluto tornare su quel vecchio discorso, ma vedendo il volto imbronciato di Abbas si trattenne. Il Sayyid, che aveva ricordato apposta quella storia per distrarre il povero giovane, si voltò affettuosamente verso di lui e disse:

"Abbas, ascoltami come si conviene a un giovane che tutti sanno intelligente e bene educato: torna a Tell el-Kebir alla prima occasione, oggi stesso, se vuoi darmi retta. Lavora con impegno e risparmia abbastanza per cominciare una nuova vita. Non naufragare nei tuoi pensieri e non spegnere la tua volontà nella disperazione e nell'ira. Non credere che la sfortuna che ti ha colpito sia l'ultima che la vita ti riserva. Non hai ancora vent'anni e hai conosciuto solo una parte dei dolori che colpiscono l'uomo nella sua esistenza, una parte paragonabile ai dolori di un bambino che sta mettendo i denti o che ha la rosolia. Se li sopporti con coraggio sarai un vero uomo e in avvenire te ne ricorderai con un sorriso. Sta' su, armati di pazienza e di fede, pensa a guadagnarti da vivere e avrai la gioia del fedele messo da Dio fra gli afflitti, che sono i suoi prediletti".

Abbas non rispose nulla, ma vedendo che il Sayyid continuava a fissarlo, sorrise, fingendo di acconsentire, e mormorò macchinalmente:

"Tutto passerà come se niente fosse stato".

Il Sayyid sorrise, quindi si voltò verso Hussein Kirsha dicendo:

"Salute al campione del nostro Vicolo! Laggiù dove le preghiere sono esaudite, pregherò Iddio che ti guidi e al mio ritorno spero di trovarti al posto di tuo padre, come egli giustamente desidera per te. Complimenti quindi al nostro nuovo giovane padrone".

A quel punto lo Shaykh Darwish uscì dal suo silenzio e disse ad occhi bassi:

"Sayyid Ridwan, ricordati di me quando sarai laggiù e di' ai santi che il loro devoto si consuma d'amore, un amore inestinguibile per il quale ha perduto tutto ciò che possedeva e che la sua Signora non ricambia".

Sayyid Ridwan, che due parenti avevano deciso di accompagnare fino a Suez, uscì dal caffè circondato dagli amici e si recò al bazar, dallo Sayyid Selim Alwan, sempre curvo sui registri, a cui disse sorridendo:

"Mi è stato concesso di partire, lascia quindi che ti abbracci".

Stupito, l'altro alzò il volto affaticato. Pur sapendo della prossima partenza di Sayyid Ridwan, non si era dato la pena di andarlo a salutare, ma quello conoscendo il suo stato meglio di chiunque altro, non aveva dato peso alla negligenza e non voleva lasciare il quartiere senza prima salutarlo. Consapevole di aver mancato, Sayyid Alwan era in imbarazzo, ma l'altro lo abbracciò, lo baciò e invocò a lungo la benedizione del Cielo su di lui. Si trattenne un po' a parlare e infine si alzò dicendo:

"Speriamo che Dio ci conceda di fare il pellegrinaggio insieme, il prossimo anno".

Senza sapere bene quel che diceva, l'altro mormorò:

"Se Dio vorrà".

Si abbracciarono un'altra volta e Sayyid Ridwan ritornò dai suoi amici per dirigersi con loro all'entrata del Vicolo dove una vettura carica di valigie lo attendeva. Egli strinse calorosamente le mani degli amici e insieme ai suoi parenti salì a bordo della vettura che, seguita dagli sguardi di tutti, si diresse verso la Ghuriyya e svoltò quindi verso al-Azhar.

34

Il buon Kamil disse ad Abbas:

"Dopo il consiglio che ti ha dato Sayyid Ridwan, non ti resta che farti coraggio, affidarti al Signore e partire. Breve o lunga che sia la tua assenza, ti aspetterò, a Dio piacendo tornerai vincitore e diventerai il primo barbiere del quartiere".

Abbas al-Helwu stava seduto di fronte alla bottega, poco lontano dal buon Kamil e lo ascoltava senza dire una parola. Non aveva confidato a nessuno il suo nuovo segreto, era stato sul punto di rivelarlo al Sayyid Ridwan al-Husseini quando gli aveva parlato, ma aveva indugiato un istante e quello già si era rivolto a Hussein Kirsha. Ad ogni modo il corso dei suoi pensieri era mutato e quel consiglio non era andato a vuoto, anzi lo aveva fatto riflettere, ma la sua mente aspettava con impazienza la domenica. Una notte e un giorno erano trascorsi dal suo incontro con Hamida in quel negozio di fiori e aveva ormai esaminato la cosa sotto ogni aspetto convincendosi infine che, per quanto ciò che li legava fosse definitivamente distrutto, amava ancora quella ragazza e non poteva resistere al desiderio di vendicarsi. Dopo aver ascoltato in silenzio le parole del buon Kamil sospirò profondamente, come un uomo perseguitato dalla sorte, ormai prossimo alla rovina. L'amico gli chiese agitato:

"Non mi dici cos'hai deciso?"

Il giovane si alzò in piedi dicendo:

"Resterò qui ancora qualche giorno, almeno fino a domenica, poi mi rimetterò al Signore".

Premuroso, l'altro aggiunse:

"Non è difficile consolarsi, se lo si desidera veramente".

Andandosene, il giovane rispose:

"Hai ragione. Arrivederci".

Intendeva recarsi al cabaret Vita, dove pensava che Hussein Kirsha lo avesse preceduto dopo aver salutato Sayyid Ridwan. La sua mente era sempre in preda a pensieri angosciosi e il suo cuore agitato. Attendeva la domenica che ormai non era lontana, ma che avrebbe fatto quando fosse giunto il momento? Sarebbe andato all'appuntamento con un pugnale, per affondarlo nel cuore del suo rivale? Era probabilmente quello che voleva il suo cuore divorato dall'odio, dal rancore e dalla sofferenza, ma sarebbe stato capace di commettere un crimine? Le sue mani avrebbero potuto uccidere? Scrollò il capo incerto, scoraggiato e indispettito. Nulla gli era più estraneo della violenza. Era sempre stato mansueto e mite: come avrebbe fatto quella domenica? Desiderò ancor di più incontrare Hussein Kirsha per raccontargli di Hamida e chiedergli consiglio e aiuto, senza i quali era incapace di agire. Sentendosi tanto impotente, gli tornò alla mente il consiglio quasi dimenticato di Sayyid Ridwan al-Husseini: "... torna a Tell el-Kebir alla prima occasione, oggi stesso, se vuoi darmi retta... Non naufragare nei tuoi pensieri e non spegnere la tua volontà nella disperazione e nell'ira". Perché non mettere una pietra sul passato e le tristezze e ripartire con coraggio e con pazienza lavorando e dimenticando? Perché caricarsi di un peso insopportabile? Perché esporre la propria vita a pericoli di cui il minore era la prigione? Si lasciò andare a questi nuovi pensieri, ma senza riuscire a prendere una decisione. Provava ancora il desiderio di vendicarsi, forse soprattutto perché non farlo significava rompere definitivamente il filo sottile che ancora lo legava alla ragazza. Si rifiutava di credere che avrebbe potuto perdonarle, e continuava a ripetersi che ciò che li univa si era spezzato per sempre, ma probabilmente dentro di lui c'era il desiderio di riallacciare quei legami. L'ansia di vendetta non era che il riflesso dell'attaccamento per quella donna che amava e da cui non aveva la forza di separarsi.

In preda all'incertezza raggiunse il cabaret, dove Hussein Kirsha era seduto al suo posto e beveva vino rosso che già gli aveva dato un po' alla testa. Gli rivolse un breve saluto e gli disse pieno di speranza:

"Hai bevuto abbastanza. Ho bisogno di te per un affare importante. Vieni".

Hussein alzò le sopracciglia contrariato, seccato di venir disturbato, ma Abbas, troppo preoccupato per avvedersene, lo prese per un braccio e lo costrinse ad alzarsi, dicendogli:

"Ho assolutamente bisogno di te".

Sbuffando Hussein pagò il conto e uscì in compagnia dell'amico, che era ben deciso a portarlo via di lì per evitare che si ubriacasse e non potesse più dargli retta. Quando furono nel Muski gli disse, liberandosi da un incubo:

"Hussein, ho ritrovato Hamida".

Negli occhietti dell'altro passò un lampo di interesse, e gli chiese:

"Dove?"

"Ti ricordi la donna a cui sono corso dietro ieri sera e della quale mi hai chiesto oggi senza che io ti rispondessi chiaramente? Era Hamida".

L'altro esclamò, sorpreso e beffardo:

"Sei ubriaco? Che dici?"

Ma Abbas continuò serio ed emozionato:

"Devi credermi, era Hamida in carne e ossa. L'avevo riconosciuta subito, per questo le sono corso dietro, infine l'ho raggiunta e le ho parlato".

Incredulo Hussein gli domandò:

"Come faccio a crederti?"

Abbas sospirò tristemente e prese a raccontargli ciò che si erano detti senza nascondergli nulla, mentre l'altro lo ascoltava molto incuriosito e alla fine concluse:

"È questo che ti volevo dire. Hamida è finita in un abisso senza fondo, ma non ho intenzione di lasciare impunito quel delinquente".

Hussein gli lanciò un lungo sguardo che egli non seppe come interpretare. Menefreghista com'era, l'amico si era riavuto presto dalla sorpresa e gli disse in tono di disapprovazione:

"È Hamida la vera delinquente, non è fuggita con lui? Non gli ha ceduto? A lui cos'hai da rimproverare? Una ragazza gli è piaciuta e lui l'ha sedotta, ha avuto quel che voleva e poi ha pensato di sfruttarla mandandola a battere i cabaret. Io lo considero un uomo in gamba, potessi fare anch'io così, per trarmi dagli impicci. È Hamida la delinquente".

Abbas conosceva bene l'amico e non dubitava che, all'occasione, avrebbe potuto comportarsi come il suo rivale, per questo aveva evitato saggiamente di biasimarlo dal punto di vista morale ma cercò di risvegliare il suo amor proprio, dicendogli:

"Non pensi che quest'uomo meriti una lezione per l'attentato fatto al nostro onore?"

Hussein capì che con quelle parole Abbas voleva riferirsi alla fraternità di latte che lo legava ad Hamida e si ricordò d'improvviso di sua sorella, finita in prigione per uno scandalo simile, così si mise a urlare infuriato:

"È un affare che non mi riguarda, Hamida può anche andare al diavolo".

Ma non era del tutto sincero e se avesse incontrato quell'uomo in quel preciso momento lo avrebbe assalito e sbranato come una tigre.

Abbas però gli credette, così disse in tono di rimprovero:

"Dunque tolleri che un uomo possa trattare tanto odiosamente una ragazza del nostro Vicolo? Sono d'accordo con te, Hamida è colpevole e lui ha agito nel suo interesse, ma, per quel che ci riguarda, non è un'aggressione infame che grida vendetta?"

Hussein sbottò:

"Sei proprio stupido. Pensi che sia l'onore a farti parlare così, invece è la gelosia che divora quel tuo cuore smidollato. Se Hamida avesse accettato di ritornare da te, saresti volato via con lei tutto contento. Come si è svolto il vostro incontro? Avete parlato e vi siete sfogati a vicenda? Ma che bravo! Perché non l'hai ammazzata? Se fossi stato al tuo posto e la sorte mi avesse messo davanti la donna che mi ha tradito, l'avrei strozzata senza esitazione, poi avrei scannato il suo amante e mi sarei dileguato. Ecco quello che avresti dovuto fare".

Con un'espressione diabolica su quel suo viso scuro, continuò sbraitando:

"Non dico questo per tirarmi indietro, quell'uomo merita di pagarla cara e la pagherà. Andremo insieme all'appuntamento e lo copriremo di botte; nel caso, raduneremo un gruppo di amici che ci aiuteranno e lo lasceremo andare solo in cambio di una grossa somma, così ci vendicheremo e nello stesso tempo faremo un buon affare".

Abbas si rallegrò di questa conclusione inattesa e disse con entusiasmo:

"Splendida idea... ci sai proprio fare tu!"

Contento di quell'elogio, Hussein si mise a pensare all'attuazione del piano, spinto dall'offesa ricevuta, dall'inclinazione naturale per la rissa e dalla prospettiva di guadagno. Infine mormorò minaccioso: "Domenica non è lontana!" e quando arrivarono alla piazza regina Farida si fermò e aggiunse:

"Torniamo al cabaret Vita".

Ma l'altro lo prese per il braccio dicendogli:

"Non è meglio andare al cabaret dove lo incontreremo domenica, di modo che tu impari la strada?"

Hussein esitò qualche istante, poi acconsentì, e insieme affrettarono il passo. Il sole ormai prossimo al tramonto spandeva soltanto una debole luce e nel cielo c'era quella pace che di solito prelude all'arrivo della sera. Si accendevano i lampioni e i passanti continuavano per la loro strada. C'era un rumore continuo: sferragliare di tram, rombo di automobili, richiami di venditori, fischi e vocio della gente. Andare dal Vicolo a quella strada era come passare dal sonno a un risveglio fragoroso. Abbas era uscito dallo smarrimento che lo aveva oppresso a lungo ed ora, grazie all'audacia e alla forza dell'amico, vedeva chiaro dove andare. Per Hamida, lasciò che fossero le circostanze a decidere non riuscendo egli a risolversi in nessun senso, o meglio temendo di dover scegliere una volta per tutte. Ad un certo momento fu sul punto di confidare all'amico qualcuno dei suoi pensieri, ma guardando il suo viso scuro, la gola gli si chiuse e non riuscì a dire una parola. Così raggiunsero il punto del giorno prima e Abbas diede di gomito all'amico dicendogli:

"È qui che ci siamo parlati".

Hussein osservò il negozio in silenzio poi chiese interessato:
"E dov'è il cabaret?"

Abbas indicò una porta non lontana mormorando:
"Eccolo".

Si avvicinarono lentamente, mentre Hussein ispezionava il luogo coi suoi occhietti vivaci. Passando accanto al cabaret, Abbas lanciò un'occhiata all'interno e lo spettacolo che gli si presentò gli fece lanciare un grido e contrarre i muscoli del volto. Le cose poi precipitarono tanto in fretta che Hussein non ebbe neppure il tempo di capire cosa stava accadendo. Abbas aveva visto Hamida seduta in posa indecente tra un gruppo di soldati. Stava seduta su una sedia, un soldato alle sue spalle, chino su di lei, le faceva bere del vino dal suo bicchiere, lei lo guardava e intanto teneva le gambe stese in grembo ad un altro che le stava seduto di fronte. Intorno a loro altri bevevano o si accapigliavano. Il giovane impallidì e rimase inchiodato al suo posto. Si era dimenticato il mestiere di Hamida ed era stato colto alla sprovvista. Il sangue gli montò alla testa ed egli non ci vide più, si precipitò come un pazzo nel cabaret, urlando:

"Hamida!"

La ragazza spaventata si raddrizzò sulla sedia e fissò Abbas con occhi furenti. Per qualche secondo rimase paralizzata dallo stupore ma poi si riebbe e temendo che volesse provocare uno scandalo, gli gridò con voce rude, resa simile a un ruggito dall'ira:

"Non restar qui un attimo di più... sparisci dalla mia vista".

Ma quelle grida non fecero che peggiorare la situazione liberando Abbas da ogni timidezza e indecisione. Le pene e la disperazione patite per tre giorni esplosero furiosamente in lui. Scorse su un tavolo alla sua sinistra alcune bottiglie di birra vuote e, senza sapere quel che faceva, ne afferrò una e la scagliò con la forza della disperazione contro la ragazza. Il suo scatto fu tanto rapido che nessun soldato, nessun cameriere poté impedirlo. La bottiglia colpì Hamida in pieno viso e il sangue cominciò a colarle dal naso, dalla bocca e dal mento, mischiandosi alla cipria e al trucco e gocciolando sul collo e sul vestito.

Le grida della ragazza si unirono a quelle dei presenti già ubriachi ed eccitati, e tutti si gettarono su Abbas come belve coprendolo di pugni, calci e bottigliate. Hussein Kirsha, dall'entrata del cabaret, vedeva l'amico malmenato e lo sentiva invocare il suo aiuto mentre lui, che non si era mai tirato indietro di fronte a una rissa, se ne stava lì impalato senza sapere come raggiungerlo in mezzo a quei soldati scatenati. Sconvolto si guardò intorno cercando una lama, un bastone o un coltello ma non trovò nulla, mentre i passanti si affollavano all'entrata del caffè ad osservare sbalorditi quella rissa, senza intervenire.

35

Il mattino rischiarò il Vicolo e un raggio di sole colpì la parte più alta del muro del bazar e del negozio di barbiere. Songor, il garzone del caffè, riempiva un secchio e bagnava per terra. Cominciava un'altra pagina di vita quotidiana e gli abitanti del Vicolo davano silenziosamente il benvenuto al nuovo giorno. Contrariamente alle sue abitudini, il buon Kamil si stava già dando da fare davanti a un piatto di basbusa, circondato da un gruppo di scolari che gli riempivano le tasche di monetine. Di fronte, il vecchio barbiere affilava i rasoi e Gaada il fornaio portava la pasta di pane, mentre arrivavano gli impiegati del bazar che si accingevano ad aprire porte e magazzini in un frastuono che sarebbe durato tutto il giorno. Padron Kirsha, seduto alla cassa, rosicchiava qualcosa che poi trangugiava bevendoci sopra una tazza di caffè, mentre silenzioso e assente gli stava accanto lo Shaykh Darwish. A quest'ora si affacciava alla finestra anche la signora Saniyya Afifi per seguire con lo sguardo il giovane sposo che si recava al lavoro al posto di polizia. Così la vita tornava a scorrere nel Vicolo nel modo consueto, appena turbato dalla scomparsa di una giovane o dall'arresto di un uomo, ben presto ogni notizia si smorzava in quel lago placido e stagnante dove, al giungere della sera, gli avvenimenti del mattino svanivano nell'oblio. A metà mattina giunse Hussein Kirsha col viso scuro e gli occhi arrossati da una notte insonne. A passi pesanti si diresse verso il padre, si gettò su una sedia di fronte a lui e gli disse bruscamente, senza neppure salutarlo:

"Papà, hanno ammazzato Abbas al-Helwu..."

Il padre, che era sul punto di rimproverarlo per aver trascorso la notte fuori casa, non disse una parola, lo guardò con i suoi occhi assenti restando qualche istante impietrito e interdetto come se non avesse ben capito, poi gli domandò turbato:

"Ma che dici?"

Con lo sguardo smarrito Hussein rispose rauco:

"Hanno ucciso Abbas. Sono stati gli Inglesi".

Deglutì e prese a raccontare al padre quel che si erano detti con Abbas, la sera prima, attraversando il Muski, quindi concluse agitato:

"Mi aveva portato a vedere il cabaret, dove quella maledetta gli aveva dato appuntamento e quando siamo passati davanti alla porta, vedendo quella sgualdrina in mezzo a un gruppo di soldati, ha perso la testa, si è precipitato dentro e prima che potessi capire le sue intenzioni, le ha scagliato in faccia una bottiglia. I soldati non ci hanno visto più e gli si sono lanciati addosso a decine, coprendolo di colpi finché è caduto in mezzo a loro senza più muoversi". Quindi serrando i pugni e stringendo i denti disse infuriato:

"Diavolo, non ho potuto nemmeno dargli aiuto, perché la massa dei soldati sbarrava l'entrata... se avessi potuto acciuffare almeno uno di quei maledetti..."

Era questo che lo tormentava e lo esasperava, tanto che tornando al Vicolo avrebbe voluto sparire dalla vergogna. Padron Kirsha con un gesto di sconforto esclamò:

"Non c'è forza né potenza se non in Dio. E che avete fatto?"

"La polizia è arrivata quando il peggio era già successo. Hanno circondato il cabaret, ma ormai a che serviva? Hanno portato il corpo di Abbas all'ospedale e quella svergognata è finita al pronto soccorso".

Incuriosito il padre chiese:

"È stata uccisa anche lei?"

Divorato dall'odio Hussein rispose:

"No. Non credo che il colpo sia stato mortale, Abbas è morto per niente".

"E gli Inglesi?"

"La polizia li circondava per proteggerli, chi avrebbe potuto fargli qualcosa?"

Con un altro gesto di sconforto padron Kirsha riprese:

"Apparteniamo a Dio e a Lui facciamo ritorno. Lo hanno saputo i suoi parenti? Va' da suo zio Hassan, il calzolaio di Khurunfush, a dirglielo, e che Dio ci aiuti".

Hussein si alzò a fatica e lasciò il caffè. La notizia si diffuse e padron Kirsha dovette ripetere decine di volte, a tutti quelli che venivano a informarsi, il racconto fattogli dal figlio, così si fecero molte chiacchiere e molte supposizioni. Il buon Kamil giunse al caffè vacillante, sorpreso da quella notizia come da un fulmine, e si gettò su una panca piangendo amaramente, singhiozzando come un bambino, non riuscendo a credere che colui che gli aveva comprato il sudario ora non fosse più in vita. Anche Umm Hamida quando seppe la notizia uscì di casa in lacrime, ma quelli che la videro dissero che si lamentava più per la colpevole che per la vittima. Il più agitato di tutti però era Sayyid Selim Alwan, e non tanto perché gli dispiacesse per Abbas, ma perché quella tragedia aveva risvegliato in lui la paura della morte, alimentando foschi pensieri nella sua immaginazione malata e riportandogli alla mente tutte quelle cose spaventose che ultimamente gli avevano logorato i nervi. Così fu preso dall'angoscia e non sopportando di starsene seduto, prese a camminare su e giù per il bazar, uscendo di quando in quando nel Vicolo a guardare la bottega che per lunghi anni era stata di Abbas. A causa del caldo, aveva ormai smesso di bere la sua acqua tiepida, ma quel giorno chiese all'inserviente di prepararla come in inverno e trascorse un'ora intera atterrito e ansioso, perseguitato dai singhiozzi del buon Kamil.

Ma come tutte le altre anche questa notizia passò, per l'ineluttabile disposizione del Vicolo all'oblio e all'indifferenza. Al mattino, se era il caso, si piangeva, ma alla sera già si sghignazzava tra le porte e le finestre che si aprivano e si chiudevano con un medesimo cigolio. Non successe più praticamente nulla di importante, salvo la decisione della signora Saniyya Afifi di vuotare l'appartamento in cui aveva abitato il dottore, prima di essere arrestato. Il buon Kamil si offrì di prendersi in casa i mobili e gli strumenti, disposto a dividere un giorno l'appartamento con lui piuttosto che restarsene da solo. Nessuno lo biasimò per questo e anzi considerarono la sua una buona azione, poiché nessuno nel Vicolo riteneva la prigione qualcosa di infamante. Si diceva che Umm Hamida fosse riuscita a rivedere la figlia ormai convalescente e facesse progetti su di lei. In seguito l'interesse di tutti fu monopolizzato dalla famiglia di un macellaio, venuta a stare nell'appartamento del dottor Bushi, e composta da marito, moglie, sette bambini e una bella ragazza che subito Hussein Kirsha fece segno delle sue attenzioni, ma in seguito, avvicinandosi la data del ritorno di Sayyid Ridwan al-Husseini dal pellegrinaggio, nessuno poté più pensare ad altro. Furono appese lampade e stendardi e il selciato fu cosparso di sabbia, e tutti si prepararono a una notte di gioia che sarebbe stata a lungo ricordata. Un giorno, lo Shaykh Darwish sentì il buon Kamil scherzare con il vecchio barbiere e alzando gli occhi al cielo esclamò:

Destino dell'uomo è essere scordato
e del cuore venire trasformato.

Il buon Kamil si accigliò, impallidì e gli occhi si riempirono di pianto ma lo Shaykh alzò le spalle indifferente e continuando a fissare il soffitto proseguì:

Chi muore d'amore, di pena se ne muore
senza di questo non c'è alcun bene nell'amore.

Infine si stropicciò le mani soffiandovi sopra e concluse:
"Signore e giudice di ogni cosa, concedici la misericordia dei santi. Signore, che io possa essere paziente, non ha forse ogni cosa la sua fine? Sì, ogni cosa ha fine, che in inglese si dice end e si scrive e.n.d.".

La narrativa nell'"Universale economica Feltrinelli"

Alechem, *La storia di Tewje il lattivendolo*
Aleramo, *Una donna*
Allende, *La casa degli spiriti*
Allende, *D'amore e ombra*
Allende, *Eva Luna*
Anonimo, *Alice: i giorni della droga*
Babel, *L'armata a cavallo e altri racconti*
Bell, *Le carte segrete di Mary Brandon*
Bellow, *Addio alla casa gialla*
Benni, *Il bar sotto il mare*
Benni, *Terra!*
Benni, *Comici spaventati guerrieri*
Blixen, *La mia Africa*
Borges, *L'Aleph*
Borges, *Altre inquisizioni*
Bukowski, *Compagno di sbronze*
Bukowski, *Musica per organi caldi*
Bukowski, *Storie di ordinaria follia*
Celati, *Quattro novelle sulle apparenze*
Chamberlain, *Donne sciabole e cavalli*
Chandler, *Blues di Bay City e altri racconti*
Chandler, *L'uomo a cui piacevano i cani e altri racconti*
Chandler, *Il grande sonno*
Cirri, Ferrentino, *Via etere*
Conrad, *Fino all'estremo*
Corti, *L'ora di tutti*
Croce, *Bertoldo, Bertoldino. Con "Cacasenno" di A. Banchieri*

De Angelis, *Il candeliere a sette fiamme*
Dostoevskij, *Il romanzo del sottosuolo*
Duras, *Moderato cantabile*
Duras, *Occhi blu capelli neri*
Duras, *Testi segreti*
Duras, *La vita materiale*
Erdman, *Il mandato*
Forster, *Casa Howard*
Forster, *L'omnibus celeste. Racconti*
Gordimer, *Occasione d'amore*
Grass, *Anni di cani*
Grass, *Gatto e topo*
Grass, *Il tamburo di latta*
Guimarães Rosa, *Grande Sertão*
Guimarães Rosa, *Una storia d'amore*
Hamilton (a cura di), *Sul sentiero di guerra. Scritti e testimonianze degli Indiani d'America*
Handke, *L'ambulante*
Handke, *Prima del calcio di rigore*
Hoyle, *La nuvola nera*
Istrati, *Kyra Kyralina*
Kerouac, *I sotterranei*
Lawrence, *L'ufficiale prussiano e altri racconti*
Ledda, *Padre padrone: l'educazione di un pastore*
Lee, *Il buio oltre la siepe*
Lessing, *Il taccuino d'oro*
Lessing, *Il diario di Jane Somers*
Lessing, *Se gioventù sapesse*
Lispector, *Legami familiari*
Lispector, *L'ora della stella*
London, *Il richiamo della notte*
London, *Il tallone di ferro*
Lowry, *Sotto il vulcano*
Manfredi, *Ultimi vampiri*
Mann, *La morte a Venezia. Tonio Kröger. Tristano*
Mann, *Padrone e cane e altri racconti*
Markandaya, *Nèttare in un setaccio*
Miller, *Primavera nera*
Miller, *Tropico del Cancro*
Miller, *Tropico del Capricorno*

Mishima, *Confessioni di una maschera*
Mishima, *Dopo il banchetto*
Mishima, *Il padiglione d'oro*
Mishima, *Trastulli d'animali*
Onetti, *Per questa notte*
Onetti, *La vita breve*
Palandri, *Boccalone*
Pasternak, *Il dottor Živago*
Peretz, *Novelle ebraiche*
Puig, *Fattaccio a Buenos Aires*
Roa Bastos, *Figlio di uomo*
Saramago, *Memoriale del convento*
Scorza, *Cantare di Agapito Robles*
Scorza, *Il cavaliere insonne*
Scorza, *La danza immobile*
Scorza, *Rulli di tamburo per Rancas*
Scorza, *Storia di Garabombo, l'invisibile*
Starnone, *Ex cattedra*
Tabucchi, *Piccoli equivoci senza importanza*
Tanizaki, *Pianto di sirena*
Tomasi di Lampedusa, *Il Gattopardo*
Tondelli, *Altri libertini*
Wilde, *De Profundis*
Woolf, *Le tre ghinee*
Yourcenar, *L'Opera al nero*
Yourcenar, *Alexis*
Zamjàtin, *Noi*
Zangwill, *Il re degli Schnorrer*

Stampa Grafica Sipiel - Milano, aprile 1990